유머로 배우는 한국어

にほんご【日本語】(일본어)
ほんやくばん【翻訳版】(번역판)

• 유머 (名詞) : ユーモア
人を笑わせる行動や言葉。

• 로 : で
ある動作を行うための方法や方式を表す助詞。

• 배우다 (動詞) : まなぶ【学ぶ】。ならう【習う】
新しい知識を得る。

• -는 : する。ている
前の言葉に連体修飾語の機能を持たせ、出来事や動作が現在進行中であるという意を表す語尾。

• 한국어 (名詞) : かんこくご【韓国語】
韓国で話されている言語。

※ 이 책의 폰트는 '함초롬 바탕체'를 사용하였습니다.

< 저자(ちょしゃ) >

㈜한글2119연구소

- 연구개발전담부서
- ISO 9001 : 품질경영시스템 인증
- ISO 14001 : 환경경영시스템 인증
- 이메일(でんしメール) : gjh0675@naver.com

< 동영상(どうが) 자료(しりょう) >

HANPUK_にほんご(ほんやく)
https://www.youtube.com/@HANPUK_Japanese

HANPUK

제 2024153361 호

연구개발전담부서 인정서

1. 전담부서명: 연구개발전담부서

   [소속기업명: (주)한글2119연구소]

2. 소 재 지: 인천광역시 부평구 마장로264번길 33
   상가동 제지하층 제2호 (산곡동, 뉴서울아파트)

3. 신고 연월일: 2024년 05월 02일

과학기술정보통신부

「기초연구진흥 및 기술개발지원에 관한 법률」 제14조의 2제1항 및 같은 법 시행령 제27조제1항에 따라 위와 같이 기업의 연구개발전담부서로 인정합니다.

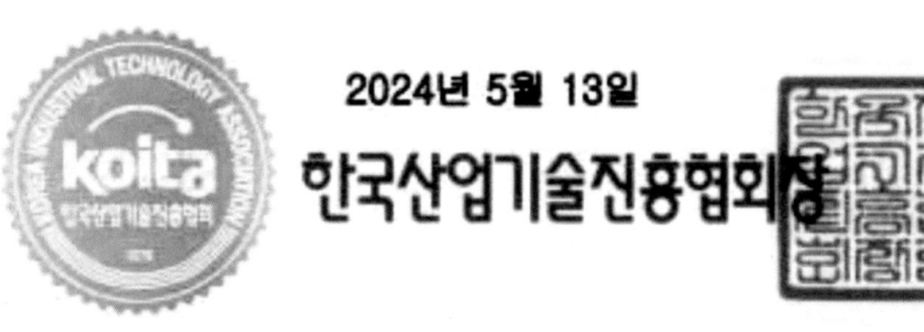

2024년 5월 13일

한국산업기술진흥협회장

< 목차(もくじ【目次】) >

● 부록(ふろく【付録】)

< 1 단원(たんげん【単元】) >

제목 : 깜짝 놀라서 티브이(TV) 전원을 꺼 버렸지.

● 본문 (ほんぶん【本文】)

할머니께서 드라마를 보시다가 갑자기 티브이(TV) 전원을 꺼 버렸습니다.

그리고 며칠 후 초등학교 동창회에 참석하셨습니다.

거기서 할머니는 가장 친한 친구에게 티브이(TV)를 갑자기 끈 이유를 말했습니다.

할머니 : 갑자기 배우 한 명이 기침을 하잖아.

깜짝 놀라서 티브이(TV) 전원을 꺼 버렸지.

할머니 친구 : 바보야, 티브이(TV)를 왜 꺼.

얼른 마스크를 쓰면 되지.

할머니 : 맞네.

그런 기막힌 방법이 있었네.

● 발음 (はつおん【発音】)

할머니께서 드라마를 보시다가 갑자기 티브이(TV) 전원을 꺼 버렸습니다.
할머니께서 드라마를 보시다가 갑짜기 티브이(TV) 저눠늘 꺼 버렫씀니다.
halmeonikkeseo deuramareul bosidaga gapjagi tibeui(TV) jeonwoneul kkeo beoryeotseumnida.

그리고 며칠 후 초등학교 동창회에 참석하셨습니다.
그리고 며칠 후 초등학꾜 동창회에 참서카셛씀니다.
geurigo myeochil hu chodeunghaggyo dongchanghoee chamseokasyeotseumnida.

거기서 할머니는 가장 친한 친구에게 티브이(TV)를 갑자기 끈 이유를 말했습니다.
거시서 할머니는 가장 친한 친구에게 티브이(TV)를 갑자기 끈 이유를 말핻씀니다.
geogiseo halmeonineun gajang chinhan chinguege tibeui(TV)reul gapjagi kkeun iyureul malhaetseumnida.

할머니 : 갑자기 배우 한 명이 기침을 하잖아.
할머니 : 갑짜기 배우 한 명이 기치믈 하자나.
halmeoni : gapjagi baeu han myeongi gichimeul hajana.

깜짝 놀라서 티브이(TV) 전원을 꺼 버렸지.
깜짝 놀라서 티브이(TV) 저눠늘 꺼 버렫찌.
kkamjjak nollaseo tibeui(TV) jeonwoneul kkeo beoryeotji.

할머니 친구 : 바보야, 티브이(TV)를 왜 꺼.
할머니 친구 : 바보야, 티브이(TV)를 왜 꺼.
halmeoni chingu : baboya, tibeui(TV)reul wae kkeo.

얼른 마스크를 쓰면 되지.
얼른 마스크를 쓰면 되지.
eolleun maseukeureul sseumyeon doeji.

할머니 : 맞네.
할머니 : 만네.
halmeoni : manne.

그런 기막힌 방법이 있었네.
그런 기마킨 방버비 이썬네.
geureon gimakin bangbeobi isseonne.

● 어휘 (ごい【語彙】) / 문법 (ぶんぽう【文法】)

할머니+께서 드라마+를 보+시+다가 갑자기 티브이(TV) 전원+을 끄(ㄲ)+어 버리+었+습니다.

그리고 며칠 후 초등학교 동창회+에 참석하+시+었+습니다.

거기+서 할머니+는 가장 친하+ㄴ 친구+에게 티브이(TV)+를 갑자기 끄+ㄴ 이유+를 말하+였+습니다.

할머니 : 갑자기 배우 한 명+이 기침+을 하+잖아.

깜짝 놀라+(아)서 티브이(TV) 전원+을 끄(ㄲ)+어 버리+었+지.

할머니 친구 : 바보+야, 티브이(TV)+를 왜 끄(ㄲ)+어.

얼른 마스크+를 쓰+면 되+지.

할머니 : 맞+네.

그런 기막히+ㄴ 방법+이 있+었+네.

할머니+께서 드라마+를 보+시+다가 갑자기 티브이(TV) 전원+을 끄(ㄲ)+[어 버리]+었+습니다. 꺼 버렸습니다

• **할머니 (名詞)** : 아버지의 어머니, 또는 어머니의 어머니를 이르거나 부르는 말.
おばあさん【御祖母さん】。そぼ・ばば【祖母】
父または母の母親を指したり呼ぶ語。

• 께서 : (높임말로) 가. 이. 어떤 동작의 주체가 높여야 할 대상임을 나타내는 조사.
は
「가」または「이」の尊敬語。ある行動の主体が敬う対象であることを表す助詞。

• **드라마 (名詞)** : 극장에서 공연되거나 텔레비전 등에서 방송되는 극.
ドラマ
劇場で公演されたり、テレビなどで放送される劇。

• 를 : 동작이 직접적으로 영향을 미치는 대상을 나타내는 조사.
を
動作が直接的に影響を及ぼす対象を表す助詞。

• **보다 (動詞)** : 눈으로 대상을 즐기거나 감상하다.
みる【観る】。かんしょうする【観賞する】。けんぶつする【見物する】。たのしむ【楽しむ】
目で対象を楽しんだり観賞したりする。

• -시- : 어떤 동작이나 상태의 주체를 높이는 뜻을 나타내는 어미.
お…になる。ご…になる
ある動作や状態の主体を敬う意を表す語尾。

• -다가 : 어떤 행동이나 상태 등이 중단되고 다른 행동이나 상태로 바뀜을 나타내는 연결 어미.
ていて。…かけて。とちゅうで【途中で】
ある行動や状態などが中断され、別の行動や状態に変わる意を表す「連結語尾」。

• **갑자기 (副詞)** : 미처 생각할 틈도 없이 빨리.
きゅうに【急に】
考える間もなくいきなり。

• **티브이(TV) (名詞)** : 방송국에서 전파로 보내오는 영상과 소리를 받아서 보여 주는 기계.
テレビ。テレビジョン
放送局が電波で送る映像と音声を受信して、画面に映し出す機械。

• **전원 (名詞)** : 전기 콘센트 등과 같이 기계 등에 전류가 오는 원천.
でんげん【電源】
電気コンセントなどのように機械などに電流が入ってくる源泉。

• 을 : 동작이 직접적으로 영향을 미치는 대상을 나타내는 조사.
を
動作が直接的に影響を及ぼす対象を表す助詞。

• **끄다 (動詞)** : 전기나 기계를 움직이는 힘이 통하는 길을 끊어 전기 제품 등을 작동하지 않게 하다.
けす【消す】。きる【切る】
電気や機械を動かす力が通る道を切って、電気製品などが動かないようにする。

• -어 버리다 : 앞의 말이 나타내는 행동이 완전히 끝났음을 나타내는 표현.
てしまう
前の言葉の表す行動が完全に終わったという意を表す表現。

• -었- : 어떤 사건이 과거에 완료되었거나 그 사건의 결과가 현재까지 지속되는 상황을 나타내는 어미.
た。ている
ある出来事が過去に完了したことや、その出来事の結果が現在まで持続している状況を表す語尾。

• -습니다 : (아주높임으로) 현재의 동작이나 상태, 사실을 정중하게 설명함을 나타내는 종결 어미.
ます。です
(上称) 現在の動作や状態、事実を丁寧に説明する意を表す「終結語尾」。

그리고 며칠 후 초등학교 동창회+에 참석하+시+었+습니다.
참석하셨습니다

• **그리고 (副詞)** : 앞의 내용에 이어 뒤의 내용을 단순히 나열할 때 쓰는 말.
そして
前の内容に続いて後ろの内容を単純に並べる時に用いる語。

• **며칠 (名詞)** : 몇 날.
すうじつ【数日】
いく日かの日数。

• **후 (名詞)** : 얼마만큼 시간이 지나간 다음.
あと【後】
ある程度の時間が過ぎた後。

• **초등학교 (名詞)** : 학교 교육의 첫 번째 단계로 만 여섯 살에 입학하여 육 년 동안 기본 교육을 받는 학교.
しょうがっこう【小学校】
学校教育の第一段階で、満6歳に入学して6年間基本的な教育を受ける学校。

• **동창회 (名詞)** : 같은 학교를 졸업한 사람들의 모임.
どうそうかい【同窓会】
同じ学校を卒業した人の集まり。

• 에 : 앞말이 어떤 장소나 자리임을 나타내는 조사.
に
前の言葉が場所や席であることを表す助詞。

• **참석하다 (動詞)** : 회의나 모임 등의 자리에 가서 함께하다.
しゅっせきする【出席する】。れっせきする【列席する】
会議・会合などの場に行って行動をともにする。

• -시- : 어떤 동작이나 상태의 주체를 높이는 뜻을 나타내는 어미.
お…になる。ご…になる
ある動作や状態の主体を敬う意を表す語尾。

• -었- : 어떤 사건이 과거에 완료되었거나 그 사건의 결과가 현재까지 지속되는 상황을 나타내는 어미.
た。ている
ある出来事が過去に完了したことや、その出来事の結果が現在まで持続している状況を表す語尾。

• -습니다 : (아주높임으로) 현재의 동작이나 상태, 사실을 정중하게 설명함을 나타내는 종결 어미.
ます。です
(上称) 現在の動作や状態、事実を丁寧に説明する意を表す「終結語尾」。

거기+서 할머니+는 가장 친하+ㄴ 친구+에게 티브이(TV)+를 갑자기 끄+ㄴ 이유+를 말하+였+습니다.
친한 끈 말했습니다

• **거기 (代名詞)** : 앞에서 이미 이야기한 곳을 가리키는 말.
そこ。そちら。あそこ。あちら。
前の話で話題になった場所をさす語。

• 서 : 앞말이 행동이 이루어지고 있는 장소임을 나타내는 조사.
で。にて
前の言葉がその行動が行われている場所であることを表す助詞。

• **할머니 (名詞)** : 아버지의 어머니, 또는 어머니의 어머니를 이르거나 부르는 말.
おばあさん【御祖母さん】。そぼ・ばば【祖母】
父または母の母親を指したり呼ぶ語。

• 는 : 문장 속에서 어떤 대상이 화제임을 나타내는 조사.
は
文の中で、ある対象が話題であることを表す助詞。

• **가장 (副詞)** : 여럿 가운데에서 제일로.
もっとも【最も】。いちばん【一番】。なによりも【何よりも】
他のどれよりもまさるさま。

• **친하다 (形容詞)** : 가까이 사귀어 서로 잘 알고 정이 두텁다.
したしい【親しい】。しんみつだ【親密だ】。ちかい【近い】
近く交際して互いをよく知っていて情が厚い。

• -ㄴ : 앞의 말이 관형어의 기능을 하게 만들고 현재의 상태를 나타내는 어미.
た
前の言葉に連体修飾語の機能を持たせ、現在の状態を表す「語尾」。

• **친구 (名詞)** : 사이가 가까워 서로 친하게 지내는 사람.
とも【友】。ともだち【友達】。ゆうじん【友人】。ほうゆう【朋友】
関係が近くて、親しく交わっている人。

• 에게 : 어떤 행동이 미치는 대상임을 나타내는 조사.
に
行動が行われる対象を表す助詞。

• **티브이(TV) (名詞)** : 방송국에서 전파로 보내오는 영상과 소리를 받아서 보여 주는 기계.
テレビ。テレビジョン
放送局が電波で送る映像と音声を受信して、画面に映し出す機械。

• 를 : 동작이 직접적으로 영향을 미치는 대상을 나타내는 조사.
を
動作が直接的に影響を及ぼす対象を表す助詞。

• **갑자기 (副詞)** : 미처 생각할 틈도 없이 빨리.
きゅうに【急に】
考える間もなくいきなり。

• **끄다 (動詞)** : 전기나 기계를 움직이는 힘이 통하는 길을 끊어 전기 제품 등을 작동하지 않게 하다.
けす【消す】。きる【切る】
電気や機械を動かす力が通る道を切って、電気製品などが動かないようにする。

• -ㄴ : 앞의 말이 관형어의 기능을 하게 만들고 사건이나 동작이 과거에 일어났음을 나타내는 어미.
た。ている
前の言葉に連体修飾語の機能を持たせ、出来事や動作が過去にあったという意を表す「語尾」。

• **이유 (名詞)** : 어떠한 결과가 생기게 된 까닭이나 근거.
りゆう【理由】
ある結果が生じたわけや根拠。

• 를 : 동작이 직접적으로 영향을 미치는 대상을 나타내는 조사.
を
動作が直接的に影響を及ぼす対象を表す助詞。

• **말하다 (動詞)** : 어떤 사실이나 자신의 생각 또는 느낌을 말로 나타내다.
いう【言う】。かたる【語る】。はなす【話す】。のべる【述べる】
ある事実や自分の考え、または感情を言葉で表す。

• -였- : 어떤 사건이 과거에 완료되었거나 그 사건의 결과가 현재까지 지속되는 상황을 나타내는 어미.
た。ている
ある出来事が過去に完了したことや、その出来事の結果が現在まで持続している状況を表す語尾。

• -습니다 : (아주높임으로) 현재의 동작이나 상태, 사실을 정중하게 설명함을 나타내는 종결 어미.
ます。です
(上称) 現在の動作や状態、事実を丁寧に説明する意を表す「終結語尾」。

할머니 : 갑자기 배우 한 명+이 기침+을 하+잖아.

• **갑자기 (副詞)** : 미처 생각할 틈도 없이 빨리.
きゅうに【急に】
考える間もなくいきなり。

• **배우 (名詞)** : 영화나 연극, 드라마 등에 나오는 인물의 역할을 맡아서 연기하는 사람.
はいゆう【俳優】。やくしゃ【役者】
映画・演劇・ドラマなどの登場人物に扮して演技をする人。

• **한 (冠形詞)** : 하나의.
いち【一】
1の。

• **명 (名詞)** : 사람의 수를 세는 단위.
めい【名】。にん【人】
人数を 数える単位。

• 이 : 어떤 상태나 상황의 대상이나 동작의 주체를 나타내는 조사.
が
ある状態・状況の対象や動作の主体を表す助詞。

• **기침 (名詞)** : 폐에서 목구멍을 통해 공기가 거친 소리를 내며 갑자기 터져 나오는 일.
せき【咳】
肺からのどを通って空気が荒い音を出しながら急に出ること。

• 을 : 동작이 직접적으로 영향을 미치는 대상을 나타내는 조사.
を
動作が直接的に影響を及ぼす対象を表す助詞。

• **하다 (動詞)** : 어떤 행동이나 동작, 활동 등을 행하다.
する【為る】。やる【遣る】。なす【成す・為す】
ある行動や動作、活動などを行う。

• -잖아 : (두루낮춤으로) 어떤 상황에 대해 말하는 사람이 상대방에게 확인하거나 정정해 주듯이 말함을 나타내는 표현.
じゃないか。ではないか
(略待下称)ある状況について話し手が相手に確認、または訂正するように述べるという意を表す表現。

할머니 : 깜짝 놀라+(아)서 티브이(TV) 전원+을 끄(ㄲ)+[어 버리]+었+지. 놀라서 꺼 버렸지

• **깜짝 (副詞)** : 갑자기 놀라는 모양.
びっくり
急に驚くさま。

• **놀라다 (動詞)** : 뜻밖의 일을 당하거나 무서워서 순간적으로 긴장하거나 가슴이 뛰다.
おどろく【驚く】。びっくりする
意外なことに出くわしたり怖かったりして、瞬間的に緊張したり胸がどきどきしたりする。

• -아서 : 이유나 근거를 나타내는 연결 어미.
て。から。ので。ため。ゆえ【故】
理由や根拠の意を表す「連結語尾」。

• **티브이(TV) (名詞)** : 방송국에서 전파로 보내오는 영상과 소리를 받아서 보여 주는 기계.
テレビ。テレビジョン
放送局が電波で送る映像と音声を受信して、画面に映し出す機械。

• **전원 (名詞)** : 전기 콘센트 등과 같이 기계 등에 전류가 오는 원천.
でんげん【電源】
電気コンセントなどのように機械などに電流が入ってくる源泉。

• 을 : 동작이 직접적으로 영향을 미치는 대상을 나타내는 조사.
を
動作が直接的に影響を及ぼす対象を表す助詞。

• **끄다 (動詞)** : 전기나 기계를 움직이는 힘이 통하는 길을 끊어 전기 제품 등을 작동하지 않게 하다.
けす【消す】。きる【切る】
電気や機械を動かす力が通る道を切って、電気製品などが動かないようにする。

• -어 버리다 : 앞의 말이 나타내는 행동이 완전히 끝났음을 나타내는 표현.
てしまう
前の言葉の表す行動が完全に終わったという意を表す表現。

• -었- : 어떤 사건이 과거에 완료되었거나 그 사건의 결과가 현재까지 지속되는 상황을 나타내는 어미.
た。ている
ある出来事が過去に完了したことや、その出来事の結果が現在まで持続している状況を表す語尾。

• -지 : (두루낮춤으로) 말하는 사람이 자신에 대한 이야기나 자신의 생각을 친근하게 말할 때 쓰는 종결 어미.
よ。だろう
(略待下称) 話し手が自分に関する話や自分の考えを親しみをこめて述べるのに用いる「終結語尾」。

할머니 친구 : 바보+야, 티브이(TV)+를 왜 끄(ㄲ)+어.
꺼

• **바보 (名詞)** : (욕하는 말로) 어리석고 멍청하거나 못난 사람.
ばか【馬鹿】。ばかもの【馬鹿者】。あほう【阿呆】。まぬけ【間抜け】
愚かで間が抜けている人をののしっていう語。

• 야 : 친구나 아랫사람, 동물 등을 부를 때 쓰는 조사.
対訳語無し
友だちや目下の人、動物などを呼ぶのに用いる助詞。

• **티브이(TV) (名詞)** : 방송국에서 전파로 보내오는 영상과 소리를 받아서 보여 주는 기계.
テレビ。テレビジョン
放送局が電波で送る映像と音声を受信して、画面に映し出す機械。

• 를 : 동작이 직접적으로 영향을 미치는 대상을 나타내는 조사.
を
動作が直接的に影響を及ぼす対象を表す助詞。

• **왜 (副詞)** : 무슨 이유로. 또는 어째서.
なぜ【何故】。どうして。なんで【何で】
どういう理由で。また、何ゆえ。

• **끄다 (動詞)** : 전기나 기계를 움직이는 힘이 통하는 길을 끊어 전기 제품 등을 작동하지 않게 하다.
けす【消す】。きる【切る】
電気や機械を動かす力が通る道を切って、電気製品などが動かないようにする。

• -어 : (두루낮춤으로) 어떤 사실을 서술하거나 물음, 명령, 권유를 나타내는 종결 어미.
のか。なさい。よう。ましょう
(略待下称) ある事実を叙述したり、質問・命令・勧誘の意を表す「終結語尾」。

할머니 친구 : 얼른 마스크+를 쓰+[면 되]+지.

• **얼른 (副詞)** : 시간을 오래 끌지 않고 바로.
すぐ【直ぐ】。はやく【早く】。ただちに【直ちに】。すみやかに【速やかに】。すばやく【素早く】
時間を長引かせることなくすぐ。

• **마스크 (名詞)** : 병균이나 먼지, 찬 공기 등을 막기 위하여 입과 코를 가리는 물건.
マスク
病菌やほこり、冷たい空気などを塞ぐため、口や鼻を覆うもの。

• 를 : 동작이 직접적으로 영향을 미치는 대상을 나타내는 조사.
を
動作が直接的に影響を及ぼす対象を表す助詞。

• **쓰다 (動詞)** : 얼굴에 어떤 물건을 걸거나 덮어쓰다.
かぶる【被る】。つける【付ける】。する
顔にある物をかけたり覆うように載せたりする。

• -면 되다 : 조건이 되는 어떤 행동을 하거나 어떤 상태만 갖추어지면 문제가 없거나 충분함을 나타내는 표현.
ばいい。といい
条件になるある行動をするかある状態さえそろえば何も問題ない、
あるいはそれで十分であるという意を表す表現。

• -지 : (두루낮춤으로) 말하는 사람이 자신에 대한 이야기나 자신의 생각을 친근하게 말할 때 쓰는 종결 어미.
よ。だろう
(略待下称) 話し手が自分に関する話や自分の考えを親しみをこめて述べるのに用いる「終結語尾」。

할머니 : 맞+네.

그런 기막히+ㄴ 방법+이 있+었+네.
기막힌

• **맞다 (動詞)** : 그렇거나 옳다.
あう【合う】
そうである。また、正しい。

• -네 : (아주낮춤으로) 지금 깨달은 일에 대하여 말함을 나타내는 종결 어미.
(だ)なあ。(だ)ね。(なの)か。(だ)よ
(下称) その場で悟った事について述べるという意を表す「終結語尾」。

• **그런 (冠形詞)** : 상태, 모양, 성질 등이 그러한.
そんな。そのような。そうした。そういう
状態・模様・性質などがそのようなさま。

• **기막히다 (形容詞)** : 정도나 상태가 어떻다고 말할 수 없을 만큼 좋다.
かんしんするほどすばらしい【感心するほど素晴らしい】
程度や状態がこの上なく良い。

• -ㄴ : 앞의 말이 관형어의 기능을 하게 만들고 현재의 상태를 나타내는 어미.
た
前の言葉に連体修飾語の機能を持たせ、現在の状態を表す「語尾」。

• **방법 (名詞)** : 어떤 일을 해 나가기 위한 수단이나 방식.
ほうほう【方法】
物事を解決するための手段や方式。

• 이 : 어떤 상태나 상황의 대상이나 동작의 주체를 나타내는 조사.
が
ある状態・状況の対象や動作の主体を表す助詞。

• **있다 (形容詞)** : 사실이나 현상이 존재하다.
ある【有る・在る】
事実や現象が存在する。

• -었- : 어떤 사건이 과거에 완료되었거나 그 사건의 결과가 현재까지 지속되는 상황을 나타내는 어미.
た。ている
ある出来事が過去に完了したことや、その出来事の結果が現在まで持続している状況を表す語尾。

• -네 : (아주낮춤으로) 지금 깨달은 일에 대하여 말함을 나타내는 종결 어미.
(だ)なあ。(だ)ね。(なの)か。(だ)よ
(下称) その場で悟った事について述べるという意を表す「終結語尾」。

< 2 단원(たんげん【単元】) >

제목 : 쫓아오던 게 강아지였나?

● 본문 (ほんぶん【本文】)

고양이 한 마리가 쥐를 열심히 쫓고 있었습니다.

쥐가 고양이에게 거의 잡힐 것 같았습니다.

하지만 아슬아슬한 찰나에 쥐가 쥐구멍으로 들어가 버렸습니다.

쥐구멍 앞에 서성이던 고양이가 쪼그려 앉았습니다.

그러더니 갑자기 고양이가 **"멍멍!"**하고 짖어 댔습니다.

이 소리를 듣고 쥐는 어리둥절했습니다.

쥐 : 뭐지?

쫓아오던 게 강아지였나?

쥐는 너무 궁금해서 머리를 살며시 구멍 밖으로 내밀었습니다.

이때 쥐가 고양이에게 잡히고 말았습니다.

의기양양하게 쥐를 물고 가면서 고양이가 이렇게 말했습니다.

고양이 : 요즘은 먹고살려면 적어도 이 개 국어는 해야 돼.

● 발음 (はつおん【発音】)

고양이 한 마리가 쥐를 열심히 쫓고 있었습니다.
고양이 한 마리가 쥐를 열씸히 쫃꼬 이썯씀니다.
goyangi han mariga jwireul yeolsimhi jjotgo isseotseumnida.

쥐가 고양이에게 거의 잡힐 것 같았습니다.
쥐가 고양이에게 거의 자필 껃 가탇씀니다.
jwiga goyangiege geoui japil geot gatatseumnida.

하지만 아슬아슬한 찰나에 쥐가 쥐구멍으로 들어가 버렸습니다.
하지만 아슬아슬한 찰라에 쥐가 쥐구멍으로 드러가 버렫씀니다.
hajiman aseuraseulhan challae jwiga jwigumeongeuro deureoga beoryeotseumnida.

쥐구멍 앞에 서성이던 고양이가 쪼그려 앉았습니다.
쥐구멍 아페 서성이던 고양이가 쪼그려 안잗씀니다.
jwigumeong ape seoseongideon goyangiga jjogeuryeo anjatseumnida.

그러더니 갑자기 고양이가 "멍멍!"하고 짖어 댔습니다.
그러더니 갑짜기 고양이가 "멍멍!"하고 지저 댇씀니다.
geureodeoni gapjagi goyangiga "meongmeong!"hago jijeo daetseumnida.

이 소리를 듣고 쥐는 어리둥절했습니다.
이 소리를 듣꼬 쥐는 어리둥절핻씀니다.
i sorireul deutgo jwineun eoridungjeolhaetseumnida.

쥐 : 뭐지?
쥐 : 뭐지?
jwi : mwoji?

쫓아오던 게 강아지였나?
쪼차오던 게 강아지연나?
jjochaodeon ge gangajiyeonna?

쥐는 너무 궁금해서 머리를 살며시 구멍 밖으로 내밀었습니다.
쥐는 너무 궁금해서 머리를 살며시 구멍 바끄로 내미럳씀니다.
jwineun neomu gunggeumhaeseo meorireul salmyeosi gumeong bakkeuro naemireotseumnida.

이때 쥐가 고양이에게 잡히고 말았습니다.
이때 쥐가 고양이에게 자피고 마랃씀니다.
ittae jwiga goyangiege japigo maratseumnida.

의기양양하게 쥐를 물고 가면서 고양이가 이렇게 말했습니다.
의기양양하게 쥐를 물고 가면서 고양이가 이러케 말핻씀니다.
uigiyangyanghage jwireul mulgo gamyeonseo goyangiga ireoke malhaetseumnida.

고양이 : 요즘은 먹고살려면 적어도 이 개 국어는 해야 돼.
고양이 : 요즈믄 먹꼬살려면 저거도 이 개 구거는 해야 돼.
goyangi : yojeumeun meokgosallyeomyeon jeogeodo i gae gugeoneun haeya dwae.

● 어휘 (ごい【語彙】) / 문법 (ぶんぽう【文法】)

고양이 한 마리+가 쥐+를 열심히 쫓+고 있+었+습니다.

쥐+가 고양이+에게 거의 잡히+ㄹ 것 같+았+습니다.

하지만 아슬아슬하+ㄴ 찰나+에 쥐+가 쥐구멍+으로 들어가+(아) 버리+었+습니다.

쥐구멍 앞+에 서성이+던 고양이+가 쪼그리+어 앉+았+습니다.

그러+더니 갑자기 고양이+가 **"멍멍!"** 하+고 짖+어 대+었+습니다.

이 소리+를 듣+고 쥐+는 어리둥절하+였+습니다.

쥐 : "뭐+(이)+지?"

"쫓아오+던 것(거)+이 강아지+이+었+나?"

쥐+는 너무 궁금하+여서 머리+를 살며시 구멍 밖+으로 내밀+었+습니다.

이때 쥐+가 고양이+에게 잡히+고 말+았+습니다.

의기양양하+게 쥐+를 물+고 가+면서 고양이+가 이렇+게 말하+였+습니다.

고양이 : 요즘+은 먹고살+려면 적어도 이 개 국어+는 하+여야 되+어.

고양이 한 마리+가 쥐+를 열심히 쫓+[고 있]+었+습니다.

• **고양이 (名詞)** : 어두운 곳에서도 사물을 잘 보고 쥐를 잘 잡으며 집 안에서 기르기도 하는 자그마한 동물.
ねこ【猫】
暗い所でも目がよくきいて、ネズミ捕りが上手で、家の中で飼ったりする小さい動物。

• **한 (冠形詞)** : 하나의.
いち【一】
1の。

• **마리 (名詞)** : 짐승이나 물고기, 벌레 등을 세는 단위.
ひき【匹】。とう【頭】。わ【羽】。お【尾】
獣・魚・虫などを数える単位。

• 가 : 어떤 상태나 상황에 놓인 대상이나 동작의 주체를 나타내는 조사.
が
ある状態や状況に置かれた対象、または動作の主体を表す助詞。

• **쥐 (名詞)** : 사람의 집 근처 어두운 곳에서 살며 몸은 진한 회색에 긴 꼬리를 가지고 있는 작은 동물.
ねずみ【鼠】
人家周辺の暗い所に住んで、体は濃い灰色で長い尾を持っている小さい動物。

• 를 : 동작이 직접적으로 영향을 미치는 대상을 나타내는 조사.
を
動作が直接的に影響を及ぼす対象を表す助詞。

• **열심히 (副詞)** : 어떤 일에 온 정성을 다하여.
いっしょうけんめいに【一生懸命に】。ねっしんに【熱心に】
何かに精魂を込めて。

• **쫓다 (動詞)** : 앞선 것을 잡으려고 서둘러 뒤를 따르거나 자취를 따라가다.
おう【追う】。おいかける【追いかける】。ついげきする【追撃する】
先に進んでいるものに行き着こうとして急いで後をついていったりその跡をついていく。

• -고 있다 : 앞의 말이 나타내는 행동이 계속 진행됨을 나타내는 표현.
ている
前の言葉の表す行動が引き続き行われるという意を表す表現。

• -었- : 사건이 과거에 일어났음을 나타내는 어미.
た
出来事が過去にあったという意を表す語尾。

• -습니다 : (아주높임으로) 현재의 동작이나 상태, 사실을 정중하게 설명함을 나타내는 종결 어미.
ます。です
(上称) 現在の動作や状態、事実を丁寧に説明する意を表す「終結語尾」。

쥐+가 고양이+에게 거의 잡히+[ㄹ 것 같]+았+습니다. **잡힐 것 같았습니다**

• **쥐 (名詞)** : 사람의 집 근처 어두운 곳에서 살며 몸은 진한 회색에 긴 꼬리를 가지고 있는 작은 동물.
ねずみ【鼠】
人家周辺の暗い所に住んで、体は濃い灰色で長い尾を持っている小さい動物。

• 가 : 어떤 상태나 상황에 놓인 대상이나 동작의 주체를 나타내는 조사.
が
ある状態や状況に置かれた対象、または動作の主体を表す助詞。

• **고양이 (名詞)** : 어두운 곳에서도 사물을 잘 보고 쥐를 잘 잡으며 집 안에서 기르기도 하는 자그마한 동물.
ねこ【猫】
暗い所でも目がよくきいて、ネズミ捕りが上手で、家の中で飼ったりする小さい動物。

• 에게 : 어떤 행동의 주체이거나 비롯되는 대상임을 나타내는 조사.
に
行動の主体や対象を表す助詞。

• **거의 (副詞)** : 어떤 상태나 한도에 매우 가깝게.
ほぼ
ある状態や限度に非常に近く。

• **잡히다 (動詞)** : 도망가지 못하게 붙들리다.
つかまる【捕まる】。とらえられる【捕えられる】。とらわれる【捕われる】
逃げられないように取り押さえられる。

• -ㄹ 것 같다 : 추측을 나타내는 표현.
ようだ。そうだ。らしい。みたいだ
推測の意を表す表現。

• -았- : 사건이 과거에 일어났음을 나타내는 어미.
た
出来事が過去にあったという意を表す語尾。

• -습니다 : (아주높임으로) 현재의 동작이나 상태, 사실을 정중하게 설명함을 나타내는 종결 어미.
ます。です
(上称) 現在の動作や状態、事実を丁寧に説明する意を表す「終結語尾」。

하지만 아슬아슬하+ㄴ 찰나+에 쥐+가 쥐구멍+으로 들어가+[(아) 버리]+었+습니다.
아슬아슬한 들어가 버렸습니다

• **하지만 (副詞)** : 내용이 서로 반대인 두 개의 문장을 이어 줄 때 쓰는 말.
しかし。だけれども。だけれど。だけど
相反する内容の二つの文をつなげるときに用いる語。

• **아슬아슬하다 (形容詞)** : 일이 잘 안 될까 봐 무서워서 소름이 돋을 정도로 마음이 조마조마하다.
はらはらする。ひやひやする【冷や冷やする】。かすかすする
物事がうまく行かないことを恐れて鳥肌が立つほど危ぶむ。

• -ㄴ : 앞의 말이 관형어의 기능을 하게 만들고 현재의 상태를 나타내는 어미.
た
前の言葉に連体修飾語の機能を持たせ、現在の状態を表す「語尾」。

• **찰나 (名詞)** : 어떤 일이나 현상이 일어나는 바로 그때.
せつな【刹那】
ある出来事や現象が起こるその時。

• 에 : 앞말이 시간이나 때임을 나타내는 조사.
に
前の言葉が時間や時期であることを表す助詞。

• **쥐 (名詞)** : 사람의 집 근처 어두운 곳에서 살며 몸은 진한 회색에 긴 꼬리를 가지고 있는 작은 동물.
ねずみ【鼠】
人家周辺の暗い所に住んで、体は濃い灰色で長い尾を持っている小さい動物。

• 가 : 어떤 상태나 상황에 놓인 대상이나 동작의 주체를 나타내는 조사.
が
ある状態や状況に置かれた対象、または動作の主体を表す助詞。

• **쥐구멍 (名詞)** : 쥐가 들어가고 나오는 구멍.
ねずみあな【鼠穴】
ネズミが出入りする穴。

• 으로 : 움직임의 방향을 나타내는 조사.
に。へ
動きの方向を表す助詞。

• **들어가다 (動詞)** : 밖에서 안으로 향하여 가다.
はいる【入る】
外から中に移動する。

• -아 버리다 : 앞의 말이 나타내는 행동이 완전히 끝났음을 나타내는 표현.
てしまう
前の言葉の表す行動が完全に終わったという意を表す表現。

• -었- : 어떤 사건이 과거에 완료되었거나 그 사건의 결과가 현재까지 지속되는 상황을 나타내는 어미.
た。ている
ある出来事が過去に完了したことや、その出来事の結果が現在まで持続している状況を表す語尾。

• -습니다 : (아주높임으로) 현재의 동작이나 상태, 사실을 정중하게 설명함을 나타내는 종결 어미.
ます。です
(上称) 現在の動作や状態、事実を丁寧に説明する意を表す「終結語尾」。

쥐구멍 앞+에 서성이+던 고양이+가 쪼그리+어 앉+았+습니다. **쪼그려**

• **쥐구멍 (名詞)** : 쥐가 들어가고 나오는 구멍.
ねずみあな【鼠穴】
ネズミが出入りする穴。

• **앞 (名詞)** : 향하고 있는 쪽이나 곳.
まえ【前】。ぜんめん【前面】
向かっている方向・所。

• 에 : 앞말이 어떤 장소나 자리임을 나타내는 조사.
に
前の言葉が場所や席であることを表す助詞。

• **서성이다 (動詞)** : 한곳에 서 있지 않고 주위를 왔다 갔다 하다.
うろつく。うろうろする
あてどなくその辺りを行ったり来たりする。

• -던 : 앞의 말이 관형어의 기능을 하게 만들고 사건이나 동작이 과거에 완료되지 않고 중단되었음을 나타내는 어미.
…かけた。…かけの。ていた
前の言葉に連体修飾語の機能を持たせ、出来事や動作が過去に完了せずに中断されたという意を表す語尾。

• **고양이 (名詞)** : 어두운 곳에서도 사물을 잘 보고 쥐를 잘 잡으며 집 안에서 기르기도 하는 자그마한 동물.
ねこ【猫】
暗い所でも目がよくきいて、ネズミ捕りが上手で、家の中で飼ったりする小さい動物。

• 가 : 어떤 상태나 상황에 놓인 대상이나 동작의 주체를 나타내는 조사.
が
ある状態や状況に置かれた対象、または動作の主体を表す助詞。

• **쪼그리다 (動詞)** : 팔다리를 접거나 모아서 몸을 작게 옴츠리다.
ちぢめる【縮める】。かがむ【屈む】。しゃがむ。しゃがみこむ
手足を折り曲げたり集めたりして体を小さく丸める。

• -어 : 앞의 말이 뒤의 말보다 먼저 일어났거나 뒤의 말에 대한 방법이나 수단이 됨을 나타내는 연결 어미.
て
前の事柄が後の事柄より先に行われたか、後の事柄の方法や手段になるという意を表す「連結語尾」。

• **앉다 (動詞)** : 윗몸을 바로 한 상태에서 엉덩이에 몸무게를 실어 다른 물건이나 바닥에 몸을 올려놓다.
すわる【座る】。かける【掛ける】。つく【着く】。こしをおろす【腰を下ろす】
上半身をまっすぐにした状態で、尻に体重を乗せて、他の物や床に腰を下ろす。

• -았- : 어떤 사건이 과거에 완료되었거나 그 사건의 결과가 현재까지 지속되는 상황을 나타내는 어미.
た。ている
ある出来事が過去に完了したことや、その出来事の結果が現在まで持続している状況を表す語尾。

• -습니다 : (아주높임으로) 현재의 동작이나 상태, 사실을 정중하게 설명함을 나타내는 종결 어미.
ます。です
(上称) 現在の動作や状態、事実を丁寧に説明する意を表す「終結語尾」。

그러+더니 갑자기 고양이+가 "멍멍!" 하+고 짖+[어 대]+었+습니다. **짖어 댔습니다**

• **그러다 (動詞)** : 앞에서 일어난 일이나 말한 것과 같이 그렇게 하다.
対訳語無し
先に起こったことや言ったことのように、そうする。

• -더니 : 과거에 경험하여 알게 된 사실과 다른 새로운 사실이 있음을 나타내는 연결 어미.
たが。ていたけど。かとおもったら【かと思ったら】
過去の経験を通して知った事実と異なる新しい事実があるという意を表す「連結語尾」。

• **갑자기 (副詞)** : 미처 생각할 틈도 없이 빨리.
きゅうに【急に】
考える間もなくいきなり。

• **고양이 (名詞)** : 어두운 곳에서도 사물을 잘 보고 쥐를 잘 잡으며 집 안에서 기르기도 하는 자그마한 동물.
ねこ【猫】
暗い所でも目がよくきいて、ネズミ捕りが上手で、家の中で飼ったりする小さい動物。

• 가 : 어떤 상태나 상황에 놓인 대상이나 동작의 주체를 나타내는 조사.
が
ある状態や状況に置かれた対象、または動作の主体を表す助詞。

• **멍멍 (副詞)** : 개가 짖는 소리.
わんわん
犬の吠える声。

• **하다 (動詞)** : 그런 소리가 나다. 또는 그런 소리를 내다.
する【為る】
音が出る。また、音を出す。

• -고 : 앞의 말과 뒤의 말이 차례대로 일어남을 나타내는 연결 어미.
て
前の事柄と後の事柄が順次に起こるという意を表す「連結語尾」。

• **짖다 (動詞)** : 개가 크게 소리를 내다.
ほえる【吠える】
犬が大声で鳴く。

• -어 대다 : 앞의 말이 나타내는 행동을 반복하거나 그 반복되는 행동의 정도가 심함을 나타내는 표현.
たてる【立てる】。つづける【続ける】。まくる
前の言葉の表す行動を繰り返したり、その繰り返される行動の度合いがひどいという意を表す表現。

• -었- : 사건이 과거에 일어났음을 나타내는 어미.
た
出来事が過去にあったという意を表す語尾。

• -습니다 : (아주높임으로) 현재의 동작이나 상태, 사실을 정중하게 설명함을 나타내는 종결 어미.
ます。です
(上称) 現在の動作や状態、事実を丁寧に説明する意を表す「終結語尾」。

이 소리+를 듣+고 쥐+는 어리둥절하+였+습니다. **어리둥절했습니다**

• **이 (冠形詞)** : 바로 앞에서 이야기한 대상을 가리킬 때 쓰는 말.
この
今さっき話したばかりの対象を指す語。

• **소리 (名詞)** : 물체가 진동하여 생긴 음파가 귀에 들리는 것.
おと【音】
物体が振動してできた音波が耳に聞こえること。

• 를 : 동작이 직접적으로 영향을 미치는 대상을 나타내는 조사.
を
動作が直接的に影響を及ぼす対象を表す助詞。

• **듣다 (動詞)** : 귀로 소리를 알아차리다.
きく【聞く・聴く】
耳で音を感じ取る。

• -고 : 앞의 말과 뒤의 말이 차례대로 일어남을 나타내는 연결 어미.
て
前の事柄と後の事柄が順次に起こるという意を表す「連結語尾」。

• **쥐 (名詞)** : 사람의 집 근처 어두운 곳에서 살며 몸은 진한 회색에 긴 꼬리를 가지고 있는 작은 동물.
ねずみ【鼠】
人家周辺の暗い所に住んで、体は濃い灰色で長い尾を持っている小さい動物。

• 는 : 문장 속에서 어떤 대상이 화제임을 나타내는 조사.
は
文の中で、ある対象が話題であることを表す助詞。

• **어리둥절하다 (形容詞)** : 일이 돌아가는 상황을 잘 알지 못해서 정신이 얼떨떨하다.
きょとんとする。ぽかんとする
事情がよく分からなくてぼんやりしている。

• -였- : 사건이 과거에 일어났음을 나타내는 어미.
た
出来事が過去にあったという意を表す語尾。

• -습니다 : (아주높임으로) 현재의 동작이나 상태, 사실을 정중하게 설명함을 나타내는 종결 어미.
ます。です
(上称) 現在の動作や状態、事実を丁寧に説明する意を表す「終結語尾」。

쥐 : 뭐+(이)+지? **뭐지**

• **뭐 (代名詞)** : 모르는 사실이나 사물을 가리키는 말.
なん・なに【何】
知らない事実・事物を指す語。

• 이다 : 주어가 지시하는 대상의 속성이나 부류를 지정하는 뜻을 나타내는 서술격 조사.
だ。である
主語が指す対象の属性や部類を指定する意を表す叙述格助詞。

• -지 : (두루낮춤으로) 말하는 사람이 듣는 사람에게 친근함을 나타내며 물을 때 쓰는 종결 어미.
だろう。よね。かな
(略待下称) 話し手が聞き手に親しみを表明しながら尋ねるのに用いる「終結語尾」。

줘 : 쫓아오+던 것(거)+이 강아지+이+었+나?
게 강아지였나

• **쫓아오다 (動詞)** : 어떤 사람이나 물체의 뒤를 급히 따라오다.
ついてくる【ついて来る】。おってくる【追ってくる】。おいつく【追いつく】。ついげきする【追撃する】
ある人や物の後を急いでついて来る。

• -던 : 앞의 말이 관형어의 기능을 하게 만들고 사건이나 동작이 과거에 완료되지 않고 중단되었음을 나타내는 어미.
…かけた。…かけの。ていた
前の言葉に連体修飾語の機能を持たせ、出来事や動作が過去に完了せずに中断されたという意を表す語尾。

• **것 (名詞)** : 정확히 가리키는 대상이 정해지지 않은 사물이나 사실.
こと。の。もの【物】
正確に指す対象が決まってないものや事実。

• 이 : 어떤 상태나 상황의 대상이나 동작의 주체를 나타내는 조사.
が
ある状態や状況に置かれた対象、または動作の主体を表す助詞。

• **강아지 (名詞)** : 개의 새끼.
こいぬ【子犬】。いぬころ【犬ころ】
犬の子。

• 이다 : 주어가 지시하는 대상의 속성이나 부류를 지정하는 뜻을 나타내는 서술격 조사.
だ。である
主語が指す対象の属性や部類を指定する意を表す叙述格助詞。

• -었- : 사건이 과거에 일어났음을 나타내는 어미.
た
出来事が過去にあったという意を表す語尾。

• -나 : (두루낮춤으로) 물음이나 추측을 나타내는 종결 어미.
だろうか。であろうか
(略称下称)質問や推量の意を表す「終結語尾」。

쥐+는 너무 <u>궁금하+여서</u> 머리+를 살며시 구멍 밖+으로 내밀+었+습니다. **궁금해서**

• **쥐 (名詞)** : 사람의 집 근처 어두운 곳에서 살며 몸은 진한 회색에 긴 꼬리를 가지고 있는 작은 동물.
ねずみ【鼠】
人家周辺の暗い所に住んで、体は濃い灰色で長い尾を持っている小さい動物。

• 는 : 문장 속에서 어떤 대상이 화제임을 나타내는 조사.
は
文の中で、ある対象が話題であることを表す助詞。

• **너무 (副詞)** : 일정한 정도나 한계를 훨씬 넘어선 상태로.
あまりに
一定の程度や限界をはるかに超えた状態で。

• **궁금하다 (形容詞)** : 무엇이 무척 알고 싶다.
しりたい【知りたい】
何かがとても知りたい。

• -여서 : 이유나 근거를 나타내는 연결 어미.
て。から。ので。ため。ゆえ【故】
理由や根拠の意を表す「連結語尾」。

• **머리 (名詞)** : 사람이나 동물의 몸에서 얼굴과 머리털이 있는 부분을 모두 포함한 목 위의 부분.
あたま【頭】。とうぶ【頭部】
人間や動物の体で、顔と髪の毛が生えている部分を全て含めた、首の上の部分。

• 를 : 동작이 직접적으로 영향을 미치는 대상을 나타내는 조사.
を
動作が直接的に影響を及ぼす対象を表す助詞。

• **살며시 (副詞)** : 남이 모르도록 조용히 조심스럽게.
そっと。こっそり。ひそかに【密かに】
他人に気付かれないように、静かに注意深く。

• **구멍 (名詞)** : 뚫어지거나 파낸 자리.
あな【穴】
突き抜けたり、掘ったところ。

• **밖 (名詞)** : 선이나 경계를 넘어선 쪽.
そと【外】。そとがわ・がいそく【外側】。がいぶ【外部】
線や境界を越えた側。

• 으로 : 움직임의 방향을 나타내는 조사.
に。へ
動きの方向を表す助詞。

• **내밀다 (動詞)** : 몸이나 물체의 일부분이 밖이나 앞으로 나가게 하다.
つきだす【突き出す】。さしだす【差し出す】
体や物の一部が外や前に出るようにする。

• -었- : 사건이 과거에 일어났음을 나타내는 어미.
た
出来事が過去にあったという意を表す語尾。

• -습니다 : (아주높임으로) 현재의 동작이나 상태, 사실을 정중하게 설명함을 나타내는 종결 어미.
ます。です
(上称) 現在の動作や状態、事実を丁寧に説明する意を表す「終結語尾」。

이때 쥐+가 고양이+에게 잡히+[고 말]+았+습니다.

• **이때 (名詞)** : 바로 지금. 또는 바로 앞에서 이야기한 때.
このとき【此の時】。いま【今】
ただいま。また、言ったばかりの時。

• **쥐 (名詞)** : 사람의 집 근처 어두운 곳에서 살며 몸은 진한 회색에 긴 꼬리를 가지고 있는 작은 동물.
ねずみ【鼠】
人家周辺の暗い所に住んで、体は濃い灰色で長い尾を持っている小さい動物。

• 가 : 어떤 상태나 상황에 놓인 대상이나 동작의 주체를 나타내는 조사.
が
ある状態や状況に置かれた対象、または動作の主体を表す助詞。

• **고양이 (名詞)** : 어두운 곳에서도 사물을 잘 보고 쥐를 잘 잡으며 집 안에서 기르기도 하는 자그마한 동물.
ねこ【猫】
暗い所でも目がよくきいて、ネズミ捕りが上手で、家の中で飼ったりする小さい動物。

• 에게 : 어떤 행동의 주체이거나 비롯되는 대상임을 나타내는 조사.
に
行動の主体や対象を表す助詞。

• **잡히다 (動詞)** : 도망가지 못하게 붙들리다.
つかまる【捕まる】。とらえられる【捕えられる】。とらわれる【捕われる】
逃げられないように取り押さえられる。

• -고 말다 : 앞에 오는 말이 가리키는 행동이 안타깝게도 끝내 일어났음을 나타내는 표현.
てしまう
前の言葉の表す事態が残念ながら起こってしまったという意を表す表現。

• -았- : 어떤 사건이 과거에 완료되었거나 그 사건의 결과가 현재까지 지속되는 상황을 나타내는 어미.
た。ている
ある出来事が過去に完了したことや、その出来事の結果が現在まで持続している状況を表す語尾。

• -습니다 : (아주높임으로) 현재의 동작이나 상태, 사실을 정중하게 설명함을 나타내는 종결 어미.
ます。です
(上称) 現在の動作や状態、事実を丁寧に説明する意を表す「終結語尾」。

의기양양하+게 쥐+를 물+고 가+면서 고양이+가 이렇+게 말하+였+습니다. **말했습니다**

• **의기양양하다 (形容詞)** : 원하던 일을 이루어 만족스럽고 자랑스러운 마음이 얼굴에 나타난 상태이다.
いきようようとする【意気揚揚とする】。いきけんこうとする【意気軒昂とする】
思い通りになって、満足して誇らしいと思う気持ちが顔に出ている状態だ。

• -게 : 앞의 말이 뒤에서 가리키는 일의 목적이나 결과, 방식, 정도 등이 됨을 나타내는 연결 어미.
…く。…に。ように。ほど
前の事柄が後の事柄の目的・結果・方法・程度などになるという意を表す「連結語尾」。

• **쥐 (名詞)** : 사람의 집 근처 어두운 곳에서 살며 몸은 진한 회색에 긴 꼬리를 가지고 있는 작은 동물.
ねずみ【鼠】
人家周辺の暗い所に住んで、体は濃い灰色で長い尾を持っている小さい動物。

• 를 : 동작이 직접적으로 영향을 미치는 대상을 나타내는 조사.
を
動作が直接的に影響を及ぼす対象を表す助詞。

• **물다 (動詞)** : 윗니와 아랫니 사이에 어떤 것을 끼워 넣고 벌어진 두 이를 다물어 상처가 날 만큼 아주 세게 누르다.
かみつく【噛み付く】
上歯と下歯の間にある物を挟み、両歯を閉じて、傷ができるほどとても強く押さえる。

• -고 : 앞의 말이 나타내는 행동이나 그 결과가 뒤에 오는 행동이 일어나는 동안에 그대로 지속됨을 나타내는 연결 어미.

て

前の言葉の表す動作やその結果が、次にくる動作が行われる間にもそのまま持続されるという意を表す「連結語尾」。

• **가다 (動詞)** : 한 곳에서 다른 곳으로 장소를 이동하다.

ゆく・いく【行く】。うつる【移る】

ある場所から他の場所へ移動する。

• -면서 : 두 가지 이상의 동작이나 상태가 함께 일어남을 나타내는 연결 어미.

ながら

二つ以上の動作や状態が共に起こるという意を表す「連結語尾」。

• **고양이 (名詞)** : 어두운 곳에서도 사물을 잘 보고 쥐를 잘 잡으며 집 안에서 기르기도 하는 자그마한 동물.

ねこ【猫】

暗い所でも目がよくきいて、ネズミ捕りが上手で、家の中で飼ったりする小さい動物。

• 가 : 어떤 상태나 상황에 놓인 대상이나 동작의 주체를 나타내는 조사.

が

ある状態や状況に置かれた対象、または動作の主体を表す助詞。

• **이렇다 (形容詞)** : 상태, 모양, 성질 등이 이와 같다.

こうだ

状態・模様・性質などがこのようである。

• -게 : 앞의 말이 뒤에서 가리키는 일의 목적이나 결과, 방식, 정도 등이 됨을 나타내는 연결 어미.

…く。…に。ように。ほど

前の事柄が後の事柄の目的・結果・方法・程度などになるという意を表す「連結語尾」。

• **말하다 (動詞)** : 어떤 사실이나 자신의 생각 또는 느낌을 말로 나타내다.

いう【言う】。かたる【語る】。はなす【話す】。のべる【述べる】

ある事実や自分の考え、または感情を言葉で表す。

• -였- : 사건이 과거에 일어났음을 나타내는 어미.

た

出来事が過去にあったという意を表す語尾。

• -습니다 : (아주높임으로) 현재의 동작이나 상태, 사실을 정중하게 설명함을 나타내는 종결 어미.

ます。です

(上称) 現在の動作や状態、事実を丁寧に説明する意を表す「終結語尾」。

고양이 : 요즘+은 먹고살+려면 적어도 이 개 국어+는 하+[여야 되]+어. 해야 돼

• **요즘 (名詞)** : 아주 가까운 과거부터 지금까지의 사이.
さいきん【最近】。ちかごろ【近頃】。このごろ【この頃】
少し前から現在までの間。

• 은 : 문장 속에서 어떤 대상이 화제임을 나타내는 조사.
は
文章の中である対象が話題であることを表す助詞。

• **먹고살다 (動詞)** : 생계를 유지하다.
たべる【食べる】。くう【食う】
暮らしを立てる。

• -려면 : 어떤 행동을 할 의도나 의향이 있는 경우를 가정할 때 쓰는 연결 어미.
には。ためには。たければ。ようとすれば
ある行動をする意図や意向がある場合を仮定するのに用いる「連結語尾」。

• **적어도 (副詞)** : 아무리 적게 잡아도.
すくなくとも【少なくとも】
いくら少なく見積もっても。

• **이 (冠形詞)** : 둘의.
に【二】
2の。

• **개 (名詞)** : 낱으로 떨어진 물건을 세는 단위.
こ【個】
個々になっているものを数える単位。

• **국어 (名詞)** : 한 나라의 국민들이 사용하는 말.
こくご【国語】
一国の国民が使用する言葉。

• 는 : 강조의 뜻을 나타내는 조사.
は
強調の意を表す助詞。

• **하다 (動詞)** : 어떤 행동이나 동작, 활동 등을 행하다.
する【為る】。やる【遣る】。なす【成す・為す】
ある行動や動作、活動などを行う。

• -여야 되다 : 반드시 그럴 필요나 의무가 있음을 나타내는 표현.
ないといけない。ないとならない。なければいけない。なければならない。ねばならない
前にくる言葉が、ある事をしたりある状況になるための義務的な行動、または必須条件であるという意を表す表現。

• -어 : (두루낮춤으로) 어떤 사실을 서술하거나 물음, 명령, 권유를 나타내는 종결 어미.
のか。なさい。よう。ましょう
(略待下称) ある事実を叙述したり、質問・命令・勧誘の意を表す「終結語尾」。

< 3 단원(たんげん【単元】) >

제목 : 이게 다 엄마 때문이야.

● 본문 (ほんぶん【本文】)

유치원에 들어간 아이는 치아가 너무 못생겨서 친구들에게 많은 놀림을 받았다.

견디다 못한 아이는 엄마에게 투정을 부렸다.

아이 : 엄마, 이빨이 이상하다고 친구들이 자꾸만 놀려요.

치과에 가서 이빨 교정 좀 해 주세요.

엄마 : 야, 그게 얼마나 비싼데.

아이 : 몰라, 이게 다 엄마 때문이야.

엄마가 날 이렇게 낳았잖아.

그러자 엄마가 하는 한마디.

엄마 : 너 낳았을 때 이빨 없었거든, 이것아!

● 발음 (はつおん【発音】)

유치원에 들어간 아이는 치아가 너무 못생겨서 친구들에게 많은 놀림을 받았다.
유치워네 드러간 아이는 치아가 너무 몯쌩겨서 친구드레게 마는 놀리믈 바닫따.
yuchiwone deureogan aineun chiaga neomu motsaenggyeoseo chingudeurege maneun nollimeul badatda.

견디다 못한 아이는 엄마에게 투정을 부렸다.
견디다 모탄 아이는 엄마에게 투정을 부렫따.
gyeondida motan aineun eommaege tujeongeul buryeotda.

아이 : 엄마, 이빨이 이상하다고 친구들이 자꾸만 놀려요.
아이 : 엄마, 이빠리 이상하다고 친구드리 자꾸만 놀려요.
ai : eomma, ippari isanghadago chingudeuri jakkuman nollyeoyo.

치과에 가서 이빨 교정 좀 해 주세요.
치꽈에 가서 이빨 교정 좀 해 주세요.
chigwae gaseo ippal gyojeong jom hae juseyo.

엄마 : 야, 그게 얼마나 비싼데.
엄마 : 야, 그게 얼마나 비싼데.
eomma : ya, geuge eolmana bissande.

아이 : 몰라, 이게 다 엄마 때문이야.
아이 : 몰라, 이게 다 엄마 때무니야.
ai : molla, ige da eomma ttaemuniya.

엄마가 날 이렇게 낳았잖아.
엄마가 날 이러케 나앋짜나.
eommaga nal ireoke naatjana.

그러자 엄마가 하는 한마디.
그러자 엄마가 하는 한마디.
geureoja eommaga haneun hanmadi.

엄마 : 너 낳았을 때 이빨 없었거든, 이것아!

엄마 : 너 나아쓸 때 이빨 업썬꺼든, 이거사!

eomma : neo naasseul ttae ippal eopseotgeodeun, igeosa!

● 어휘 (ごい【語彙】) / 문법 (ぶんぽう【文法】)

유치원+에 들어가+ㄴ 아이+는 치아+가 너무 못생기+어서 친구+들+에게 많+은 놀림+을 받+았+다.

견디+다 못하+ㄴ 아이+는 엄마+에게 투정+을 부리+었+다.

아이 : 엄마, 이빨+이 이상하+다고 친구+들+이 자꾸만 놀리+어요.

치과+에 가+(아)서 이빨 교정 좀 하+여 주+세요.

엄마 : 야, 그것(그거)+이 얼마나 비싸+ㄴ데.

아이 : 모르(몰ㄹ)+아, 이것(이거)+이 다 엄마 때문+이+야.

엄마+가 나+를 이렇+게 낳+았+잖아.

그리하+자 엄마+가 하+는 한마디.

엄마 : 너 낳+았+을 때 이빨 없+었+거든, 이것+아!

유치원+에 들어가+ㄴ 아이+는 치아+가 너무 못생기+어서 친구+들+에게 많+은 놀림+을 받+았+다.
들어간 못생겨서

• **유치원 (名詞)** : 초등학교 입학 이전의 어린이들을 교육하는 기관 및 시설.
ようちえん【幼稚園】
小学校に入学する前の幼児を教育する機関及び施設。

• 에 : 앞말이 어떤 장소나 자리임을 나타내는 조사.
に
前の言葉が場所や席であることを表す助詞。

• **들어가다 (動詞)** : 어떤 단체의 구성원이 되다.
はいる【入る】
ある団体の構成員になる。

• -ㄴ : 앞의 말이 관형어의 기능을 하게 만들고 사건이나 동작이 완료되어 그 상태가 유지되고 있음을 나타내는 어미.
た。ている
前の言葉に連体修飾語の機能を持たせ、出来事や動作が完了してその状態が続いているという意を表す語尾。

• **아이 (名詞)** : 나이가 어린 사람.
こ【子】。こども【子供】
幼い者。

• 는 : 문장 속에서 어떤 대상이 화제임을 나타내는 조사.
は
文の中で、ある対象が話題であることを表す助詞。

• **치아 (名詞)** : 음식물을 씹는 일을 하는 기관.
は【歯】
食物のかみ切りやかみ砕きをする器官。

• 가 : 어떤 상태나 상황에 놓인 대상이나 동작의 주체를 나타내는 조사.
が
ある状態や状況に置かれた対象、または動作の主体を表す助詞。

• **너무 (副詞)** : 일정한 정도나 한계를 훨씬 넘어선 상태로.
あまりに
一定の程度や限界をはるかに超えた状態で。

• **못생기다 (動詞)** : 생김새가 보통보다 못하다.
ぶさいくだ【不細工だ】。みにくい【醜い】。ぶきりょうだ【不器量だ】
容貌が普通よりよくない。

• -어서 : 이유나 근거를 나타내는 연결 어미.
て。から。ので。ため。ゆえ【故】
理由や根拠の意を表す「連結語尾」。

• **친구 (名詞)** : 사이가 가까워 서로 친하게 지내는 사람.
とも【友】。ともだち【友達】。ゆうじん【友人】。ほうゆう【朋友】
関係が近くて、親しく交わっている人。

• 들 : '복수'의 뜻을 더하는 접미사.
たち・ら【達】
「複数」の意を付加する接尾辞。

• 에게 : 어떤 행동의 주체이거나 비롯되는 대상임을 나타내는 조사.
に
行動の主体や対象を表す助詞。

• **많다 (形容詞)** : 수나 양, 정도 등이 일정한 기준을 넘다.
おおい【多い】。たくさんだ【沢山だ】。かずおおい【数多い】。ゆたかだ【豊かだ】
数や量、程度などが一定の基準を超える。

• -은 : 앞의 말이 관형어의 기능을 하게 만들고 현재의 상태를 나타내는 어미.
た。ている
前の言葉に連体修飾語の機能を持たせ、現在の状態の意を表す語尾。

• **놀림 (名詞)** : 남의 실수나 약점을 잡아 웃음거리로 만드는 일.
からかい。ひやかし【冷かし】。やじ【野次・弥次】
人の過ちや弱みにつけ込み笑い物にすること。

• 을 : 동작이 직접적으로 영향을 미치는 대상을 나타내는 조사.
を
動作が直接的に影響を及ぼす対象を表す助詞。

• **받다 (動詞)** : 다른 사람이 하는 행동, 심리적인 작용 등을 당하거나 입다.
うける【受ける】。こうむる【被る】
他人の行動、心理的な働きなどに影響される。

• -았- : 사건이 과거에 일어났음을 나타내는 어미.
た
出来事が過去にあったという意を表す語尾。

• -다 : 어떤 사건이나 사실, 상태를 서술함을 나타내는 종결 어미.
する。…い。…だ。である
現在の出来事や事実を叙述する意を表す「終結語尾」。

견디+[다 못하]+ㄴ 아이+는 엄마+에게 투정+을 부리+었+다.
견디다 못한 **부렸다**

• **견디다 (動詞)** : 힘들거나 어려운 것을 참고 버티어 살아 나가다.
たえる【耐える】。しのぶ【忍ぶ】。こらえる【堪える】
つらいことや苦しいことを我慢して生きていく。

• -다 못하다 : 앞의 말이 나타내는 행동을 더 이상 계속할 수 없음을 나타내는 표현.
きれない。かねる
前の言葉の表す行動をもうこれ以上続けられないという意を表す表現。

• -ㄴ : 앞의 말이 관형어의 기능을 하게 만들고 사건이나 동작이 과거에 일어났음을 나타내는 어미.
た。ている
前の言葉に連体修飾語の機能を持たせ、出来事や動作が過去にあったという意を表す「語尾」。

• **아이 (名詞)** : 나이가 어린 사람.
こ【子】。こども【子供】
幼い者。

• 는 : 문장 속에서 어떤 대상이 화제임을 나타내는 조사.
は
文の中で、ある対象が話題であることを表す助詞。

• **엄마 (名詞)** : 격식을 갖추지 않아도 되는 상황에서 어머니를 이르거나 부르는 말.
ママ。おかあちゃん【お母ちゃん】
くだけた場面で母親を指したり呼ぶ語。

• 에게 : 어떤 행동이 미치는 대상임을 나타내는 조사.
に
行動が行われる対象を表す助詞。

• **투정 (名詞)** : 무엇이 모자라거나 마음에 들지 않아 떼를 쓰며 조르는 일.
ねだり【強請り】。だだ【駄駄】
何かが足りなかったり気に入らなかったりして、ごねたり、せがんだりすること。

• 을 : 동작이 직접적으로 영향을 미치는 대상을 나타내는 조사.
を
動作が直接的に影響を及ぼす対象を表す助詞。

• **부리다 (動詞)** : 바람직하지 못한 행동이나 성질을 계속 드러내거나 보이다.
はる【張る】
望ましくない行動や性質を見せる。

• -었- : 사건이 과거에 일어났음을 나타내는 어미.
た
出来事が過去にあったという意を表す語尾。

• -다 : 어떤 사건이나 사실, 상태를 서술함을 나타내는 종결 어미.
する。…い。…だ。である
現在の出来事や事実を叙述する意を表す「終結語尾」。

아이 : 엄마, 이빨+이 이상하+다고 친구+들+이 자꾸만 <u>놀리+어요</u>. **놀려요**

• **엄마 (名詞)** : 격식을 갖추지 않아도 되는 상황에서 어머니를 이르거나 부르는 말.
ママ。おかあちゃん【お母ちゃん】
くだけた場面で母親を指したり呼ぶ語。

• **이빨 (名詞)** : (낮잡아 이르는 말로) 사람이나 동물의 입 안에 있으며, 무엇을 물거나 씹는 데 쓰는 기관.
は【歯】
人間や動物の口の中にあり、何かを噛んだり食物を咀嚼したりする器官を卑しめていう語。

• 이 : 어떤 상태나 상황의 대상이나 동작의 주체를 나타내는 조사.
が
ある状態・状況の対象や動作の主体を表す助詞。

• **이상하다 (形容詞)** : 정상적인 것과 다르다.
いじょうだ【異常だ】。おかしい。へんだ【変だ】
正常でない。

• -다고 : 어떤 행위의 목적, 의도를 나타내거나 어떤 상황의 이유, 원인을 나타내는 연결 어미.
といって
ある行為の目的・意図、またはある状況の理由・原因の意を表す「連結語尾」。

• **친구 (名詞)** : 사이가 가까워 서로 친하게 지내는 사람.
とも【友】。ともだち【友達】。ゆうじん【友人】。ほうゆう【朋友】
関係が近くて、親しく交わっている人。

• 들 : '복수'의 뜻을 더하는 접미사.
たち・ら【達】
「複数」の意を付加する接尾辞。

• 이 : 어떤 상태나 상황의 대상이나 동작의 주체를 나타내는 조사.
が
ある状態・状況の対象や動作の主体を表す助詞。

• **자꾸만 (副詞)** : (강조하는 말로) 자꾸.
しきりに【頻りに】。ひっきりなしに【引っ切り無しに】
何度もを強調していう語。
자꾸 (副詞) : 여러 번 계속하여.
しきりに【頻りに】。ひっきりなしに【引っ切り無しに】
何度も繰り返して。

• **놀리다 (動詞)** : 실수나 약점을 잡아 웃음거리로 만들다.
からかう
人の間違いや弱点を笑いものにする。

• -어요 : (두루높임으로) 어떤 사실을 서술하거나 질문, 명령, 권유함을 나타내는 종결 어미.
ます。です。ますか。ですか。てください
(略待上称) ある事実を叙述したり質問、命令、勧誘する意を表す「終結語尾」。

아이 : 치과+에 가+(아)서 이빨 교정 좀 하+[여 주]+세요. 가서 해 주세요

• **치과 (名詞)** : 이와 더불어 잇몸 등의 지지 조직, 구강 등의 질병을 치료하는 의학 분야. 또는 그 분야의 병원.
しか【歯科】
歯や歯茎などの支持組織、口腔などの病気を治療する医学分野。また、その分野の病医院。

• 에 : 앞말이 목적지이거나 어떤 행위의 진행 방향임을 나타내는 조사.
に。へ
前の言葉が目的地であったり、ある行為の進行方向であったりすることを表す助詞。

• **가다 (動詞)** : 어떤 목적을 가지고 일정한 곳으로 움직이다.
ゆく・いく【行く】
ある目的で一定の場所に移動する。

• -아서 : 앞의 말과 뒤의 말이 순차적으로 일어남을 나타내는 연결 어미.
て。てから
前の事柄と後の事柄が順次に起こるという意を表す「連結語尾」。

• **이빨 (名詞)** : (낮잡아 이르는 말로) 사람이나 동물의 입 안에 있으며, 무엇을 물거나 씹는 데 쓰는 기관.
は【歯】
人間や動物の口の中にあり、何かを噛んだり食物を咀嚼したりする器官を卑しめていう語。

• **교정 (名詞)** : 고르지 못하거나 틀어지거나 잘못된 것을 바로잡음.
きょうせい【矯正】
不ぞろいで、曲がったり正しくないものを正すこと。

• **좀 (副詞)** : 주로 부탁이나 동의를 구할 때 부드러운 느낌을 주기 위해 넣는 말.
ちょっと【一寸・鳥渡】
主に頼んだり同意を得たりする時、雰囲気をやわらかくするためにいう語。

• **하다 (動詞)** : 어떤 행동이나 동작, 활동 등을 행하다.
する【為る】。やる【遣る】。なす【成す・為す】
ある行動や動作、活動などを行う。

• -여 주다 : 남을 위해 앞의 말이 나타내는 행동을 함을 나타내는 표현.
てやる。てあげる。てくれる
他人のために前の言葉の表す行動をするという意を表す表現。

• -세요 : (두루높임으로) 설명, 의문, 명령, 요청의 뜻을 나타내는 종결 어미.
ます。です。ますか。ですか。てください
(略待上称) 説明・疑問・命令・要請の意を表す「終結語尾」。

엄마 : 야, 그것(그거)+이 얼마나 비싸+ㄴ데. 　　　　　**그게**　　　　　　**비싼데**

• **야 (感動詞)** : 놀라거나 반가울 때 내는 소리.
やあ。おや
驚いた時や誰かに会ってうれしい時に出す声。

• **그것 (代名詞)** : 앞에서 이미 이야기한 대상을 가리키는 말.
それ。あれ
前に話で話題になった対象をさす語。

• 이 : 앞의 말을 강조하는 뜻을 나타내는 조사.
が
前の言葉を強調する意を表す助詞。

• **얼마나 (副詞)** : 상태나 느낌 등의 정도가 매우 크고 대단하게.
どんなに
状態や感情などの程度がとても大変で大きく。

• **비싸다 (形容詞)** : 물건값이나 어떤 일을 하는 데 드는 비용이 보통보다 높다.
たかい【高い】。こうかだ【高価だ】
商品の値段や何かをするのにかかる費用が普通より高い。

• -ㄴ데 : (두루낮춤으로) 듣는 사람의 반응을 기대하며 어떤 일에 대해 감탄함을 나타내는 종결 어미.
(だ)ね。(だ)な
(略待下称) 聞き手の反応を期待しながら何かについて感嘆するという意を表す「終結語尾」。

아이 : 모르(몰ㄹ)+아, 이것(이거)+이 다 엄마 때문+이+야. 몰라 이게

• **모르다 (動詞)** : 사람이나 사물, 사실 등을 알지 못하거나 이해하지 못하다.
しらない【知らない】。わからない【分からない】
人・物・事実などを知らない、または分からない。

• -아 : (두루낮춤으로) 어떤 사실을 서술하거나 물음, 명령, 권유를 나타내는 종결 어미.
する。である。するのか。しなさい。しよう。しましょう
(略待下称) ある事実を叙述したり質問・命令・勧誘の意を表す「終結語尾」。

• **이것 (代名詞)** : 바로 앞에서 이야기한 대상을 가리키는 말.
これ
すぐ前で話した対象を指す語。

• 이 : 어떤 상태나 상황의 대상이나 동작의 주체를 나타내는 조사.
が
ある状態・状況の対象や動作の主体を表す助詞。

• **다 (副詞)** : 남거나 빠진 것이 없이 모두.
ぜんぶ【全部】。すべて【全て】。みな【皆】。のこらず【残らず】。もれなく
残ったり、漏れたものがなく、全て。

• **엄마 (名詞)** : 격식을 갖추지 않아도 되는 상황에서 어머니를 이르거나 부르는 말.
ママ。おかあちゃん【お母ちゃん】
くだけた場面で母親を指したり呼ぶ語。

• **때문 (名詞)** : 어떤 일의 원인이나 이유.
ため【為】。せい【所為】
物事の原因や理由。

• 이다 : 주어가 지시하는 대상의 속성이나 부류를 지정하는 뜻을 나타내는 서술격 조사.
だ。である
主語が指す対象の属性や部類を指定する意を表す叙述格助詞。

• -야 : (두루낮춤으로) 어떤 사실에 대하여 서술하거나 물음을 나타내는 종결 어미.
だよ。なのよ
(略待下称) ある事実について叙述したり質問する意を表す「終結語尾」。

아이 : 엄마+가 나+를 이렇+게 낳+았+잖아. 날

• **엄마 (名詞)** : 격식을 갖추지 않아도 되는 상황에서 어머니를 이르거나 부르는 말.
ママ。おかあちゃん【お母ちゃん】
くだけた場面で母親を指したり呼ぶ語。

• 가 : 어떤 상태나 상황에 놓인 대상이나 동작의 주체를 나타내는 조사.
が
ある状態や状況に置かれた対象、または動作の主体を表す助詞。

• **나 (代名詞)** : 말하는 사람이 친구나 아랫사람에게 자기를 가리키는 말.
わたし【私】。ぼく【僕】。おれ【俺】。じぶん【自分】
話し手が友人や目下の人に対し、自分をさす語。

• 를 : 동작이 간접적인 영향을 미치는 대상이나 목적임을 나타내는 조사.
に。を
動作が間接的に影響を及ぼす対象や、それが目的であるという意を表す助詞。

• **이렇다 (形容詞)** : 상태, 모양, 성질 등이 이와 같다.
こうである。このようだ【此の様だ】
状態、形、性質などがこの通りである。

• -게 : 앞의 말이 뒤에서 가리키는 일의 목적이나 결과, 방식, 정도 등이 됨을 나타내는 연결 어미.
…く。…に。ように。ほど
前の事柄が後の事柄の目的・結果・方法・程度などになるという意を表す「連結語尾」。

• **낳다 (動詞)** : 배 속의 아이, 새끼, 알을 몸 밖으로 내보내다.
うむ【産む】。しゅっさんする【出産する】
胎児や卵などを体外に出す。

• -았- : 사건이 과거에 일어났음을 나타내는 어미.
た
出来事が過去にあったという意を表す語尾。

• -잖아 : (두루낮춤으로) 어떤 상황에 대해 말하는 사람이 상대방에게 확인하거나 정정해 주듯이 말함을 나타내는 표현.
じゃないか。ではないか
(略待下称)ある状況について話し手が相手に確認、または訂正するように述べるという意を表す表現。

<u>그리하+자</u> 엄마+가 하+는 한마디. **그러자**

• **그리하다 (動詞)** : 앞에서 일어난 일이나 말한 것과 같이 그렇게 하다.
対訳語無し
先に起こったことや言ったことのように、そうする。

• -자 : 앞의 말이 나타내는 동작이 끝난 뒤 곧 뒤의 말이 나타내는 동작이 잇따라 일어남을 나타내는 연결 어미.
やいなや【や否や】。とすぐに。たとたん【た途端】
前に述べる動作が終わってからすぐ後に述べる動作が相次いで起こるという意を表す「連結語尾」。

• **엄마 (名詞)** : 격식을 갖추지 않아도 되는 상황에서 어머니를 이르거나 부르는 말.
ママ。おかあちゃん【お母ちゃん】
くだけた場面で母親を指したり呼ぶ語。

• 가 : 어떤 상태나 상황에 놓인 대상이나 동작의 주체를 나타내는 조사.
が
ある状態や状況に置かれた対象、または動作の主体を表す助詞。

• **하다 (動詞)** : 다른 사람의 말이나 생각 등을 나타내는 문장을 받아 뒤에 오는 단어를 꾸미는 말.
いう【言う】
他人の言葉や考えなどを表す文章を引用して、次に来る単語を修飾する語。

• -는 : 앞의 말이 관형어의 기능을 하게 만들고 사건이나 동작이 현재 일어남을 나타내는 어미.
する。ている
前の言葉に連体修飾語の機能を持たせ、出来事や動作が現在進行中であるという意を表す語尾。

• **한마디 (名詞)** : 짧고 간단한 말.
ひとこと【一言】
短くて簡単な言葉。

엄마 : 너 낳+았+[을 때] 이빨 없+었+거든, 이것+아!

• **너 (代名詞)** : 듣는 사람이 친구나 아랫사람일 때, 그 사람을 가리키는 말.
おまえ【お前】。きみ【君】
聞き手が友人か目下の人である場合、その聞き手をさす語。

• **낳다 (動詞)** : 배 속의 아이, 새끼, 알을 몸 밖으로 내보내다.
うむ【産む】。しゅっさんする【出産する】
胎児や卵などを体外に出す。

• -았- : 사건이 과거에 일어났음을 나타내는 어미.
た
出来事が過去にあったという意を表す語尾。

• -을 때 : 어떤 행동이나 상황이 일어나는 동안이나 그 시기 또는 그러한 일이 일어난 경우를 나타내는 표현.
とき【時】。ころ【頃】
ある行動や状況が起こっている間やその時期、またそのようなことが起こった場合を表す表現。

• **이빨 (名詞)** : (낮잡아 이르는 말로) 사람이나 동물의 입 안에 있으며, 무엇을 물거나 씹는 데 쓰는 기관.
は【歯】
人間や動物の口の中にあり、何かを噛んだり食物を咀嚼したりする器官を卑しめていう語。

• **없다 (形容詞)** : 사람, 사물, 현상 등이 어떤 곳에 자리나 공간을 차지하고 존재하지 않는 상태이다.
ない【無い】。いない。そんざいしない【存在しない】
人・事物・現象などがある所で場所や空間を占めていず、存在していない状態だ。

• -었- : 사건이 과거에 일어났음을 나타내는 어미.
た
出来事が過去にあったという意を表す語尾。

• -거든 : (두루낮춤으로) 앞의 내용에 대해 말하는 사람이 생각한 이유나 원인, 근거를 나타내는 종결 어미.
だもの。んだよ。からね
(略待下称) 前の事柄について話し手が考えている理由や原因・根拠の意を表す「終結語尾」。

• **이것 (代名詞)** : (귀엽게 이르는 말로) 이 아이.
こいつ
この子をいつくしんでいう語。

• 아 : 친구나 아랫사람, 동물 등을 부를 때 쓰는 조사.
よ。や。ちゃん。くん【君】
友人や目下の人、動物などを呼ぶのに用いる助詞。

< 4 단원(たんげん【単元】) >

제목 : 아빠, 물 좀 갖다주세요.

● 본문 (ほんぶん【本文】)

늦은 오후 방에 늘어져 있던 아들은 시원한 물 한 잔이 먹고 싶어졌다.

그러나 꼼짝하기도 싫은 아들은 거실에서 텔레비전을 보고 계시던 아빠에게 큰 소리로 말했다.

아들 : 아빠, 물 좀 갖다주세요.

아빠 : 냉장고에 있으니까 네가 꺼내 먹어.

십 분 후

아들 : 아빠, 물 좀 갖다주세요.

아빠 : 네가 직접 가서 마시라니까.

아빠의 목소리는 점점 짜증이 섞이면서 톤이 높아지고 있었다.

그러나 이에 굴하지 않고 아들은 또 다시 외쳤다.

아들 : 아빠, 물 좀 갖다주세요.

아빠 : 네가 갖다 먹으라고.

한 번만 더 부르면 혼내 주러 간다.

아빠는 이제 단단히 화가 나셨다.

하지만 아들은 지칠 줄 모르고 다시 십 분 후에 이렇게 말했다.

아들 : 아빠, 저 혼내러 오실 때 물 좀 갖다주세요.

● 발음 (はつおん【発音】)

늦은 오후 방에 늘어져 있던 아들은 시원한 물 한 잔이 먹고 싶어졌다.
느즌 오후 방에 느러저 읻떤 아드른 시원한 물 한 자니 먹꼬 시퍼젇따.
neujeun ohu bange neureojeo itdeon adeureun siwonhan mul han jani meokgo sipeojeotda.

그러나 꼼짝하기도 싫은 아들은 거실에서 텔레비전을 보고 계시던 아빠에게 큰 소리로 말했다.
그러나 꼼짜카기도 시른 아드른 거시레서 텔레비저늘 보고 계시던 아빠에게 큰 소리로 말핻따.
geureona kkomjjakagido sireun adeureun geosireseo tellebijeoneul bogo gyesideon appaege keun soriro malhaetda.

아들 : 아빠, 물 좀 갖다주세요.
아들 : 아빠, 물 좀 갇따주세요.
adeul : appa, mul jom gatdajuseyo.

아빠 : 냉장고에 있으니까 네가 꺼내 먹어.
아빠 : 냉장고에 이쓰니까 네가 꺼내 머거.
appa : naengjanggoe isseunikka nega kkeonae meogeo.

십 분 후
십 분 후
sip bun hu

아들 : 아빠, 물 좀 갖다주세요.
아들 : 아빠, 물 좀 갇따주세요.
adeul : appa, mul jom gatdajuseyo.

아빠 : 네가 직접 가서 마시라니까.
아빠 : 네가 직쩝 가서 마시라니까.
appa : nega jikjeop gaseo masiranikka.

아빠의 목소리는 점점 짜증이 섞이면서 톤이 높아지고 있었다.
아빠의 목쏘리는 점점 짜증이 서끼면서 토니 노파지고 이썯따.
appaui moksorineun jeomjeom jjajeungi seokkimyeonseo toni nopajigo isseotda.

그러나 이에 굴하지 않고 아들은 또 다시 외쳤다.
그러나 이에 굴하지 안코 아드른 또 다시 외첟따.
geureona ie gulhaji anko adeureun tto dasi oecheotda.

아들 : 아빠, 물 좀 갖다주세요.
아들 : 아빠, 물 좀 갇따주세요.
adeul : appa, mul jom gatdajuseyo.

아빠 : 네가 갖다 먹으라고.
아빠 : 네가 갇따 머그라고.
appa : nega gatda meogeurago.

한 번만 더 부르면 혼내 주러 간다.
한 번만 더 부르면 혼내 주러 간다.
han beonman deo bureumyeon honnae jureo ganda.

아빠는 이제 단단히 화가 나셨다.
아빠는 이제 단단히 화가 나셛따.
appaneun ije dandanhi hwaga nasyeotda.

하지만 아들은 지칠 줄 모르고 다시 십 분 후에 이렇게 말했다.
하지만 아드른 지칠 쭐 모르고 다시 십 분 후에 이러케 말핻따.
hajiman adeureun jichil jul moreugo dasi sip bun hue ireoke malhaetda.

아들 : 아빠, 저 혼내러 오실 때 물 좀 갖다주세요.
아들 : 아빠, 저 혼내러 오실 때 물 좀 갇따주세요.
adeul : appa, jeo honnaereo osil ttae mul jom gatdajuseyo.

● 어휘 (ごい【語彙】) / 문법 (ぶんぽう【文法】)

늦+은 오후 방+에 늘어지+어 있+던 아들+은 시원하+ㄴ 물 한 잔+이 먹+고 싶+어지+었+다.

그러나 꼼짝하+기+도 싫+은 아들+은 거실+에서 텔레비전+을 보+고 계시+던 아빠+에게 크+ㄴ 소리+로 말하+였+다.

아들 : 아빠, 물 좀 갖다주+세요.

아빠 : 냉장고+에 있+으니까 네+가 꺼내+(어) 먹+어.

십 분 후

아들 : 아빠, 물 좀 갖다주+세요.

아빠 : 네+가 직접 가+(아)서 마시+라니까.

아빠+의 목소리+는 점점 짜증+이 섞이+면서 톤+이 높아지+고 있+었+다.

그러나 이에 굴하+지 않+고 아들+은 또 다시 외치+었+다.

아들 : 아빠, 물 좀 갖다주+세요.

아빠 : 네+가 갖+다 먹+으라고.

한 번+만 더 부르+면 혼내+(어) 주+러 가+ㄴ다.

아빠+는 이제 단단히 화+가 나+시+었+다.

하지만 아들+은 지치+ㄹ 줄 모르+고 다시 십 분 후+에 이렇+게 말하+였+다.

아들 : 아빠, 저 혼내+러 오+시+ㄹ 때 물 좀 갖다주+세요.

늦+은 오후 방+에 늘어지+[어 있]+던 아들+은 시원하+ㄴ 물 한 잔+이 먹+[고 싶]+[어지]+었+다. **늘어져 있던** **시원한** **먹고 싶어졌다**

• **늦다 (形容詞)** : 적당한 때를 지나 있다. 또는 시기가 한창인 때를 지나 있다.
おそい【遅い】
適当な時期が過ぎている。また、盛期が過ぎている。

• -은 : 앞의 말이 관형어의 기능을 하게 만들고 현재의 상태를 나타내는 어미.
た。ている
前の言葉に連体修飾語の機能を持たせ、現在の状態の意を表す語尾。

• **오후 (名詞)** : 정오부터 해가 질 때까지의 동안.
ごご【午後】
正午から日没までの時間。

• **방 (名詞)** : 사람이 살거나 일을 하기 위해 벽을 둘러서 막은 공간.
へや【部屋】
人が生活したり仕事をしたりするため、壁で囲んで作った空間。

• 에 : 앞말이 어떤 장소나 자리임을 나타내는 조사.
に
前の言葉が場所や席であることを表す助詞。

• **늘어지다 (動詞)** : 몸을 마음껏 펴거나 근심 걱정 없이 쉬다.
のびる【伸びる】。くつろぐ【寛ぐ】
体を思い切り伸ばしたり、心配なく休んだりする。

• -어 있다 : 앞의 말이 나타내는 상태가 계속됨을 나타내는 표현.
ている
前の言葉の表す状態が続いているという意を表す表現。

• -던 : 앞의 말이 관형어의 기능을 하게 만들고 사건이나 동작이 과거에 완료되지 않고 중단되었음을 나타내는 어미.
…かけた。…かけの。ていた
前の言葉に連体修飾語の機能を持たせ、出来事や動作が過去に完了せずに中断されたという意を表す語尾。

• **아들 (名詞)** : 남자인 자식.
むすこ【息子】
男性である子供。

• 은 : 문장 속에서 어떤 대상이 화제임을 나타내는 조사.
は
文章の中である対象が話題であることを表す助詞。

- **시원하다 (形容詞)** : 음식이 먹기 좋을 정도로 차고 산뜻하거나, 속이 후련할 정도로 뜨겁다.
  対訳語無し
  食べ物がほどよく冷たくて爽やかだったり、すっきりするほど熱かったりする。

- **-ㄴ** : 앞의 말이 관형어의 기능을 하게 만들고 현재의 상태를 나타내는 어미.
  た。ている
  前の言葉に連体修飾語の機能を持たせ、現在の状態の意を表す語尾。

- **물 (名詞)** : 강, 호수, 바다, 지하수 등에 있으며 순수한 것은 빛깔, 냄새, 맛이 없고 투명한 액체.
  みず【水】。のみみず【飲み水】
  川・湖・海・地下水などにあり、純粋なものは色・匂い・味がなく、透明な液体。

- **한 (冠形詞)** : 하나의.
  いち【一】
  1の。

- **잔 (名詞)** : 음료나 술 등을 담은 그릇을 기준으로 그 분량을 세는 단위.
  はい【杯】
  飲み物や酒などを盛る器を基準に、その分量を数える単位。

- **이** : 어떤 상태나 상황의 대상이나 동작의 주체를 나타내는 조사.
  が
  ある状態・状況の対象や動作の主体を表す助詞。

- **먹다 (動詞)** : 액체로 된 것을 마시다.
  のむ【飲む】。すう【吸う】。くらう【食らう】
  液体を喉へ送り込む。

- **-고 싶다** : 앞의 말이 나타내는 행동을 하기를 원함을 나타내는 표현.
  たい
  前の言葉の表す行動をしたいという意を表す表現。

- **-어지다** : 앞에 오는 말이 나타내는 대로 행동하게 되거나 그 상태로 됨을 나타내는 표현.
  (ら)れる。てくる
  前の言葉通りに行動するようになるかその状態になるという意を表す表現。

- **-었-** : 어떤 사건이 과거에 완료되었거나 그 사건의 결과가 현재까지 지속되는 상황을 나타내는 어미.
  た。ている
  ある出来事が過去に完了したことや、その出来事の結果が現在まで持続している状況を表す語尾。

- **-다** : 어떤 사건이나 사실, 상태를 서술함을 나타내는 종결 어미.
  する。…い。…だ。である
  現在の出来事や事実を叙述する意を表す「終結語尾」。

그러나 꼼짝하+기+도 싫+은 아들+은 거실+에서 텔레비전+을 보+[고 계시]+던 아빠+에게 크+ㄴ
큰
소리+로 말하+였+다.
말했다

• **그러나 (副詞)** : 앞의 내용과 뒤의 내용이 서로 반대될 때 쓰는 말.
しかし
前の内容と後ろの内容が互いに反対になる時に用いる語。

• **꼼짝하다 (動詞)** : 몸이 느리게 조금씩 움직이다. 또는 몸을 느리게 조금씩 움직이다.
もぞもぞする
体が少しずつゆっくり動く。また、体を少しずつゆっくり動かす。

• -기 : 앞의 말이 명사의 기능을 하게 하는 어미.
こと
前の言葉を名詞化する語尾。

• 도 : 극단적인 경우를 들어 다른 경우는 말할 것도 없음을 나타내는 조사.
も。すら。さえ。まで
極端な場合を例にあげて、他の場合は言うまでもないという意を表す助詞。

• **싫다 (形容詞)** : 어떤 일을 하고 싶지 않다.
いやだ【嫌だ】。きがむかない【気が向かない】
やりたくない。

• -은 : 앞의 말이 관형어의 기능을 하게 만들고 현재의 상태를 나타내는 어미.
た。ている
前の言葉に連体修飾語の機能を持たせ、現在の状態の意を表す語尾。

• **아들 (名詞)** : 남자인 자식.
むすこ【息子】
男性である子供。

• 은 : 문장 속에서 어떤 대상이 화제임을 나타내는 조사.
は
文章の中である対象が話題であることを表す助詞。

• **거실 (名詞)** : 서양식 집에서, 가족이 모여서 생활하거나 손님을 맞는 중심 공간.
いま【居間】。リビングルーム。ちゃのま【茶の間】
西洋式の家で、家族が集まって生活したり、お客をもてなす中心空間。

• 에서 : 앞말이 행동이 이루어지고 있는 장소임을 나타내는 조사.
で
前の言葉が行動の行われる場所であることを表す助詞。

• **텔레비전 (名詞)** : 방송국에서 전파로 보내오는 영상과 소리를 받아서 보여 주는 기계.
テレビジョン。テレビ
放送局が電波で送信する映像と音声を受信して、画面に映し出す機械。

• 을 : 동작이 직접적으로 영향을 미치는 대상을 나타내는 조사.
を
動作が直接的に影響を及ぼす対象を表す助詞。

• **보다 (動詞)** : 눈으로 대상을 즐기거나 감상하다.
みる【観る】。かんしょうする【観賞する】。けんぶつする【見物する】。たのしむ【楽しむ】
目で対象を楽しんだり観賞したりする。

• -고 계시다 : (높임말로) 앞의 말이 나타내는 행동이 계속 진행됨을 나타내는 표현.
ていらっしゃる。なさっている
(尊敬語)前の言葉の表す行動が引き続き行われるという意を表す表現。

• -던 : 앞의 말이 관형어의 기능을 하게 만들고 사건이나 동작이 과거에 완료되지 않고 중단되었음을 나타내는 어미.
…かけた。…かけの。ていた
前の言葉に連体修飾語の機能を持たせ、出来事や動作が過去に完了せずに中断されたという意を表す語尾。

• **아빠 (名詞)** : 격식을 갖추지 않아도 되는 상황에서 아버지를 이르거나 부르는 말.
パパ。おとうちゃん【お父ちゃん】
くだけた場面で父親を指したり呼ぶ語。

• 에게 : 어떤 행동이 미치는 대상임을 나타내는 조사.
に
行動が行われる対象を表す助詞。

• **크다 (形容詞)** : 소리의 세기가 강하다.
おおきい【大きい】
音・声の強さの程度が高い。

• -ㄴ : 앞의 말이 관형어의 기능을 하게 만들고 현재의 상태를 나타내는 어미.
た。ている
前の言葉に連体修飾語の機能を持たせ、現在の状態の意を表す語尾。

• **소리 (名詞)** : 사람의 목에서 나는 목소리.
こえ【声】
人の喉から出る音。

• 로 : 어떤 일의 방법이나 방식을 나타내는 조사.
で
ある動作を行うための方法や方式を表す助詞。

• **말하다 (動詞)** : 어떤 사실이나 자신의 생각 또는 느낌을 말로 나타내다.
いう【言う】。かたる【語る】。はなす【話す】。のべる【述べる】
ある事実や自分の考え、または感情を言葉で表す。

• -였- : 어떤 사건이 과거에 완료되었거나 그 사건의 결과가 현재까지 지속되는 상황을 나타내는 어미.
た。ている
ある出来事が過去に完了したことや、その出来事の結果が現在まで持続している状況を表す語尾。

• -다 : 어떤 사건이나 사실, 상태를 서술함을 나타내는 종결 어미.
する。…い。…だ。である
現在の出来事や事実を叙述する意を表す「終結語尾」。

아들 : 아빠, 물 좀 갖다주+세요.

• **아빠 (名詞)** : 격식을 갖추지 않아도 되는 상황에서 아버지를 이르거나 부르는 말.
パパ。おとうちゃん【お父ちゃん】
くだけた場面で父親を指したり呼ぶ語。

• **물 (名詞)** : 강, 호수, 바다, 지하수 등에 있으며 순수한 것은 빛깔, 냄새, 맛이 없고 투명한 액체.
みず【水】。のみみず【飲み水】
川・湖・海・地下水などにあり、純粋なものは色・匂い・味がなく、透明な液体。

• **좀 (副詞)** : 주로 부탁이나 동의를 구할 때 부드러운 느낌을 주기 위해 넣는 말.
ちょっと【一寸・鳥渡】
主に頼んだり同意を得たりする時、雰囲気をやわらかくするためにいう語。

• **갖다주다 (動詞)** : 무엇을 가지고 와서 주다.
もってきてくれる【持って来てくれる】
何かを持ってきてあげる。

• -세요 : (두루높임으로) 설명, 의문, 명령, 요청의 뜻을 나타내는 종결 어미.
ます。です。ますか。ですか。てください
(略待上称) 説明・疑問・命令・要請の意を表す「終結語尾」。

아빠 : 냉장고+에 있+으니까 네+가 <u>꺼내+(어)</u> 먹+어. **꺼내**

• **냉장고 (名詞)** : 음식을 상하지 않게 하거나 차갑게 하려고 낮은 온도에서 보관하는 상자 모양의 기계.
れいぞうこ【冷蔵庫】
飲食物が腐らないようにするか冷やすために低温で保管する箱形の機械。

• 에 : 앞말이 어떤 장소나 자리임을 나타내는 조사.
に
前の言葉が場所や席であることを表す助詞。

• **있다 (形容詞)** : 무엇이 어떤 곳에 자리나 공간을 차지하고 존재하는 상태이다.
ある【有る・在る】
何かがある空間を占めて存在する状態だ。

• -으니까 : 뒤에 오는 말에 대하여 앞에 오는 말이 원인이나 근거, 전제가 됨을 강조하여 나타내는 연결 어미.
から。ので。ため。ゆえ【故】
後にくる事柄に対して前の事柄がその原因や根拠・前提になることを強調していう「連結語尾」。

• **네 (代名詞)** : '너'에 조사 '가'가 붙을 때의 형태.
おまえ【お前】。きみ【君】
二人称代名詞「너」に主格助詞「가」があとにつく場合の形。
너 (代名詞) : 듣는 사람이 친구나 아랫사람일 때, 그 사람을 가리키는 말.
おまえ【お前】。きみ【君】
聞き手が友人か目下の人である場合、その聞き手をさす語。

• 가 : 어떤 상태나 상황에 놓인 대상이나 동작의 주체를 나타내는 조사.
が
ある状態・状況の対象や動作の主体を表す助詞。

• **꺼내다 (動詞)** : 안에 있는 물건을 밖으로 나오게 하다.
だす【出す】。とりだす【取り出す】。もちだす【持ち出す】
中にある物を外に移す。

• -어 : 앞의 말이 뒤의 말보다 먼저 일어났거나 뒤의 말에 대한 방법이나 수단이 됨을 나타내는 연결 어미.
て
前の事柄が後の事柄より先に行われたか、後の事柄の方法や手段になるという意を表す「連結語尾」。

• **먹다 (動詞)** : 액체로 된 것을 마시다.
のむ【飲む】。すう【吸う】。くらう【食らう】
液体を喉へ送り込む。

• -어 : (두루낮춤으로) 어떤 사실을 서술하거나 물음, 명령, 권유를 나타내는 종결 어미.
のか。なさい。よう。ましょう
(略待下称) ある事実を叙述したり、質問・命令・勧誘の意を表す「終結語尾」。

십 분 후

• **십 (冠形詞)** : 열의.
じゅう・とお【十】
十の。

• **분 (名詞)** : 한 시간의 60분의 1을 나타내는 시간의 단위.
ふん【分】
1時間の60分の1を表す時間の単位。

• **후 (名詞)** : 얼마만큼 시간이 지나간 다음.
あと【後】
ある程度の時間が過ぎた後。

아들 : 아빠, 물 좀 갖다주+세요.

• **아빠 (名詞)** : 격식을 갖추지 않아도 되는 상황에서 아버지를 이르거나 부르는 말.
パパ。おとうちゃん【お父ちゃん】
くだけた場面で父親を指したり呼ぶ語。

• **물 (名詞)** : 강, 호수, 바다, 지하수 등에 있으며 순수한 것은 빛깔, 냄새, 맛이 없고 투명한 액체.
みず【水】。のみみず【飲み水】
川・湖・海・地下水などにあり、純粋なものは色・匂い・味がなく、透明な液体。

• **좀 (副詞)** : 주로 부탁이나 동의를 구할 때 부드러운 느낌을 주기 위해 넣는 말.
ちょっと【一寸・鳥渡】
主に頼んだり同意を得たりする時、雰囲気をやわらかくするためにいう語。

• **갖다주다 (動詞)** : 무엇을 가지고 와서 주다.
もってきてくれる【持って来てくれる】
何かを持ってきてあげる。

• -세요 : (두루높임으로) 설명, 의문, 명령, 요청의 뜻을 나타내는 종결 어미.
ます。です。ますか。ですか。てください
(略待上称) 説明・疑問・命令・要請の意を表す「終結語尾」。

아빠 : 네+가 직접 <u>가+(아)서</u> 마시+라니까. **가서**

• **네 (代名詞)** : '너'에 조사 '가'가 붙을 때의 형태.
おまえ【お前】。きみ【君】
二人称代名詞「너」に主格助詞「가」があとにつく場合の形。
너 (代名詞) : 듣는 사람이 친구나 아랫사람일 때, 그 사람을 가리키는 말.
おまえ【お前】。きみ【君】
聞き手が友人か目下の人である場合、その聞き手をさす語。

• 가 : 어떤 상태나 상황에 놓인 대상이나 동작의 주체를 나타내는 조사.
が
ある状態・状況の対象や動作の主体を表す助詞。

• **직접 (副詞)** : 중간에 다른 사람이나 물건 등이 끼어들지 않고 바로.
ちょくせつ【直接】
間に他人や他の物を挟まずにストレートに。

• **가다 (動詞)** : 한 곳에서 다른 곳으로 장소를 이동하다.
ゆく・いく【行く】。うつる【移る】
ある場所から他の場所へ移動する。

• -아서 : 앞의 말과 뒤의 말이 순차적으로 일어남을 나타내는 연결 어미.
て。てから
前の事柄と後の事柄が順次に起こるという意を表す「連結語尾」。

• **마시다 (動詞)** : 물 등의 액체를 목구멍으로 넘어가게 하다.
のむ【飲む】。すう【吸う】。くらう【食らう】
水などの液体を喉へ送り込む。

• -라니까 : (아주낮춤으로) 가볍게 꾸짖으면서 반복해서 명령하는 뜻을 나타내는 종결 어미.
なさいってば。しろっていうのに
(下称) 軽く叱る口調で反復して命令する意を表す「終結語尾」。

아빠+의 목소리+는 점점 짜증+이 섞이+면서 톤+이 높아지+[고 있]+었+다.

• **아빠 (名詞)** : 격식을 갖추지 않아도 되는 상황에서 아버지를 이르거나 부르는 말.
パパ。おとうちゃん【お父ちゃん】
くだけた場面で父親を指したり呼ぶ語。

• 의 : 앞의 말이 뒤의 말에 대하여 소유, 소속, 소재, 관계, 기원, 주체의 관계를 가짐을 나타내는 조사.
の
前の言葉が後ろの言葉に対し、所有、所在、関係、起源、主体の関係を持つことを表す助詞。

• **목소리 (名詞)** : 사람의 목구멍에서 나는 소리.
こえ【声】
人間の喉から発せられる音。

• 는 : 문장 속에서 어떤 대상이 화제임을 나타내는 조사.
は
文章の中である対象が話題であることを表す助詞。

• **점점 (副詞)** : 시간이 지남에 따라 정도가 조금씩 더.
だんだん【段段】。しだいに【次第に】。じょじょに【徐徐に】。ますます【益益・益・増す増す】
時間が経つにつれ、程度が少しずつはなはだしくなるさま。

• **짜증 (名詞)** : 마음에 들지 않아서 화를 내거나 싫은 느낌을 겉으로 드러내는 일. 또는 그런 성미.
かんしゃく【癇癪】。いらだち【苛立ち】
気に入らなくて腹を立てたり嫌な気分を表現すること。また、そのような性格。

• 이 : 어떤 상태나 상황의 대상이나 동작의 주체를 나타내는 조사.
が
ある状態・状況の対象や動作の主体を表す助詞。

• **섞이다 (動詞)** : 어떤 말이나 행동에 다른 말이나 행동이 함께 나타나다.
まざる【混ざる・交ざる】。まじる【混じる・交じる】
ある言葉や行動に加え、違う言葉や行動が表れる。

• -면서 : 두 가지 이상의 동작이나 상태가 함께 일어남을 나타내는 연결 어미.
ながら
二つ以上の動作や状態が共に起こるという意を表す「連結語尾」。

• **톤 (名詞)** : 전체적으로 느껴지는 분위기나 말투.
トーン。ちょうし【調子】。せいちょう【声調】
物事全体から感じられる雰囲気や語調。

• 이 : 어떤 상태나 상황의 대상이나 동작의 주체를 나타내는 조사.
が
ある状態・状況の対象や動作の主体を表す助詞。

• **높아지다 (動詞)** : 이전보다 더 높은 정도나 수준, 지위에 이르다.
たかまる【高まる】
以前より高い程度や水準、地位に達する。

• -고 있다 : 앞의 말이 나타내는 행동이 계속 진행됨을 나타내는 표현.
ている
前の言葉の表す行動が引き続き行われるという意を表す表現。

• -었- : 어떤 사건이 과거에 완료되었거나 그 사건의 결과가 현재까지 지속되는 상황을 나타내는 어미.
た。ている
ある出来事が過去に完了したことや、その出来事の結果が現在まで持続している状況を表す語尾。

• -다 : 어떤 사건이나 사실, 상태를 서술함을 나타내는 종결 어미.
する。…い。…だ。である
現在の出来事や事実を叙述する意を表す「終結語尾」。

그러나 이에 굴하+[지 않]+고 아들+은 또 다시 외치+었+다. **외쳤다**

• **그러나 (副詞)** : 앞의 내용과 뒤의 내용이 서로 반대될 때 쓰는 말.
しかし
前の内容と後ろの内容が互いに反対になる時に用いる語。

• **이에 (副詞)** : 이러한 내용에 곧.
ここに【此処に・是に・爰に・茲に】。よって【因って・依て・仍て】
そういうわけで、すぐ。

• **굴하다 (動詞)** : 어떤 힘이나 어려움 앞에서 자신의 의지를 굽히다.
くっする【屈する】
ある力や苦難に直面して意志を曲げる。

• -지 않다 : 앞의 말이 나타내는 행위나 상태를 부정하는 뜻을 나타내는 표현.
ない。くない。ではない
前の言葉の表す行為や状態を否定する意を表す表現。

• -고 : 앞의 말이 나타내는 행동이나 그 결과가 뒤에 오는 행동이 일어나는 동안에 그대로 지속됨을 나타내는 연결 어미.
て
前の言葉の表す動作やその結果が、次にくる動作が行われる間にもそのまま持続されるという意を表す「連結語尾」。

• **아들 (名詞)** : 남자인 자식.
むすこ【息子】
男性である子供。

• 은 : 문장 속에서 어떤 대상이 화제임을 나타내는 조사.
は
文章の中である対象が話題であることを表す助詞。

• **또 (副詞)** : 어떤 일이나 행동이 다시.
また。ふたたび【再び】。もういちど【もう一度】。あらためて【改めて】
ある出来事や行動がもう一度

。

• **다시 (副詞)** : 같은 말이나 행동을 반복해서 또.
また【又】。ふたたび【再び】。もういちど【もう一度】。さらに
同じ言葉や行動を繰り返してまた。

• **외치다 (動詞)** : 큰 소리를 지르다.
さけぶ【叫ぶ】。わめく【喚く・叫く】。はりあげる【張り上げる】
大声を発する。

• **-었-** : 어떤 사건이 과거에 완료되었거나 그 사건의 결과가 현재까지 지속되는 상황을 나타내는 어미.
た。ている
ある出来事が過去に完了したことや、その出来事の結果が現在まで持続している状況を表す語尾。

• **-다** : 어떤 사건이나 사실, 상태를 서술함을 나타내는 종결 어미.
する。…い。…だ。である
現在の出来事や事実を叙述する意を表す「終結語尾」。

아들 : 아빠, 물 좀 갖다주+세요.

• **아빠 (名詞)** : 격식을 갖추지 않아도 되는 상황에서 아버지를 이르거나 부르는 말.
パパ。おとうちゃん【お父ちゃん】
くだけた場面で父親を指したり呼ぶ語。

• **물 (名詞)** : 강, 호수, 바다, 지하수 등에 있으며 순수한 것은 빛깔, 냄새, 맛이 없고 투명한 액체.
みず【水】。のみみず【飲み水】
川・湖・海・地下水などにあり、純粋なものは色・匂い・味がなく、透明な液体。

• **좀 (副詞)** : 주로 부탁이나 동의를 구할 때 부드러운 느낌을 주기 위해 넣는 말.
ちょっと【一寸・鳥渡】
主に頼んだり同意を得たりする時、雰囲気をやわらかくするためにいう語。

• **갖다주다 (動詞)** : 무엇을 가지고 와서 주다.
もってきてくれる【持って来てくれる】
何かを持ってきてあげる。

• **-세요** : (두루높임으로) 설명, 의문, 명령, 요청의 뜻을 나타내는 종결 어미.
ます。です。ますか。ですか。てください
(略待上称) 説明・疑問・命令・要請の意を表す「終結語尾」。

아빠 : 네+가 갖+다 먹+으라고.

• **네 (代名詞)** : '너'에 조사 '가'가 붙을 때의 형태.
おまえ【お前】。きみ【君】
二人称代名詞「너」に主格助詞「가」があとにつく場合の形。
너 (代名詞) : 듣는 사람이 친구나 아랫사람일 때, 그 사람을 가리키는 말.
おまえ【お前】。きみ【君】
聞き手が友人か目下の人である場合、その聞き手をさす語。

• 가 : 어떤 상태나 상황에 놓인 대상이나 동작의 주체를 나타내는 조사.
が
ある状態・状況の対象や動作の主体を表す助詞。

• **갖다 (動詞)** : 무엇을 손에 쥐거나 몸에 지니다.
もつ【持つ】。たずさえる【携える】
何かを手に握ったり、身に付けたりする。

• -다 : 어떤 행동이 진행되는 중에 다른 행동이 나타남을 나타내는 연결 어미.
ていて
ある行動が進行しているうちに、別の行動が現れる意を表す「連結語尾」。

• **먹다 (動詞)** : 액체로 된 것을 마시다.
のむ【飲む】。すう【吸う】。くらう【食らう】
液体を喉へ送り込む。

• -으라고 : (두루낮춤으로) 말하는 사람의 생각이나 주장을 듣는 사람에게 강조하여 말함을 나타내는 종결 어미.
しろってば
(略待下称) 自分の考えや主張を聞き手に強調して述べる意を表す「終結語尾」。

아빠 : 한 번+만 더 부르+면 혼내+[(어) 주]+러 가+ㄴ다. **혼내 주러　　　간다**

• **한 (冠形詞)** : 하나의.
いち【一】
1の。

• **번 (名詞)** : 일의 횟수를 세는 단위.
かい【回】。ど【度】
物事の回数を数える単位。

• 만 : 앞의 말이 어떤 것에 대한 조건임을 나타내는 조사.
だけ。のみ
前の言葉が何かについての条件であるという意を表す助詞。

• **더 (副詞)** : 보태어 계속해서.
もっと。ますます。いっそう【一層】。さらに
付け加えられて続くさま。

• **부르다 (動詞)** : 말이나 행동으로 다른 사람을 오라고 하거나 주의를 끌다.
よぶ【呼ぶ】。こえをかける【声を掛ける】
言葉や行動で他の人を来させたり、注意を引いたりする。

• -면 : 뒤에 오는 말에 대한 근거나 조건이 됨을 나타내는 연결 어미.
たら。なら。というなら
後にくる事柄に対する根拠や条件になるという意を表す「連結語尾」。

• **혼내다 (動詞)** : 심하게 꾸지람을 하거나 벌을 주다.
しかる【叱る】。こらしめる【懲らしめる】
ひどく怒ったり、罰を与えたりする。

• -어 주다 : 남을 위해 앞의 말이 나타내는 행동을 함을 나타내는 표현.
てやる。てあげる。てくれる
他人のために前の言葉の表す行動をするという意を表す表現。

• -러 : 가거나 오거나 하는 동작의 목적을 나타내는 연결 어미.
…に
行く、または来る動作の目的の意を表す「連結語尾」。

• **가다 (動詞)** : 어떤 목적을 가지고 일정한 곳으로 움직이다.
ゆく・いく【行く】
ある目的で一定の場所に移動する。

• -ㄴ다 : (아주낮춤으로) 현재 사건이나 사실을 서술함을 나타내는 종결 어미.
する。している
(下称) 現在の出来事や事実を叙述するという意を表す「終結語尾」。

아빠+는 이제 단단히 화+가 나+시+었+다. **나셨다**

• **아빠 (名詞)** : 격식을 갖추지 않아도 되는 상황에서 아버지를 이르거나 부르는 말.
パパ。おとうちゃん【お父ちゃん】
くだけた場面で父親を指したり呼ぶ語。

• 는 : 문장 속에서 어떤 대상이 화제임을 나타내는 조사.
は
文章の中である対象が話題であることを表す助詞。

• **이제 (副詞)** : 말하고 있는 바로 이때에.
ただいま【只今・唯今】
言っている瞬間に。

• **단단히 (副詞)** : 보통보다 더 심하게.
ひどく【酷く】
普通よりはなはだしく。

• **화 (名詞)** : 몹시 못마땅하거나 노여워하는 감정.
いかり【怒り】。いきどおり【憤り】。はらだち【腹立ち】
不機嫌になったり怒ったりする感情。

• 가 : 어떤 상태나 상황에 놓인 대상이나 동작의 주체를 나타내는 조사.
が
ある状態・状況の対象や動作の主体を表す助詞。

• **나다 (動詞)** : 어떤 감정이나 느낌이 생기다.
うまれる【生まれる】。おこる【起こる】
ある感情や感じが生じる。

• -시- : 높이고자 하는 인물과 관계된 소유물이나 신체의 일부가 문장의 주어일 때 그 인물을 높이는 뜻을 나타내는 어미.
お…になる。ご…になる
敬おうとする人と関連した所有物や身体の一部が文の主語である場合、その人を敬う意を表す語尾。

• -었- : 어떤 사건이 과거에 완료되었거나 그 사건의 결과가 현재까지 지속되는 상황을 나타내는 어미.
た。ている
ある出来事が過去に完了したことや、その出来事の結果が現在まで持続している状況を表す語尾。

• -다 : 어떤 사건이나 사실, 상태를 서술함을 나타내는 종결 어미.
する。…い。…だ。である
現在の出来事や事実を叙述する意を表す「終結語尾」。

하지만 아들+은 지치+[ㄹ 줄] 모르+고 다시 십 분 후+에 이렇+게 말하+였+다.
지칠 줄 **말했다**

• **하지만 (副詞)** : 내용이 서로 반대인 두 개의 문장을 이어 줄 때 쓰는 말.
しかし。だけれども。だけれど。だけど
相反する内容の二つの文をつなげるときに用いる語。

• **아들 (名詞)** : 남자인 자식.
むすこ【息子】
男性である子供。

• 은 : 문장 속에서 어떤 대상이 화제임을 나타내는 조사.
は
文章の中である対象が話題であることを表す助詞。

• **지치다 (動詞)** : 힘든 일을 하거나 어떤 일에 시달려서 힘이 없다.
つかれる【疲れる】。ひろうする【疲労する】。くたびれる【草臥れる】。へたばる
きつい仕事をしたり苦しみ悩んで元気がない。

• -ㄹ 줄 : 어떤 사실이나 상태에 대해 알고 있거나 모르고 있음을 나타내는 표현.
対訳語無し
ある事実や状態について知っているか、知らないという意を表す表現。

• **모르다 (動詞)** : 느끼지 않다.
しらない【知らない】
感じていない。

• -고 : 앞의 말이 나타내는 행동이나 그 결과가 뒤에 오는 행동이 일어나는 동안에 그대로 지속됨을 나타내는 연결 어미.
て
前の言葉の表す動作やその結果が、次にくる動作が行われる間にもそのまま持続されるという意を表す「連結語尾」。

• **다시 (副詞)** : 같은 말이나 행동을 반복해서 또.
また【又】。ふたたび【再び】。もういちど【もう一度】。さらに
同じ言葉や行動を繰り返してまた。

• **십 (冠形詞)** : 열의.
じゅう・とお【十】
十の。

• **분 (名詞)** : 한 시간의 60분의 1을 나타내는 시간의 단위.
ふん【分】
1時間の60分の1を表す時間の単位。

• **후 (名詞)** : 얼마만큼 시간이 지나간 다음.
あと【後】
ある程度の時間が過ぎた後。

• 에 : 앞말이 시간이나 때임을 나타내는 조사.
に
前の言葉が時間や時期であることを表す助詞。

• **이렇다 (形容詞)** : 상태, 모양, 성질 등이 이와 같다.
こうである。このようだ【此の様だ】
状態、形、性質などがこの通りである。

• -게 : 앞의 말이 뒤에서 가리키는 일의 목적이나 결과, 방식, 정도 등이 됨을 나타내는 연결 어미.
…く。…に。ように。ほど
前の事柄が後の事柄の目的・結果・方法・程度などになるという意を表す「連結語尾」。

• **말하다 (動詞)** : 어떤 사실이나 자신의 생각 또는 느낌을 말로 나타내다.
いう【言う】かたる【語る】。はなす【話す】。のべる【述べる】
ある事実や自分の考え、または感情を言葉で表す。

• -였- : 어떤 사건이 과거에 완료되었거나 그 사건의 결과가 현재까지 지속되는 상황을 나타내는 어미.
た。ている
ある出来事が過去に完了したことや、その出来事の結果が現在まで持続している状況を表す語尾。

• -다 : 어떤 사건이나 사실, 상태를 서술함을 나타내는 종결 어미.
する。…い。…だ。である
現在の出来事や事実を叙述する意を表す「終結語尾」。

아들 : 아빠, 저 혼내+러 오+시+[ㄹ 때] 물 좀 갔다주+세요.
오실 때

• **아빠 (名詞)** : 격식을 갖추지 않아도 되는 상황에서 아버지를 이르거나 부르는 말.
パパ。おとうちゃん【お父ちゃん】
くだけた場面で父親を指したり呼ぶ語。

• **저 (代名詞)** : 말하는 사람이 듣는 사람에게 자신을 낮추어 가리키는 말.
わたくし【私】
目上の人に対して自分をへりくだっていう語。

• **혼내다 (動詞)** : 심하게 꾸지람을 하거나 벌을 주다.
しかる【叱る】。こらしめる【懲らしめる】
ひどく怒ったり、罰を与えたりする。

• -러 : 가거나 오거나 하는 동작의 목적을 나타내는 연결 어미.
…に
行く、または来る動作の目的の意を表す「連結語尾」。

• **오다 (動詞)** : 무엇이 다른 곳에서 이곳으로 움직이다.
くる【来る】。ちかづく【近づく】。やってくる
何かが他の場所からこちらの方へ動く。

• -시- : 어떤 동작이나 상태의 주체를 높이는 뜻을 나타내는 어미.
お…になる。ご…になる
ある動作や状態の主体を敬う意を表す語尾。

• -ㄹ 때 : 어떤 행동이나 상황이 일어나는 동안이나 그 시기 또는 그러한 일이 일어난 경우를 나타내는 표현.
とき【時】。ときに【時に】
ある行動や状況が起こっている間やその時期、またそのようなことが起こった場合を表す表現。

• **물 (名詞)** : 강, 호수, 바다, 지하수 등에 있으며 순수한 것은 빛깔, 냄새, 맛이 없고 투명한 액체.
みず【水】。のみみず【飲み水】
川・湖・海・地下水などにあり、純粋なものは色・匂い・味がなく、透明な液体。

• **좀 (副詞)** : 주로 부탁이나 동의를 구할 때 부드러운 느낌을 주기 위해 넣는 말.
ちょっと【一寸・鳥渡】
主に頼んだり同意を得たりする時、雰囲気をやわらかくするためにいう語。

• **갖다주다 (動詞)** : 무엇을 가지고 와서 주다.
もってきてくれる【持って来てくれる】
何かを持ってきてあげる。

• -세요 : (두루높임으로) 설명, 의문, 명령, 요청의 뜻을 나타내는 종결 어미.
ます。です。ますか。ですか。てください
(略待上称) 説明・疑問・命令・要請の意を表す「終結語尾」。

< 5 단원(たんげん【単元】) >

제목 : 이해가 안 가네요.

● 본문 (ほんぶん【本文】)

화창한 오후, 앞을 못 보는 시각 장애인이 자신을 안전하게 인도해 줄 개와 함께 지하철역으로 향하고 있었다.

그런데 한참 길을 걷다가 개가 한쪽 다리를 들더니 맹인의 바지에 오줌을 싸는 것이었다.

그러자 그 맹인이 갑자기 주머니에서 과자를 꺼내더니 개에게 주려고 했다.

이때 지나가던 행인이 그 광경을 지켜보다 맹인에게 한마디 했다.

행인 : 저기요, 선생님 잠깐만요.

맹인 : 무슨 일이시죠?

행인 : 아니, 방금 개가 당신 바지에 오줌을 쌌는데 왜 과자를 줍니까?

저 같으면 개 머리를 한 대 때렸을 텐데 이해가 안 가네요.

맹인 : 개한테 과자를 줘야 머리가 어디 있는지 알 수 있잖아요.

● 발음 (はつおん【発音】)

화창한 오후, 앞을 못 보는 시각 장애인이 자신을 안전하게 인도해 줄 개와 함께 지하철역으로 향하고
화창한 오후, 아플 몯 보는 시각 장애이니 자시늘 안전하게 인도해 줄 개와 함께 지하철려그로 향하고
hwachanghan ohu, apeul mot boneun sigak jangaeini jasineul anjeonhage indohae jul gaewa hamkke jihacheollyeogeuro hyanghago

있었다.
이썯따.
isseotda.

그런데 한참 길을 걷다가 개가 한쪽 다리를 들더니 맹인의 바지에 오줌을 싸는 것이었다.
그런데 한참 기를 걷따가 개가 한쪽 다리를 들더니 맹인의 바지에 오주믈 싸는 거시엳따.
geureonde hancham gireul geotdaga gaega hanjjok darireul deuldeoni maenginui bajie ojumeul ssaneun geosieotda.

그러자 그 맹인이 갑자기 주머니에서 과자를 꺼내더니 개에게 주려고 했다.
그러자 그 맹이니 갑짜기 주머니에서 과자를 꺼내더니 개에게 주려고 핻따.
geureoja geu maengini gapjagi jumeonieseo gwajareul kkeonaedeoni gaeege juryeogo haetda.

이때 지나가던 행인이 그 광경을 지켜보다 맹인에게 한마디 했다.
이때 지나가던 행이니 그 광경을 지켜보다 맹이네게 한마디 핻따.
ittae jinagadeon haengini geu gwanggyeongeul jikyeoboda maenginege hanmadi haetda.

행인 : 저기요, 선생님 잠깐만요.
행인 : 저기요, 선생님 잠깐마뇨.
haengin : jeogiyo, seonsaengnim jamkkanmanyo.

맹인 : 무슨 일이시죠?
맹인 : 무슨 이리시죠?
maengin : museun irisijyo?

행인 : 아니, 방금 개가 당신 바지에 오줌을 쌌는데 왜 과자를 줍니까?
행인 : 아니, 방금 개가 당신 바지에 오주믈 싼는데 왜 과자를 줌니까?
haengin : ani, banggeum gaega dangsin bajie ojumeul ssanneunde wae gwajareul jumnikka?

저 같으면 개 머리를 한 대 때렸을 텐데 이해가 안 가네요.

저 가트면 개 머리를 한 대 때려쓸 텐데 이해가 안 가네요.

jeo gateumyeon gae meorireul han dae ttaeryeosseul tende ihaega an ganeyo.

맹인 : 개한테 과자를 줘야 머리가 어디 있는지 알 수 있잖아요.

맹인 : 개한테 과자를 줘야 머리가 어디 인는지 알 쑤 읻짜나요.

maengin : gaehante gwajareul jwoya meoriga eodi inneunji al su itjanayo.

● 어휘 (ごい【語彙】) / 문법 (ぶんぽう【文法】)

화창하+ㄴ 오후, 앞+을 못 보+는 시각 장애인+이 자신+을 안전하+게 인도하+여 주+ㄹ 개+와 함께 지하철역+으로 향하+고 있+었+다.

그런데 한참 길+을 걷+다가 개+가 한쪽 다리+를 들+더니 맹인+의 바지+에 오줌+을 싸+는 것+이+었+다.

그리하+자 그 맹인+이 갑자기 주머니+에서 과자+를 꺼내+더니 개+에게 주+려고 하+였+다.

이때 지나가+던 행인+이 그 광경+을 지켜보+다 맹인+에게 한마디 하+였+다.

행인 : 저기, 선생님 잠깐+만+요.

맹인 : 무슨 일+이+시+죠?

행인 : 아니, 방금 개+가 선생님 바지+에 오줌+을 싸+았+는데 왜 과자+를 주+ㅂ니까?

저 같+으면 개 머리+를 한 대 때리+었+을 텐데 이해+가 안 가+네요.

맹인 : 개+한테 과자+를 주+어야 머리+가 어디 있+는지 알(아)+ㄹ 수 있+잖아요.

화창하+ㄴ 오후, 앞+을 못 보+는 시각 장애인+이 자신+을 안전하+게 인도하+[여 주]+ㄹ 개+와 함께 **화창한** **인도해 줄** 지하철역+으로 향하+[고 있]+었+다.

・**화창하다 (形容詞)** : 날씨가 맑고 따뜻하며 바람이 부드럽다.
うららかだ【麗らかだ】
天気が良く、穏やかで、風がやさしい。

・-ㄴ : 앞의 말이 관형어의 기능을 하게 만들고 현재의 상태를 나타내는 어미.
た
前の言葉に連体修飾語の機能を持たせ、現在の状態を表す「語尾」。

・**오후 (名詞)** : 정오부터 해가 질 때까지의 동안.
ごご【午後】
正午から日没までの時間。

・**앞 (名詞)** : 향하고 있는 쪽이나 곳.
まえ【前】。ぜんめん【前面】
向かっている方向・所。

・을 : 동작이 직접적으로 영향을 미치는 대상을 나타내는 조사.
を
動作が直接的に影響を及ぼす対象を表す助詞。

・**못 (副詞)** : 동사가 나타내는 동작을 할 수 없게.
対訳語無し
動詞が表す動作が不可能であるさま。

・**보다 (動詞)** : 눈으로 대상의 존재나 겉모습을 알다.
みる【見る】。ながめる【眺める】
目で対象の存在や外見を知る。

・-는 : 앞의 말이 관형어의 기능을 하게 만들고 사건이나 동작이 현재 일어남을 나타내는 어미.
する。ている
前の言葉に連体修飾語の機能を持たせ、出来事や動作が現在進行中であるという意を表す語尾。

• **시각 장애인 (名詞)** : 눈이 멀어서 앞을 보지 못하는 사람.
しかくしょうがいしゃ【視覚障害者】
視覚が弱いか全くなくて、目の見えない人。
시각 (名詞) : 물체의 모양이나 움직임, 빛깔 등을 보는 눈의 감각.
しかく【視覚】
物体の模様や動き、光などを見る目の感覚。
장애인 (名詞) : 몸에 장애가 있거나 정신적으로 부족한 점이 있어 일상생활이나 사회생활이 어려운 사람.
しょうがいしゃ【障碍者】。みのふじゆうなひと【身の不自由な人】
身体や精神の機能に問題があって、日常生活や社会生活が難しい人。

• 이 : 어떤 상태나 상황의 대상이나 동작의 주체를 나타내는 조사.
が
ある状態・状況の対象や動作の主体を表す助詞。

• **자신 (名詞)** : 바로 그 사람.
じぶん【自分】
その人自身。

• 을 : 동작이 간접적인 영향을 미치는 대상이나 목적임을 나타내는 조사.
に
動作が間接的な影響を及ぼす対象や目的であることを表す助詞。

• **안전하다 (形容詞)** : 위험이 생기거나 사고가 날 염려가 없다.
あんぜんだ【安全だ】
危険が生じたり事故が発生する可能性がない。

• -게 : 앞의 말이 뒤에서 가리키는 일의 목적이나 결과, 방식, 정도 등이 됨을 나타내는 연결 어미.
…く。…に。ように。ほど
前の事柄が後の事柄の目的・結果・方法・程度などになるという意を表す「連結語尾」。

• **인도하다 (動詞)** : 길이나 장소를 안내하다.
いんどうする【引導する】。みちびく【導く】。てびきする【手引きする】
道や場所を案内する。

• -여 주다 : 남을 위해 앞의 말이 나타내는 행동을 함을 나타내는 표현.
てやる。てあげる。てくれる
他人のために前の言葉の表す行動をするという意を表す表現。

• -ㄹ : 앞의 말이 관형어의 기능을 하게 만들고 추측, 예정, 의지, 가능성 등을 나타내는 어미.
する。だろう。であろう
前の言葉に連体修飾語の機能を持たせ、推測・予定・意志・可能性などの意を表す語尾。

• **개 (名詞)** : 냄새를 잘 맡고 귀가 매우 밝으며 영리하고 사람을 잘 따라 사냥이나 애완 등의 목적으로 기르는 동물.
いぬ【犬】
臭覚や聴覚が鋭く、利口で人に良くなつくため、狩りやペットの目的で飼う動物。

• 와 : 어떤 일을 함께 하는 대상임을 나타내는 조사.
と
何かを一緒にする対象であることを表す助詞。

• **함께 (副詞)** : 여럿이서 한꺼번에 같이.
いっしょに【一緒に】。ともに【共に】
複数の人がともに。

• **지하철역 (名詞)** : 지하철을 타고 내리는 곳.
ちかてつのえき【地下鉄の駅】
地下鉄に乗り、地下鉄を降りる所。

• 으로 : 움직임의 방향을 나타내는 조사.
に。へ
動きの方向を表す助詞。

• **향하다 (動詞)** : 어떤 목적이나 목표로 나아가다.
むかう【向かう】。むける【向ける】
ある目的や目標を目差して進む。

• -고 있다 : 앞의 말이 나타내는 행동이 계속 진행됨을 나타내는 표현.
ている
前の言葉の表す行動が引き続き行われるという意を表す表現。

• -었- : 사건이 과거에 일어났음을 나타내는 어미.
た
出来事が過去にあったという意を表す語尾。

• -다 : 어떤 사건이나 사실, 상태를 서술함을 나타내는 종결 어미.
する。…い。…だ。である
現在の出来事や事実を叙述する意を表す「終結語尾」。

그런데 한참 길+을 걷+다가 개+가 한쪽 다리+를 들+더니 맹인+의 바지+에 오줌+을 싸+[는 것]+이+었+다.

• **그런데** (副詞) : 이야기를 앞의 내용과 관련시키면서 다른 방향으로 바꿀 때 쓰는 말.
しかし
話題を前の内容と関連づけて他の方向に変える時に用いる語。

• **한참** (名詞) : 시간이 꽤 지나는 동안.
しばらく【暫く・姑く】。とうぶん【当分】。ながいあいだ【長い間】
長い時間を隔てているさま。

• **길** (名詞) : 사람이나 차 등이 지나다닐 수 있게 땅 위에 일정한 너비로 길게 이어져 있는 공간.
みち【道・路】。どうろ【道路】
人や車などが通行できるように地上に一定の幅で長く続いている空間。

• 을 : 동작이 직접적으로 영향을 미치는 대상을 나타내는 조사.
を
動作が直接的に影響を及ぼす対象を表す助詞。

• **걷다** (動詞) : 바닥에서 발을 번갈아 떼어 옮기면서 움직여 위치를 옮기다.
あるく【歩く】
地面から足を交互に離して動きながら位置を変える。

• -다가 : 어떤 행동이나 상태 등이 중단되고 다른 행동이나 상태로 바뀜을 나타내는 연결 어미.
ていて。…かけて。とちゅうで【途中で】
ある行動や状態などが中断され、別の行動や状態に変わる意を表す「連結語尾」。

• **개** (名詞) : 냄새를 잘 맡고 귀가 매우 밝으며 영리하고 사람을 잘 따라 사냥이나 애완 등의 목적으로 기르는 동물.
いぬ【犬】
臭覚や聴覚が鋭く、利口で人に良くなつくため、狩りやペットの目的で飼う動物。

• 가 : 어떤 상태나 상황에 놓인 대상이나 동작의 주체를 나타내는 조사.
が
ある状態や状況に置かれた対象、または動作の主体を表す助詞。

• **한쪽** (名詞) : 어느 한 부분이나 방향.
いっぽう【一方】。かたほう【片方】。かたがわ【片側】
ある一つの部分や方向。

• **다리** (名詞) : 사람이나 동물의 몸통 아래에 붙어, 서고 걷고 뛰는 일을 하는 신체 부위.
あし【足・脚】
人間や動物の胴体の下について、立ったり歩いたり走ったりする機能を行う身体部位。

• 를 : 동작이 직접적으로 영향을 미치는 대상을 나타내는 조사.
を
動作が直接的に影響を及ぼす対象を表す助詞。

• **들다 (動詞)** : 아래에 있는 것을 위로 올리다.
あげる【上げる】。もちあげる【持ち上げる】
下にあるものを上へ上げる。

• -더니 : 과거의 사실이나 상황에 뒤이어 어떤 사실이나 상황이 일어남을 나타내는 연결 어미.
たら。と
過去の事実や状況に次いで、ある事実や状況が起こるという意を表す「連結語尾」。

• **맹인 (名詞)** : 눈이 먼 사람.
もうじん・もうにん【盲人】。めくら【盲】
視力を失った人。

• 의 : 앞의 말이 뒤의 말에 대하여 소유, 소속, 소재, 관계, 기원, 주체의 관계를 가짐을 나타내는 조사.
の
前の言葉が後ろの言葉に対し、所有、所在、関係、起源、主体の関係を持つことを表す助詞。

• **바지 (名詞)** : 위는 통으로 되고 아래는 두 다리를 넣을 수 있게 갈라진, 몸의 아랫부분에 입는 옷.
ズボン。パンツ
足を片方ずつ入れるように股下で2つに分かれた、下半身にはく衣服。

• 에 : 앞말이 어떤 행위나 작용이 미치는 대상임을 나타내는 조사.
に
前の言葉が行為や作用が影響を及ぼす対象であることを表す助詞。

• **오줌 (名詞)** : 혈액 속의 노폐물과 수분이 요도를 통하여 몸 밖으로 배출되는, 누렇고 지린내가 나는 액체.
にょう・いばり【尿】。おにょう【お尿】。しょうべん【小便】。しょうすい【小水】
血液中の老廃物や水分が尿道を通して体外に排出される、黄色の刺激臭のある液体。

• 을 : 동작이 직접적으로 영향을 미치는 대상을 나타내는 조사.
を
動作が直接的に影響を及ぼす対象を表す助詞。

• **싸다 (動詞)** : 똥이나 오줌을 누다.
たれる【垂れる】
大小便をする。

• -는 것 : 명사가 아닌 것을 문장에서 명사처럼 쓰이게 하거나 '이다' 앞에 쓰일 수 있게 할 때 쓰는 표현.
こと。の。もの
名詞でないものを文中で名詞化し、「이다」の前にくるようにするのに用いる表現。

• 이다 : 주어가 지시하는 대상의 속성이나 부류를 지정하는 뜻을 나타내는 서술격 조사.
だ。である
主語が指す対象の属性や部類を指定する意を表す叙述格助詞。

• -었- : 사건이 과거에 일어났음을 나타내는 어미.
た
出来事が過去にあったという意を表す語尾。

• -다 : 어떤 사건이나 사실, 상태를 서술함을 나타내는 종결 어미.
する。…い。…だ。である
現在の出来事や事実を叙述する意を表す「終結語尾」。

그리하+자 그 맹인+이 갑자기 주머니+에서 과자+를 꺼내+더니 개+에게 주+[려고 하]+였+다.
그러자　　　　　　　　　　　　　　　　　　　　　　　　　주려고 했다

• **그리하다 (動詞)** : 앞에서 일어난 일이나 말한 것과 같이 그렇게 하다.
対訳語無し
先に起こったことや言ったことのように、そうする。

• -자 : 앞의 말이 나타내는 동작이 끝난 뒤 곧 뒤의 말이 나타내는 동작이 잇따라 일어남을 나타내는 연결 어미.
やいなや【や否や】。とすぐに。たとたん【た途端】
前に述べる動作が終わってからすぐ後に述べる動作が相次いで起こるという意を表す「連結語尾」。

• **그 (冠形詞)** : 앞에서 이미 이야기한 대상을 가리킬 때 쓰는 말.
その。あの。れいの【例の】
すでに話した対象をさすときに使う語。

• **맹인 (名詞)** : 눈이 먼 사람.
もうじん・もうにん【盲人】。めくら【盲】
視力を失った人。

• 이 : 어떤 상태나 상황의 대상이나 동작의 주체를 나타내는 조사.
が
ある状態・状況の対象や動作の主体を表す助詞。

• **갑자기 (副詞)** : 미처 생각할 틈도 없이 빨리.
きゅうに【急に】
考える間もなくいきなり。

• **주머니 (名詞)** : 옷에 천 등을 덧대어 돈이나 물건 등을 넣을 수 있도록 만든 부분.
ポケット。かくし【隠し】
衣服に布などを縫い付けて、金や物などが入れられるように作った部分。

• 에서 : 앞말이 어떤 일의 출처임을 나타내는 조사.
で
前の言葉が出処であることを表す助詞。

• **과자 (名詞)** : 밀가루나 쌀가루 등에 우유, 설탕 등을 넣고 반죽하여 굽거나 튀긴 간식.
かし【菓子】
小麦粉や米の粉などに牛乳、砂糖などを入れてこね、焼いたり揚げたりした間食。

• 를 : 동작이 직접적으로 영향을 미치는 대상을 나타내는 조사.
を
動作が直接的に影響を及ぼす対象を表す助詞。

• **꺼내다 (動詞)** : 안에 있는 물건을 밖으로 나오게 하다.
だす【出す】。とりだす【取り出す】。もちだす【持ち出す】
中にある物を外に移す。

• -더니 : 과거의 사실이나 상황에 뒤이어 어떤 사실이나 상황이 일어남을 나타내는 연결 어미.
たら。と
過去の事実や状況に次いで、ある事実や状況が起こるという意を表す「連結語尾」。

• **개 (名詞)** : 냄새를 잘 맡고 귀가 매우 밝으며 영리하고 사람을 잘 따라 사냥이나 애완 등의 목적으로 기르는 동물.
いぬ【犬】
臭覚や聴覚が鋭く、利口で人に良くなつくため、狩りやペットの目的で飼う動物。

• 에게 : 어떤 행동이 미치는 대상임을 나타내는 조사.
に
行動が行われる対象を表す助詞。

• **주다 (動詞)** : 물건 등을 남에게 건네어 가지거나 쓰게 하다.
あたえる【与える】。やる【遣る】。くれる【呉れる】。あげる【上げる】
物などを他人に渡して持たせたり使わせたりする。

• -려고 하다 : 앞의 말이 나타내는 일이 곧 일어날 것 같거나 시작될 것임을 나타내는 표현.
しようとする。そうだ
前の言葉の表す事態が今にも起こるか始まる様子であるという意を表す表現。

• -였- : 사건이 과거에 일어났음을 나타내는 어미.
た
出来事が過去にあったという意を表す語尾。

• -다 : 어떤 사건이나 사실, 상태를 서술함을 나타내는 종결 어미.
する。…い。…だ。である
現在の出来事や事実を叙述する意を表す「終結語尾」。

이때 지나가+던 행인+이 그 광경+을 지켜보+다 맹인+에게 한마디 하+였+다. **했다**

• **이때 (名詞)** : 바로 지금. 또는 바로 앞에서 이야기한 때.
このとき【此の時】。いま【今】
ただいま。また、言ったばかりの時。

• **지나가다 (動詞)** : 어떤 대상의 주위를 지나쳐 가다.
とおりこす【通り越す】。とおりすぎる【通り過ぎる】。よぎる【過ぎる】。つうかする【通過する】
ある対象の周囲を通り過ぎて行く。

• -던 : 앞의 말이 관형어의 기능을 하게 만들고 사건이나 동작이 과거에 완료되지 않고 중단되었음을 나타내는 어미.
…かけた。…かけの。ていた
前の言葉に連体修飾語の機能を持たせ、出来事や動作が過去に完了せずに中断されたという意を表す語尾。

• **행인 (名詞)** : 길을 가는 사람.
つうこうにん【通行人】。こうじん【行人】
道を行く人。

• 이 : 어떤 상태나 상황의 대상이나 동작의 주체를 나타내는 조사.
が
ある状態・状況の対象や動作の主体を表す助詞。

• **그 (冠形詞)** : 앞에서 이미 이야기한 대상을 가리킬 때 쓰는 말.
その。あの。れいの【例の】
すでに話した対象をさすときに使う語。

• **광경 (名詞)** : 어떤 일이나 현상이 벌어지는 장면 또는 모양.
こうけい【光景】
ある物事や現象が起きる場面または様子。

• 을 : 동작이 직접적으로 영향을 미치는 대상을 나타내는 조사.
を
動作が直接的に影響を及ぼす対象を表す助詞。

• **지켜보다 (動詞)** : 사물이나 모습 등을 주의를 기울여 보다.
みまもる【見守る】
物事や様子などを注意深く見る。

• -다 : 어떤 행동이 진행되는 중에 다른 행동이 나타남을 나타내는 연결 어미.
ていて
ある行動が進行しているうちに、別の行動が現れる意を表す「連結語尾」。

• **맹인 (名詞)** : 눈이 먼 사람.
もうじん・もうにん【盲人】。めくら【盲】
視力を失った人。

• 에게 : 어떤 행동이 미치는 대상임을 나타내는 조사.
に
行動が行われる対象を表す助詞。

• **한마디 (名詞)** : 짧고 간단한 말.
ひとこと【一言】
短くて簡単な言葉。

• **하다 (動詞)** : 어떤 행동이나 동작, 활동 등을 행하다.
する【為る】。やる【遣る】。なす【成す・為す】
ある行動や動作、活動などを行う。

• -였- : 사건이 과거에 일어났음을 나타내는 어미.
た
出来事が過去にあったという意を表す語尾。

• -다 : 어떤 사건이나 사실, 상태를 서술함을 나타내는 종결 어미.
する。…い。…だ。である
現在の出来事や事実を叙述する意を表す「終結語尾」。

행인 : 저기, 선생님 잠깐+만+요.

• **저기 (感動詞)** : 말을 꺼내기 어색하고 편하지 않을 때에 쓰는 말.
あの【彼の】。あのう
遠慮したりためらったりする時に、話の初めに用いる語。

• **선생님 (名詞)** : (높이는 말로) 나이가 어지간히 든 사람을 대접하여 이르는 말.
せんせい【先生】
年配の人を敬っていう語。

• **잠깐 (名詞)** : 아주 짧은 시간 동안.
ちょっと【一寸・鳥渡】。すこし【少し】。つかのま【束の間】
ごく短い間。

• 만 : 무엇을 강조하는 뜻을 나타내는 조사.
ばかり。だけ。のみ。さえ
何かを強調するという意を表す助詞。

• 요 : 높임의 대상인 상대방에게 존대의 뜻을 나타내는 조사.
です。ですね
敬う対象である相手に尊敬の意を表す助詞。

맹인 : 무슨 일+이+시+죠?

• **무슨 (冠形詞)** : 확실하지 않거나 잘 모르는 일, 대상, 물건 등을 물을 때 쓰는 말.
なに【何】。なんの。どの。どのような。どういう
確実でないか、よく知らないこと、対象、ものなどを聞く時に使う語。

• **일 (名詞)** : 해결하거나 처리해야 할 문제나 사항.
こと【事】。よう【用】。じこ【事故】
解決したり処理したりしなければならない問題や事項。

• 이다 : 주어가 지시하는 대상의 속성이나 부류를 지정하는 뜻을 나타내는 서술격 조사.
だ。である
主語が指す対象の属性や部類を指定する意を表す叙述格助詞。

• -시- : 어떤 동작이나 상태의 주체를 높이는 뜻을 나타내는 어미.
お…になる。ご…になる
ある動作や状態の主体を敬う意を表す語尾。

• -죠 : (두루높임으로) 말하는 사람이 듣는 사람에게 친근함을 나타내며 물을 때 쓰는 종결 어미.
ますか。ですか。でしょうか
(略待上称) 話し手が聞き手に親しみを表明しながら尋ねるのに用いる「終結語尾」。

행인 : 아니, 방금 개+가 선생님 바지+에 오줌+을 싸+았+는데 왜 과자+를 주+ㅂ니까?
싸+았+는데 → 쌌는데 / 주+ㅂ니까 → 줍니까

• **아니 (感動詞)** : 놀라거나 감탄스러울 때, 또는 의심스럽고 이상할 때 하는 말.
えー。えっ
驚きや感嘆、または疑いや不審の気持ちを表す時にいう語。

• **방금 (副詞)** : 말하고 있는 시점보다 바로 조금 전에.
いま【今】。たったいま【たった今】。ただいま【ただ今】。いましかた【今し方】。ついさっき
発話時より少し前に。

• **개 (名詞)** : 냄새를 잘 맡고 귀가 매우 밝으며 영리하고 사람을 잘 따라 사냥이나 애완 등의 목적으로 기르는 동물.
いぬ【犬】
臭覚や聴覚が鋭く、利口で人に良くなつくため、狩りやペットの目的で飼う動物。

• 가 : 어떤 상태나 상황에 놓인 대상이나 동작의 주체를 나타내는 조사.
が
ある状態や状況に置かれた対象、または動作の主体を表す助詞。

• **선생님 (名詞)** : (높이는 말로) 나이가 어지간히 든 사람을 대접하여 이르는 말.
せんせい【先生】
年配の人を敬っていう語。

• **바지 (名詞)** : 위는 통으로 되고 아래는 두 다리를 넣을 수 있게 갈라진, 몸의 아랫부분에 입는 옷.
ズボン。パンツ
足を片方ずつ入れるように股下で2つに分かれた、下半身にはく衣服。

• 에 : 앞말이 어떤 행위나 작용이 미치는 대상임을 나타내는 조사.
に
前の言葉が行為や作用が影響を及ぼす対象であることを表す助詞。

• **오줌 (名詞)** : 혈액 속의 노폐물과 수분이 요도를 통하여 몸 밖으로 배출되는, 누렇고 지린내가 나는 액체.
にょう・いばり【尿】。おにょう【お尿】。しょうべん【小便】。しょうすい【小水】
血液中の老廃物や水分が尿道を通して体外に排出される、黄色の刺激臭のある液体。

• 을 : 동작이 직접적으로 영향을 미치는 대상을 나타내는 조사.
を
動作が直接的に影響を及ぼす対象を表す助詞。

• **싸다 (動詞)** : 똥이나 오줌을 누다.
たれる【垂れる】
大小便をする。

• -았- : 어떤 사건이 과거에 완료되었거나 그 사건의 결과가 현재까지 지속되는 상황을 나타내는 어미.
た。ている
ある出来事が過去に完了したことや、その出来事の結果が現在まで持続している状況を表す語尾。

• -는데 : 뒤의 말을 하기 위하여 그 대상과 관련이 있는 상황을 미리 말함을 나타내는 연결 어미.
が。けど
何かを言うための前置きとして、それと関連した状況を前もって述べるという意を表す「連結語尾」。

• **왜 (副詞)** : 무슨 이유로. 또는 어째서.
なぜ【何故】。どうして。なんで【何で】
どういう理由で。また、何ゆえ。

• **과자 (名詞)** : 밀가루나 쌀가루 등에 우유, 설탕 등을 넣고 반죽하여 굽거나 튀긴 간식.
かし【菓子】
小麦粉や米の粉などに牛乳、砂糖などを入れてこね、焼いたり揚げたりした間食。

• 를 : 동작이 직접적으로 영향을 미치는 대상을 나타내는 조사.
を
動作が直接的に影響を及ぼす対象を表す助詞。

• **주다 (動詞)** : 물건 등을 남에게 건네어 가지거나 쓰게 하다.
あたえる【与える】。やる【遣る】。くれる【呉れる】。あげる【上げる】
物などを他人に渡して持たせたり使わせたりする。

• -ㅂ니까 : (아주높임으로) 말하는 사람이 듣는 사람에게 정중하게 물음을 나타내는 종결 어미.
ますか。ですか
(上称) 話し手が聞き手に対して丁寧に尋ねる意を表す「終結語尾」。

행인 : 저 같+으면 개 머리+를 한 대 <u>때리+었+[을 텐데]</u> 이해+가 안 가+네요. **때렸을 텐데**

• **저 (代名詞)** : 말하는 사람이 듣는 사람에게 자신을 낮추어 가리키는 말.
わたくし【私】
目上の人に対して自分をへりくだっていう語。

• **같다 (形容詞)** : '어떤 상황이나 조건이라면'의 뜻을 나타내는 말.
対訳語無し
「ある状況や条件ならば」の意を表す語。

• -으면 : 뒤에 오는 말에 대한 근거나 조건이 됨을 나타내는 연결 어미.
たら
後にくる内容の条件になるという意を表す「連結語尾」。

• **개 (名詞)** : 냄새를 잘 맡고 귀가 매우 밝으며 영리하고 사람을 잘 따라 사냥이나 애완 등의 목적으로 기르는 동물.
いぬ【犬】
臭覚や聴覚が鋭く、利口で人に良くなつくため、狩りやペットの目的で飼う動物。

• **머리 (名詞)** : 사람이나 동물의 몸에서 얼굴과 머리털이 있는 부분을 모두 포함한 목 위의 부분.
あたま【頭】。とうぶ【頭部】
人間や動物の体で、顔と髪の毛が生えている部分を全て含めた、首の上の部分。

• 를 : 동작이 직접적으로 영향을 미치는 대상을 나타내는 조사.
を
動作が直接的に影響を及ぼす対象を表す助詞。

• **한 (冠形詞)** : 하나의.
いち【一】
1の。

• **대 (名詞)** : 때리는 횟수를 세는 단위.
はつ【発】。かい【回】
殴打の回数を数える単位。

• **때리다 (動詞)** : 손이나 손에 든 물건으로 아프게 치다.
なぐる【殴る】。うつ【打つ】。たたく【叩く】
手または手に持った物で痛いほどに打つ。

• -었- : 사건이 과거에 일어났음을 나타내는 어미.
た
出来事が過去にあったという意を表す語尾。

• -을 텐데 : 앞에 오는 말에 대하여 말하는 사람의 강한 추측을 나타내면서 그와 관련되는 내용을 이어 말할 때 쓰는 표현.
はずだから。はずなのに。だろうから。だろうに
前に述べる事柄に対する話し手の強い推測を表しながら、
それと関連した内容を続けていうのに用いる表現。

• **이해 (名詞)** : 무엇이 어떤 것인지를 앎. 또는 무엇이 어떤 것이라고 받아들임.
りかい【理解】。りょうかい【了解】
物事について正しく分かること。また、納得すること。

• 가 : 어떤 상태나 상황에 놓인 대상이나 동작의 주체를 나타내는 조사.
が
ある状態や状況に置かれた対象、または動作の主体を表す助詞。

• **안 (副詞)** : 부정이나 반대의 뜻을 나타내는 말.
対訳語無し
否定や反対の意を表す語。

• **가다 (動詞)** : 어떤 것에 대해 생각이나 이해가 되다.
ゆく・いく【行く】
あることに対して理解できる。

• -네요 : (두루높임으로) 말하는 사람이 직접 경험하여 새롭게 알게 된 사실에 대해 감탄함을 나타낼 때 쓰는 표현.
ですね。ますね
(略待上称) 話し手が直接経験して新しく知ったことについて感嘆する意を表すのに用いる表現。

맹인 : 개+한테 과자+를 <u>주+어야</u> 머리+가 어디 있+는지 <u>알(아)+[ㄹ 수 있]+잖아요</u>.
쥐야 　　　　　　　　　　 알 수 있잖아요

• **개 (名詞)** : 냄새를 잘 맡고 귀가 매우 밝으며 영리하고 사람을 잘 따라 사냥이나 애완 등의 목적으로 기르는 동물.
いぬ【犬】
臭覚や聴覚が鋭く、利口で人に良くなつくため、狩りやペットの目的で飼う動物。

• 한테 : 어떤 행동이 미치는 대상임을 나타내는 조사.
に
ある行動が影響を及ぼす対象であることを表す助詞。

• **과자 (名詞)** : 밀가루나 쌀가루 등에 우유, 설탕 등을 넣고 반죽하여 굽거나 튀긴 간식.
かし【菓子】
小麦粉や米の粉などに牛乳、砂糖などを入れてこね、焼いたり揚げたりした間食。

• 를 : 동작이 직접적으로 영향을 미치는 대상을 나타내는 조사.
を
動作が直接的に影響を及ぼす対象を表す助詞。

• **주다 (動詞)** : 물건 등을 남에게 건네어 가지거나 쓰게 하다.
あたえる【与える】。やる【遣る】。くれる【呉れる】。あげる【上げる】
物などを他人に渡して持たせたり使わせたりする。

• -어야 : 앞에 오는 말이 뒤에 오는 말에 대한 필수적인 조건임을 나타내는 연결 어미.
なければ しないと。てはじめて
前の事柄が後にくる事柄に対する必須条件である意を表す「連結語尾」。

• **머리 (名詞)** : 사람이나 동물의 몸에서 얼굴과 머리털이 있는 부분을 모두 포함한 목 위의 부분.
あたま【頭】。とうぶ【頭部】
人間や動物の体で、顔と髪の毛が生えている部分を全て含めた、首の上の部分。

• 가 : 어떤 상태나 상황에 놓인 대상이나 동작의 주체를 나타내는 조사.
が
ある状態や状況に置かれた対象、または動作の主体を表す助詞。

• **어디 (代名詞)** : 모르는 곳을 가리키는 말.
どこ
知らない場所を指す語。

• **있다 (形容詞)** : 무엇이 어떤 곳에 자리나 공간을 차지하고 존재하는 상태이다.
ある【有る・在る】
何かがある空間を占めて存在する状態だ。

• -는지 : 뒤에 오는 말의 내용에 대한 막연한 이유나 판단을 나타내는 연결 어미.
か。かどうか。のか。ためか
次にくる事柄に関する漠然とした理由や判断の意を表す「連結語尾」。

• **알다 (動詞)** : 교육이나 경험, 생각 등을 통해 사물이나 상황에 대한 정보 또는 지식을 갖추다.
しる【知る】。わかる【分かる】。りかいする【理解する】
教育・経験・思考などを通じ、事物や状況への情報または知識を備える。

• -ㄹ 수 있다 : 어떤 행동이나 상태가 가능함을 나타내는 표현.

(ら)れる。ことができる

ある行動や状態が可能であることを表す表現。

• -잖아요 : (두루높임으로) 어떤 상황에 대해 말하는 사람이 상대방에게 확인하거나 정정해 주듯이 말함을 나타내는 표현.

じゃないですか。ではないですか

(略待上称)ある状況について話し手が相手に確認、または訂正するように述べるという意を表す表現。

< 6 단원(たんげん【単元】) >

제목 : 왜 아버지 직업을 수산업이라고 적었니?

● 본문 (ほんぶん【本文】)

서울의 한 초등학교에서 가정 환경 조사를 실시하였다.

담임 선생님이 학생들이 제출한 자료를 꼼꼼히 살펴보고 있었다.

잠시 후 고개를 갸우뚱거리시더니 한 학생에게 물었다.

선생님 : 아버님이 선장이시니?

학생 : 아뇨.

선생님 : 그럼 어부시니?

학생 : 아니요.

선생님 : 그럼 양식 사업하시니?

학생 : 아닌데요.

선생님 : 그런데 왜 아버지 직업을 수산업이라고 적었니?

학생 : 우리 아버지는 학교 앞에서 붕어빵을 구우시거든요.

맛있어서 엄청 많이 팔려요.

선생님도 한번 드셔 보실래요?

● 발음 (はつおん【発音】)

서울의 한 초등학교에서 가정 환경 조사를 실시하였다.
서울의 한 초등학꾜에서 가정 환경 조사를 실씨하엳따.
seourui han chodeunghakgyoeseo gajeong hwangyeong josareul silsihayeotda.

담임 선생님이 학생들이 제출한 자료를 꼼꼼히 살펴보고 있었다.
다밈 선생니미 학쌩드리 제출한 자료를 꼼꼼히 살펴보고 이썯따.
damim seonsaengnimi haksaengdeuri jechulhan jaryoreul kkomkkomhi salpyeobogo isseotda.

잠시 후 고개를 갸우뚱거리시더니 한 학생에게 물었다.
잠시 후 고개를 갸우뚱거리시더니 한 학쌩에게 무럳따.
jamsi hu gogaereul gyauttunggeorisideoni han haksaengege mureotda.

선생님 : 아버님이 선장이시니?
선생님 : 아버니미 선장이시니?
seonsaengnim : abeonimi seonjangisini?

학생 : 아뇨.
학쌩 : 아뇨.
haksaeng : anyo.

선생님 : 그럼 어부시니?
선생님 : 그럼 어부시니?
seonsaengnim : geureom eobusini?

학생 : 아니요.
학쌩 : 아니요.
haksaeng : aniyo.

선생님 : 그럼 양식 사업하시니?
선생님 : 그럼 양식 사어파시니?
seonsaengnim : geureom yangsik saeopasini?

학생 : 아닌데요.
학쌩 : 아닌데요.
haksaeng : anindeyo.

선생님 : 그런데 왜 아버지 직업을 수산업이라고 적었니?
선생님 : 그런데 왜 아버지 지거블 수사너비라고 저건니?
seonsaengnim : geureonde wae abeoji jigeobeul susaneobirago jeogeonni?

학생 : 우리 아버지는 학교 앞에서 붕어빵을 구우시거든요.
학쌩 : 우리 아버지는 학꾜 아페서 붕어빵을 구우시거드뇨.
haksaeng : uri abeojineun hakgyo apeseo bungeoppangeul guusigeodeunyo.

맛있어서 엄청 많이 팔려요.
마시써서 엄청 마니 팔려요.
masisseoseo eomcheong mani pallyeoyo.

선생님도 한번 드셔 보실래요?
선생님도 한번 드셔 보실래요?
seonsaengnimdo hanbeon deusyeo bosillaeyo?

● 어휘 (ごい【語彙】) / 문법 (ぶんぽう【文法】)

서울+의 한 초등학교+에서 가정 환경 조사+를 실시하+였+다.

담임 선생+님+이 학생+들+이 제출하+ㄴ 자료+를 꼼꼼히 살펴보+고 있+었+다.

잠시 후 고개+를 갸우뚱거리+시+더니 한 학생+에게 묻(물)+었+다.

선생님 : 아버님+이 선장+이+시+니?

학생: 아뇨.

선생님 : 그럼 어부+(이)+시+니?

학생 : 아니요.

선생님 : 그럼 양식 사업하+시+니?

학생 : 아니+ㄴ데요.

선생님 : 그런데 왜 아버지 직업+을 수산업+이라고 적+었+니?

학생 : 우리 아버지+는 학교 앞+에서 붕어빵+을 굽(구우)+시+거든요.

맛있+어서 엄청 많이 팔리+어요.

선생님+도 한번 들(드)+시+어 보+시+ㄹ래요?

서울+의 한 초등학교+에서 가정 환경 조사+를 실시하+였+다.

• **서울 (名詞)** : 한반도 중앙에 있는 특별시. 한국의 수도이자 정치, 경제, 산업, 사회, 문화, 교통의 중심지이다. 북한산, 관악산 등의 산에 둘러싸여 있고 가운데로는 한강이 흐른다.
ソウル
韓半島の中央にある特別市。韓国の首都であり、政治・経済・産業・社会・文化・交通の中心地である。北漢（プカン）山や冠岳（クァナク）山などの山に囲まれ、その中央には漢江（ハンガン）が流れる。

• 의 : 앞의 말이 뒤의 말에 대하여 소유, 소속, 소재, 관계, 기원, 주체의 관계를 가짐을 나타내는 조사.
の
前の言葉が後ろの言葉に対し、所有、所在、関係、起源、主体の関係を持つことを表す助詞。

• **한 (冠形詞)** : 여럿 중 하나인 어떤.
ある【或る】
多くの中で一つ。

• **초등학교 (名詞)** : 학교 교육의 첫 번째 단계로 만 여섯 살에 입학하여 육 년 동안 기본 교육을 받는 학교.
しょうがっこう【小学校】
学校教育の第一段階で、満6歳に入学して6年間基本的な教育を受ける学校。

• 에서 : 앞말이 주어임을 나타내는 조사.
で
前の言葉が主語であることを表す助詞。

• **가정 환경 (名詞)** : 가정의 분위기나 조건.
かていかんきょう【家庭環境】
家庭の雰囲気や条件。

• **조사 (名詞)** : 어떤 일이나 사물의 내용을 알기 위하여 자세히 살펴보거나 찾아봄.
ちょうさ【調査】。とりしらべ【取り調べ・取調べ】
物事の内容を明確にするために、詳しく調べること。

• 를 : 동작이 직접적으로 영향을 미치는 대상을 나타내는 조사.
を
動作が直接的に影響を及ぼす対象を表す助詞。

• **실시하다 (動詞)** : 어떤 일이나 법, 제도 등을 실제로 행하다.
じっしする【実施する】
ある事や法、制度などを実際に行う。

• -였- : 어떤 사건이 과거에 완료되었거나 그 사건의 결과가 현재까지 지속되는 상황을 나타내는 어미.
た。ている
ある出来事が過去に完了したことや、その出来事の結果が現在まで持続している状況を表す語尾。

• -다 : 어떤 사건이나 사실, 상태를 서술함을 나타내는 종결 어미.
する。…い。…だ。である
現在の出来事や事実を叙述する意を表す「終結語尾」。

담임 선생+님+이 학생+들+이 <u>제출하+ㄴ</u> 자료+를 꼼꼼히 살펴보+[고 있]+었+다. **제출한**

• **담임 선생 (名詞)** : 한 반이나 한 학년을 책임지고 맡아서 가르치는 선생님.
たんにん【担任】。たんにんきょうし【担任教師】。たんにんのせんせい【担任の先生】
学校で、一つの学級や学年を責任を持って受け持って教える教師。

• 님 : '높임'의 뜻을 더하는 접미사.
さま【様】
「敬う」意を付加する接尾辞。

• 이 : 어떤 상태나 상황의 대상이나 동작의 주체를 나타내는 조사.
が
ある状態・状況の対象や動作の主体を表す助詞。

• **학생 (名詞)** : 학교에 다니면서 공부하는 사람.
じどう【児童】。せいと【生徒】。がくせい【学生】
学校に通って勉強する人。

• 들 : '복수'의 뜻을 더하는 접미사.
たち・ら【達】
「複数」の意を付加する接尾辞。

• 이 : 어떤 상태나 상황의 대상이나 동작의 주체를 나타내는 조사.
が
ある状態・状況の対象や動作の主体を表す助詞。

• **제출하다 (動詞)** : 어떤 안건이나 의견, 서류 등을 내놓다.
ていしゅつする【提出する】
案件や意見、書類などを差し出す。

• -ㄴ : 앞의 말이 관형어의 기능을 하게 만들고 사건이나 동작이 완료되어 그 상태가 유지되고 있음을 나타내는 어미.
た。ている
前の言葉に連体修飾語の機能を持たせ、
出来事や動作が完了してその状態が続いているという意を表す語尾。

• **자료 (名詞)** : 연구나 조사를 하는 데 기본이 되는 재료.
しりょう【資料】。データ
研究・調査の基本となる材料。

• 를 : 동작이 직접적으로 영향을 미치는 대상을 나타내는 조사.
を
動作が直接的に影響を及ぼす対象を表す助詞。

• **꼼꼼히 (副詞)** : 빈틈이 없이 자세하고 차분하게.
きちょうめんに【几帳面に】
隙がなく、細かく、慎重に。

• **살펴보다 (動詞)** : 여기저기 빠짐없이 자세히 보다.
よくみる【よく見る】。みまわす【見回す】
あちこち漏れなく細かく見る。

• -고 있다 : 앞의 말이 나타내는 행동이 계속 진행됨을 나타내는 표현.
ている
前の言葉の表す行動が引き続き行われるという意を表す表現。

• -었- : 어떤 사건이 과거에 완료되었거나 그 사건의 결과가 현재까지 지속되는 상황을 나타내는 어미.
た。ている
ある出来事が過去に完了したことや、その出来事の結果が現在まで持続している状況を表す語尾。

• -다 : 어떤 사건이나 사실, 상태를 서술함을 나타내는 종결 어미.
する。…い。…だ。である
現在の出来事や事実を叙述する意を表す「終結語尾」。

잠시 후 고개+를 갸우뚱거리+시+더니 한 학생+에게 묻(물)+었+다. **물었다**

• **잠시 (名詞)** : 잠깐 동안.
ざんじ【暫時】。しばらく【暫く・姑く・須臾】。しばし【暫し】
少しの間。

• **후 (名詞)** : 얼마만큼 시간이 지나간 다음.
あと【後】
ある程度の時間が過ぎた後。

• **고개 (名詞)** : 목을 포함한 머리 부분.
くび【首】
うなじやのどを含めた頭の部分。

• 를 : 동작이 직접적으로 영향을 미치는 대상을 나타내는 조사.
を
動作が直接的に影響を及ぼす対象を表す助詞。

• **갸우뚱거리다 (動詞)** : 물체가 자꾸 이쪽저쪽으로 기울어지며 흔들리다. 또는 그렇게 하다.
ぐらつく。ぐらぐらする
物体があちらこちらに傾いて揺れる。また、そうする。

• -시- : 어떤 동작이나 상태의 주체를 높이는 뜻을 나타내는 어미.
お…になる。ご…になる
ある動作や状態の主体を敬う意を表す語尾。

• -더니 : 과거의 사실이나 상황에 뒤이어 어떤 사실이나 상황이 일어남을 나타내는 연결 어미.
たら。と
過去の事実や状況に次いで、ある事実や状況が起こるという意を表す「連結語尾」。

• **한 (冠形詞)** : 여럿 중 하나인 어떤.
ある【或る】
多くの中で一つ。

• **학생 (名詞)** : 학교에 다니면서 공부하는 사람.
じどう【児童】。せいと【生徒】。がくせい【学生】
学校に通って勉強する人。

• 에게 : 어떤 행동이 미치는 대상임을 나타내는 조사.
に
行動が行われる対象を表す助詞。

• **묻다 (動詞)** : 대답이나 설명을 요구하며 말하다.
とう【問う】。きく【聞く・訊く】。たずねる【尋ねる】
答えや説明を求めて言う。

• -었- : 어떤 사건이 과거에 완료되었거나 그 사건의 결과가 현재까지 지속되는 상황을 나타내는 어미.
た。ている
ある出来事が過去に完了したことや、その出来事の結果が現在まで持続している状況を表す語尾。

• -다 : 어떤 사건이나 사실, 상태를 서술함을 나타내는 종결 어미.
する。…い。…だ。である
現在の出来事や事実を叙述する意を表す「終結語尾」。

선생님 : 아버님+이 선장+이+시+니?

학생 : 아뇨.

• **아버님 (名詞)** : (높임말로) 자기를 낳아 준 남자를 이르거나 부르는 말.
おとうさま【御父様】
自分を生んでくれた男性を敬って指したり呼んだりする語。

• 이 : 어떤 상태나 상황의 대상이나 동작의 주체를 나타내는 조사.
が
ある状態・状況の対象や動作の主体を表す助詞。

• **선장 (名詞)** : 배에 탄 선원들을 감독하고, 배의 항해와 사무를 책임지는 사람.
せんちょう【船長】
船舶に乗った乗組員を監督し、船の航海と事務などの責任を取る最高管理者。

• 이다 : 주어가 지시하는 대상의 속성이나 부류를 지정하는 뜻을 나타내는 서술격 조사.
だ。である
主語が指す対象の属性や部類を指定する意を表す叙述格助詞。

• -시- : 어떤 동작이나 상태의 주체를 높이는 뜻을 나타내는 어미.
お…になる。ご…になる
ある動作や状態の主体を敬う意を表す語尾。

• -니 : (아주낮춤으로) 물음을 나타내는 종결 어미.
か
(下称) 質問の意を表す「終結語尾」。

• **아뇨 (感動詞)** : 윗사람이 묻는 말에 대하여 부정하며 대답할 때 쓰는 말.
いいえ
目上の人からの質問に対し、否定の意を表して答える時にいう語。

선생님 : 그럼 어부+(이)+시+니?
어부시니

학생 : 아니요.

• **그럼 (副詞)** : 앞의 내용을 받아들이거나 그 내용을 바탕으로 하여 새로운 주장을 할 때 쓰는 말.
では
前の内容を受け入れたり、その内容に基づいて新しい主張をしたりする時に用いる語。

• **어부 (名詞)** : 물고기를 잡는 일을 직업으로 하는 사람.
りょうし・ぎょし【漁師】。ぎょふ【漁夫】
漁業を職業とする人。

• 이다 : 주어가 지시하는 대상의 속성이나 부류를 지정하는 뜻을 나타내는 서술격 조사.
だ。である
主語が指す対象の属性や部類を指定する意を表す叙述格助詞。

• -시- : 어떤 동작이나 상태의 주체를 높이는 뜻을 나타내는 어미.
お…になる。ご…になる
ある動作や状態の主体を敬う意を表す語尾。

• -니 : (아주낮춤으로) 물음을 나타내는 종결 어미.
か
(下称) 質問の意を表す「終結語尾」。

• **아니요 (感動詞)** : 윗사람이 묻는 말에 대하여 부정하며 대답할 때 쓰는 말.
いいえ
目上の人の問いに対し、否定して答えるのに用いる語。

선생님 : 그럼 양식 사업하+시+니?

학생 : 아니+ㄴ데요.
아닌데요

• **그럼 (副詞)** : 앞의 내용을 받아들이거나 그 내용을 바탕으로 하여 새로운 주장을 할 때 쓰는 말.
では
前の内容を受け入れたり、その内容に基づいて新しい主張をしたりする時に用いる語。

• **양식 (名詞)** : 물고기, 김, 미역, 버섯 등을 인공적으로 길러서 번식하게 함.
ようしょく【養殖】
魚・海苔・ワカメ・キノコなどを人工的に飼育し、繁殖させること。

• **사업하다 (動詞)** : 경제적 이익을 얻기 위하여 어떤 조직을 경영하다.
じぎょうをする【事業をする】。ビジネスをする
経済的な利益を得るために、ある組織を経営する。

• -시- : 어떤 동작이나 상태의 주체를 높이는 뜻을 나타내는 어미.
お…になる。ご…になる
ある動作や状態の主体を敬う意を表す語尾。

• -니 : (아주낮춤으로) 물음을 나타내는 종결 어미.
か
(下称) 質問の意を表す「終結語尾」。

・**아니다 (形容詞)** : 어떤 사실이나 내용을 부정하는 뜻을 나타내는 말.
ではない
ある事実や内容を否定する意味を表す語。

・-ㄴ데요 : (두루높임으로) 어떤 상황을 전달하여 듣는 사람의 반응을 기대함을 나타내는 표현.
ですが。ですけど。ですけど。ですけれども
(略待上称)ある状況について伝えながら聞き手の反応を期待するという意を表す表現。

선생님 : 그런데 왜 아버지 직업+을 수산업+이라고 적+었+니?

・**그런데 (副詞)** : 이야기를 앞의 내용과 관련시키면서 다른 방향으로 바꿀 때 쓰는 말.
しかし
話題を前の内容と関連づけて他の方向に変える時に用いる語。

・**왜 (副詞)** : 무슨 이유로. 또는 어째서.
なぜ【何故】。どうして。なんで【何で】
どういう理由で。また、何ゆえ。

・**아버지 (名詞)** : 자기를 낳아 준 남자를 이르거나 부르는 말.
ちち【父】。ちちおや【父親】。おとうさん【御父さん】
自分を生んでくれた男性を指したり呼ぶ語。

・**직업 (名詞)** : 보수를 받으면서 일정하게 하는 일.
しょくぎょう【職業】。なりわい・すぎわい【生業】。しょく【職】
報酬をもらって日常従事する仕事。

・을 : 동작이 직접적으로 영향을 미치는 대상을 나타내는 조사.
を
動作が直接的に影響を及ぼす対象を表す助詞。

・**수산업 (名詞)** : 바다나 강 등의 물에서 나는 생물을 잡거나 기르거나 가공하는 등의 산업.
すいさんぎょう【水産業】
海や川などにすむ生物の漁獲や養殖、加工などにかかわる産業。

・이라고 : 앞의 말이 원래 말해진 그대로 인용됨을 나타내는 조사.
と
前の言葉が、元の発話内容そのまま引用されているという意を表す助詞。

・**적다 (動詞)** : 어떤 내용을 글로 쓰다.
かく【書く】。しるす【記す】
ある内容を文章で表す。

• -었- : 어떤 사건이 과거에 완료되었거나 그 사건의 결과가 현재까지 지속되는 상황을 나타내는 어미.
た。ている
ある出来事が過去に完了したことや、その出来事の結果が現在まで持続している状況を表す語尾。

• -니 : (아주낮춤으로) 물음을 나타내는 종결 어미.
か
(下称) 質問の意を表す「終結語尾」。

학생 : 우리 아버지+는 학교 앞+에서 붕어빵+을 굽(구우)+시+거든요.
구우시거든요

• **우리 (代名詞)** : 말하는 사람이 자기보다 높지 않은 사람에게 자기와 관련된 것을 친근하게 나타낼 때 쓰는 말.
わたし【私】
話し手が自分より高くない人に自分に関することを親しんでいう語。

• **아버지 (名詞)** : 자기를 낳아 준 남자를 이르거나 부르는 말.
ちち【父】。ちちおや【父親】。おとうさん【御父さん】
自分を生んでくれた男性を指したり呼ぶ語。

• 는 : 문장 속에서 어떤 대상이 화제임을 나타내는 조사.
は
文の中で、ある対象が話題であることを表す助詞。

• **학교 (名詞)** : 일정한 목적, 교과 과정, 제도 등에 의하여 교사가 학생을 가르치는 기관.
がっこう【学校】
一定の目的、教科課程、制度などに従って、教師が児童・生徒・学生を教える機関。

• **앞 (名詞)** : 향하고 있는 쪽이나 곳.
まえ【前】。ぜんめん【前面】
向かっている方向・所。

• 에서 : 앞말이 행동이 이루어지고 있는 장소임을 나타내는 조사.
で
前の言葉が行動の行われる場所であることを表す助詞。

• **붕어빵** (名詞) : 붕어 모양 풀빵
붕어
ふな【鮒】
胴体が扁平で、背中は主に黄色を帯びた褐色で、うろこが大きい、淡水で住む魚。
모양
もよう【模様】。ようす【様子】。かた【形】
外から見てわかる物事のありさまや姿。
풀빵
対訳語無し
菊の花の形をした鉄製の型に、溶いた小麦粉の生地とあんを入れて焼いた菓子。

• 을 : 동작이 직접적으로 영향을 미치는 대상을 나타내는 조사.
を
動作が直接的に影響を及ぼす対象を表す助詞。

• **굽다** (動詞) : 음식을 불에 익히다.
やく【焼く】
火に当てて食べられるようにする。

• -시- : 어떤 동작이나 상태의 주체를 높이는 뜻을 나타내는 어미.
お…になる。ご…になる
ある動作や状態の主体を敬う意を表す語尾。

• -거든요 : (두루높임으로) 앞의 내용에 대해 말하는 사람이 생각한 이유나 원인, 근거를 나타내는 표현.
んですよ。んですもの。んですから
(略待上称) 前の内容について話し手がそう考えた理由や原因、根拠を表す表現。

학생 : 맛있+어서 엄청 많이 팔리+어요. **팔려요**

• **맛있다** (形容詞) : 맛이 좋다.
おいしい【美味しい】。うまい【旨い・美味い】
味が良い。

• -어서 : 이유나 근거를 나타내는 연결 어미.
て。から。ので。ため。ゆえ【故】
理由や根拠の意を表す「連結語尾」。

• **엄청** (副詞) : 양이나 정도가 아주 지나치게.
はなはだしく【甚だしく】。すごく【凄く】
量や程度が度を越えて。

• **많이 (副詞)** : 수나 양, 정도 등이 일정한 기준보다 넘게.
おおく【多く】。たくさん【沢山】。かずおおく【数多く】。ゆたかに【豊かに】
数や量、程度などが一定の基準を超えて。

• **팔리다 (動詞)** : 값을 받고 물건이나 권리가 다른 사람에게 넘겨지거나 노력 등이 제공되다.
うられる【売られる】。うれる【売れる】
代金と引き換えに品物や権利が相手に渡されたり労働力が提供されたりする。

• -어요 : (두루높임으로) 어떤 사실을 서술하거나 질문, 명령, 권유함을 나타내는 종결 어미.
ます。です。ますか。ですか。てください
(略待上称) ある事実を叙述したり質問、命令、勧誘する意を表す「終結語尾」。

학생 : 선생님+도 한번 들(드)+시+[어 보]+시+ㄹ래요?
드셔 보실래요

• **선생님 (名詞)** : (높이는 말로) 학생을 가르치는 사람.
せんせい【先生】
生徒を教える人を敬っていう語。

• 도 : 이미 있는 어떤 것에 다른 것을 더하거나 포함함을 나타내는 조사.
も
既存の物事に他の物事を加えたり含ませたりするという意を表す助詞。

• **한번 (副詞)** : 어떤 일을 시험 삼아 시도함을 나타내는 말.
いちど【一度】
ある事を試しにやってみることを表す語。

• **들다 (動詞)** : (높임말로) 먹다.
めしあがる【召し上がる】
（尊敬語）食べる。

• -시- : 어떤 동작이나 상태의 주체를 높이는 뜻을 나타내는 어미.
お…になる。ご…になる
ある動作や状態の主体を敬う意を表す語尾。

• -어 보다 : 앞의 말이 나타내는 행동을 시험 삼아 함을 나타내는 표현.
てみる
前の言葉の表す行動を試しにやるという意を表す表現。

• -시- : 어떤 동작이나 상태의 주체를 높이는 뜻을 나타내는 어미.
お…になる。ご…になる
ある動作や状態の主体を敬う意を表す語尾。

• -ㄹ래요 : (두루높임으로) 앞으로 어떤 일을 하려고 하는 자신의 의사를 나타내거나 그 일에 대하여 듣는 사람의 의사를 물어봄을 나타내는 표현.

ます。ますか。つもりです。つもりですか

(略待上称)これから何かをしようとする意思を表明したり、
それについての聞き手の考えを尋ねるという意を表す表現。

< 7 단원(たんげん【単元】) >

제목 : 도대체 어디가 아픈지 잘 모르겠어요.

● 본문 (ほんぶん【本文】)

교통사고를 당한 사람이 진찰을 받으러 병원에 갔다.

환자 : 의사 선생님, 도대체 어디가 아픈지 잘 모르겠어요.

의사 : 일단 손가락으로 여기저기 한번 눌러 보세요.

환자 : 어디를 눌러도 까무러칠 만큼 아파요.

의사 : 제가 한번 눌러 볼게요.

어떠세요?

환자 : 그다지 아픈 것 같지 않은데요.

결국 그 환자는 다른 병원을 찾아 갔지만 역시 아픈 곳을 정확히 찾지 못했다.

답답했던 그 환자는 어느 한의원에 들어갔다.

환자 : 정확히 어디가 아픈지 잘 모르겠지만 어디를 눌러 봐도 아파 죽겠어요.

제발 좀 찾아 주세요.

한의사 선생님은 의미심장한 표정을 지으며 말했다.

한의사 : 손가락이 부러지셨군요!

● 발음 (はつおん【発音】)

교통사고를 당한 사람이 진찰을 받으러 병원에 갔다.
교통사고를 당한 사라미 진차를 바드러 병워네 갇따.
gyotongsagoreul danghan sarami jinchareul badeureo byeongwone gatda.

환자 : 의사 선생님, 도대체 어디가 아픈지 잘 모르겠어요.
환자 : 의사 선생님, 도대체 어디가 아픈지 잘 모르게써요.
hwanja : uisa seonsaengnim, dodaeche eodiga apeunji jal moreugesseoyo.

의사 : 일단 손가락으로 여기저기 한번 눌러 보세요.
의사 : 일딴 손까라그로 여기저기 한번 눌러 보세요.
uisa : ildan songarageuro yeogijeogi hanbeon nulleo boseyo.

환자 : 어디를 눌러도 까무러칠 만큼 아파요.
환자 : 어디를 눌러도 까무러칠 만큼 아파요.
hwanja : eodireul nulleodo kkamureochil mankeum apayo.

의사 : 제가 한번 눌러 볼게요.
의사 : 제가 한번 눌러 볼께요.
uisa : jega hanbeon nulleo bolgeyo.

어떠세요?
어떠세요?
eotteoseyo?

환자 : 그다지 아픈 것 같지 않은데요.
환자 : 그다지 아픈 걷 갇찌 아는데요.
hwanja : geudaji apeun geot gatji aneundeyo.

결국 그 환자는 다른 병원을 찾아 갔지만 역시 아픈 곳을 정확히 찾지 못했다.
결국 그 환자는 다른 병워늘 차자 갇찌만 역씨 아픈 고슬 정화키 찯찌 모탣따.
gyeolguk geu hwanjaneun dareun byeongwoneul chaja gatjiman yeoksi apeun goseul jeonghwaki chatji motaetda.

답답했던 그 환자는 어느 한의원에 들어갔다.
답따팯떤 그 혼자는 어느 하니워네 드러갇따.
dapdapaetdeon geu hwanjaneun eoneu hanuiwone(haniwone) deureogatda.

환자 : 정확히 어디가 아픈지 잘 모르겠지만 어디를 눌러 봐도 아파 죽겠어요.
환자 : 정화키 어디가 아픈지 잘 모르겐찌만 어디를 눌러 봐도 아파 죽게써요.
hwanja : jeonghwaki eodiga apeunji jal moreugetjiman eodireul nulleo bwado apa jukgesseoyo.

제발 좀 찾아 주세요.
제발 좀 차자 주세요.
jebal jom chaja juseyo.

한의사 선생님은 의미심장한 표정을 지으며 말했다.
하니사 선생니믄 의미심장한 표정을 지으며 말핻따.
hanuisa(hanisa) seonsaengnimeun uimisimjanghan pyojeongeul jieumyeo malhaetda.

한의사 : 손가락이 부러지셨군요!
하니사 : 손까라기 부러지셛꾸뇨!
hanuisa(hanisa) : songaragi bureojisyeotgunyo!

● 어휘 (ごい【語彙】) / 문법 (ぶんぽう【文法】)

교통사고+를 당하+ㄴ 사람+이 진찰+을 받+으러 병원+에 가+았+다.

환자 : 의사 선생님, 도대체 어디+가 아프+ㄴ지 잘 모르+겠+어요.

의사 : 일단, 손가락+으로 여기저기 한번 누르(눌ㄹ)+어 보+세요.

환자 : 어디+를 누르(눌ㄹ)+어도 까무러치+ㄹ 만큼 아프(아ㅍ)+아요.

의사 : 그럼, 제+가 한번 누르(눌ㄹ)+어 보+ㄹ게요.

어떻(어떠)+세요?

환자 : 그다지 아프+ㄴ 것 같+지 않+은데요.

결국 그 환자+는 다른 병원+을 찾아가+았+지만 역시 아프+ㄴ 곳+을 정확히 찾+지 못하+였+다.

답답하+였던 그 환자+는 어느 한의원+에 들어가+았+다.

환자 : 정확히 어디+가 아프+ㄴ지 잘 모르+겠+지만

어디+를 누르(눌ㄹ)+어 보+아도 아프(아ㅍ)+아 죽+겠+어요.

제발 좀 찾+아 주+세요.

한의사 선생님+은 의미심장하+ㄴ 표정+을 짓(지)+으며 말하+였+다.

한의사 : 손가락+이 부러지+시+었+군요!

교통사고+를 <u>당하+ㄴ</u> 사람+이 진찰+을 받+으러 병원+에 <u>가+았+다</u>.
당한 갔다

• **교통사고 (名詞)** : 자동차나 기차 등이 다른 교통 기관과 부딪치거나 사람을 치는 사고.
こうつうじこ【交通事故】
自動車や汽車などが他の交通機関と衝突したり歩行者を跳ねたりして起こる事故。

• 를 : 동작이 직접적으로 영향을 미치는 대상을 나타내는 조사.
を
動作が直接的に影響を及ぼす対象を表す助詞。

• **당하다 (動詞)** : 좋지 않은 일을 겪다.
あう【遭う】
よくない事を経験する。

• -ㄴ : 앞의 말이 관형어의 기능을 하게 만들고 사건이나 동작이 과거에 일어났음을 나타내는 어미.
た。ている
前の言葉に連体修飾語の機能を持たせ、出来事や動作が過去にあったという意を表す「語尾」。

• **사람 (名詞)** : 생각할 수 있으며 언어와 도구를 만들어 사용하고 사회를 이루어 사는 존재.
ひと【人】。にんげん【人間】。じんるい【人類】
考える力があり、言語と道具を使い、社会を作って生きる存在。

• 이 : 어떤 상태나 상황의 대상이나 동작의 주체를 나타내는 조사.
が
ある状態・状況の対象や動作の主体を表す助詞。

• **진찰 (名詞)** : 의사가 치료를 위하여 환자의 병이나 상태를 살핌.
しんさつ【診察】
医者が治療のために患者の病や状態を調べること。

• 을 : 동작이 직접적으로 영향을 미치는 대상을 나타내는 조사.
を
動作が直接的に影響を及ぼす対象を表す助詞。

• **받다 (動詞)** : 다른 사람이 하는 행동, 심리적인 작용 등을 당하거나 입다.
うける【受ける】。こうむる【被る】
他人の行動、心理的な働きなどに影響される。

• -으러 : 가거나 오거나 하는 동작의 목적을 나타내는 연결 어미.
に
行く、または来る動作の目的の意を表す「連結語尾」。

• **병원 (名詞)** : 시설을 갖추고 의사와 간호사가 병든 사람을 치료해 주는 곳.
びょういん【病院】
医者と看護士が病人を治療する施設。

• 에 : 앞말이 목적지이거나 어떤 행위의 진행 방향임을 나타내는 조사.
に。へ
前の言葉が目的地であったり、ある行為の進行方向であったりすることを表す助詞。

• **가다 (動詞)** : 어떤 목적을 가지고 일정한 곳으로 움직이다.
ゆく・いく【行く】
ある目的で一定の場所に移動する。

• -았- : 사건이 과거에 일어났음을 나타내는 어미.
た
出来事が過去にあったという意を表す語尾。

• -다 : 어떤 사건이나 사실, 상태를 서술함을 나타내는 종결 어미.
する。…い。…だ。である
現在の出来事や事実を叙述する意を表す「終結語尾」。

환자 : 의사 선생님, 도대체 어디+가 <u>아프+ㄴ지</u> 잘 모르+겠+어요. 아픈지

• **의사 (名詞)** : 일정한 자격을 가지고서 병을 진찰하고 치료하는 일을 직업으로 하는 사람.
いし【医師】。いしゃ【医者】
一定の資格をもち、病気の診察や治療を職業とする人。

• **선생님 (名詞)** : 어떤 사람의 성이나 직업에 붙여 그 사람을 높이는 말.
せんせい【先生】
名字や職業などに付けて敬称として使う語。

• **도대체 (副詞)** : 유감스럽게도 전혀.
まったく【全く】。ぜんぜん【全然】。とても
残念にも全然。

• **어디 (代名詞)** : 모르는 곳을 가리키는 말.
どこ
知らない場所を指す語。

• 가 : 어떤 상태나 상황에 놓인 대상이나 동작의 주체를 나타내는 조사.
が
ある状態や状況に置かれた対象、または動作の主体を表す助詞。

• **아프다 (形容詞)** : 다치거나 병이 생겨 통증이나 괴로움을 느끼다.
いたい【痛い】。びょうきになる【病気になる】。いたむ【痛む】
怪我をしたり病気になったりして、痛みや苦しみを覚える。

• -ㄴ지 : 뒤에 오는 말의 내용에 대한 막연한 이유나 판단을 나타내는 연결 어미.
だろうか
次にくる事柄に関する漠然とした理由や判断の意を表す「連結語尾」。

• **잘 (副詞)** : 분명하고 정확하게.
よく。きちんと
きちんと正確に。

• **모르다 (動詞)** : 사람이나 사물, 사실 등을 알지 못하거나 이해하지 못하다.
しらない【知らない】。わからない【分からない】
人・物・事実などを知らない、または分からない。

• -겠- : 완곡하게 말하는 태도를 나타내는 어미.
対訳語無し
婉曲に述べる態度を表す語尾。

• -어요 : (두루높임으로) 어떤 사실을 서술하거나 질문, 명령, 권유함을 나타내는 종결 어미.
ます。です。ますか。ですか。てください
(略待上称) ある事実を叙述したり質問、命令、勧誘する意を表す「終結語尾」。

의사 : 일단, 손가락+으로 여기저기 한번 누르(눌ㄹ)+[어 보]+세요. 눌러 보세요

• **일단 (副詞)** : 우선 먼저.
いったん【一旦】。ひとまず【一先ず】
まず、先に。

• **손가락 (名詞)** : 사람의 손끝의 다섯 개로 갈라진 부분.
ゆび【指】
人の指先の5本に分かれている部分。

• 으로 : 어떤 일의 수단이나 도구를 나타내는 조사.
で
手段や道具を表す助詞。

• **여기저기 (名詞)** : 분명하게 정해지지 않은 여러 장소나 위치.
あちこち。あちらこちら。あっちこっち
はっきりと決まっていない色々な場所や位置。

• **한번 (副詞)** : 어떤 일을 시험 삼아 시도함을 나타내는 말.
いちど【一度】
ある事を試しにやってみることを表す語。

• **누르다 (動詞)** : 물체의 전체나 부분에 대하여 위에서 아래로 힘을 주어 무게를 가하다.
おす【押す】。おさえる【押さえる・圧さえる】
物の全体や部分に上から力を加える。

• -어 보다 : 앞의 말이 나타내는 행동을 시험 삼아 함을 나타내는 표현.
てみる
前の言葉の表す行動を試しにやるという意を表す表現。

• -세요 : (두루높임으로) 설명, 의문, 명령, 요청의 뜻을 나타내는 종결 어미.
ます。です。ますか。ですか。てください
(略待上称) 説明・疑問・命令・要請の意を表す「終結語尾」。

환자 : 어디+를 누르(눌ㄹ)+어도 까무러치+ㄹ 만큼 아프(아ㅍ)+아요.
눌러도 까무러칠 아파요

• **어디 (代名詞)** : 정해져 있지 않거나 정확하게 말할 수 없는 어느 곳을 가리키는 말.
どこか
決まっていないか、はっきり言えない、ある場所を指す語。

• 를 : 동작이 직접적으로 영향을 미치는 대상을 나타내는 조사.
を
動作が直接的に影響を及ぼす対象を表す助詞。

• **누르다 (動詞)** : 물체의 전체나 부분에 대하여 위에서 아래로 힘을 주어 무게를 가하다.
おす【押す】。おさえる【押さえる・圧さえる】
物の全体や部分に上から力を加える。

• -어도 : 앞에 오는 말을 가정하거나 인정하지만 뒤에 오는 말에는 관계가 없거나 영향을 끼치지 않음을 나타내는 연결 어미.
ても。たって
前の事柄を仮定したり認めたりするものの、後の事柄とは関係がないかそれに影響を及ぼさないという意を表す「連結語尾」。

• **까무러치다 (動詞)** : 정신을 잃고 쓰러지다.
きをうしなう【気を失う】。きぜつする【気絶する】。しっしんする【失神する・失心する】
意識を失って倒れる。

• -ㄹ : 앞의 말이 관형어의 기능을 하게 만드는 어미.
する。である
前の言葉に連体修飾語の機能を持たせる語尾。

• **만큼 (名詞)** : 앞의 내용과 같은 양이나 정도임을 나타내는 말.
ほど【程】。くらい・ぐらい【位】。だけ
前の内容と同じ量や程度であるという意を表す語。

• **아프다 (形容詞)** : 다치거나 병이 생겨 통증이나 괴로움을 느끼다.
いたい【痛い】。びょうきになる【病気になる】。いたむ【痛む】
怪我をしたり病気になったりして、痛みや苦しみを覚える。

• -아요 : (두루높임으로) 어떤 사실을 서술하거나 질문, 명령, 권유함을 나타내는 종결 어미.
ます。です。ますか。ですか。てください。
(略待上称) ある事実を叙述したり質問、命令、勧誘する意を表す「終結語尾」。

의사 : 그럼, 제+가 한번 누르(눌ㄹ)+[어 보]+ㄹ게요. 어떻(어떠)+세요?
눌러 볼게요 **어떠세요**

• **그럼 (副詞)** : 앞의 내용을 받아들이거나 그 내용을 바탕으로 하여 새로운 주장을 할 때 쓰는 말.
では
前の内容を受け入れたり、その内容に基づいて新しい主張をしたりする時に用いる語。

• **제 (代名詞)** : 말하는 사람이 자신을 낮추어 가리키는 말인 '저'에 조사 '가'가 붙을 때의 형태.
わたくし【私】
話し手が自分をへりくだっていう語である「저」に助詞「가」がつく時の形。

• 가 : 어떤 상태나 상황에 놓인 대상이나 동작의 주체를 나타내는 조사.
が
ある状態や状況に置かれた対象、または動作の主体を表す助詞。

• **한번 (副詞)** : 어떤 일을 시험 삼아 시도함을 나타내는 말.
いちど【一度】
ある事を試しにやってみることを表す語。

• **누르다 (動詞)** : 물체의 전체나 부분에 대하여 위에서 아래로 힘을 주어 무게를 가하다.
おす【押す】。おさえる【押さえる・圧さえる】
物の全体や部分に上から力を加える。

• -어 보다 : 앞의 말이 나타내는 행동을 시험 삼아 함을 나타내는 표현.
てみる
前の言葉の表す行動を試しにやるという意を表す表現。

• -ㄹ게요 : (두루높임으로) 말하는 사람이 어떤 행동을 할 것을 듣는 사람에게 약속하거나 의지를 나타내는 표현.
ます
(略待上称)話し手が聞き手に対してある行動をすると約束したり知らせたりする意を表す表現。

• **어떻다 (形容詞)** : 생각, 느낌, 상태, 형편 등이 어찌 되어 있다.
どうだ
考え、感じ、状態、都合などがどういうふうになっている。

• -세요 : (두루높임으로) 설명, 의문, 명령, 요청의 뜻을 나타내는 종결 어미.
ます。です。ますか。ですか。てください
(略待上称) 説明・疑問・命令・要請の意を表す「終結語尾」。

환자 : 그다지 아프+[ㄴ 것 같]+[지 않]+은데요. **아픈 것 같지 않은데요**

• **그다지 (副詞)** : 대단한 정도로는. 또는 그렇게까지는.
それほど
大した程度ではなく。または、そこまでは。

• **아프다 (形容詞)** : 다치거나 병이 생겨 통증이나 괴로움을 느끼다.
いたい【痛い】。びょうきになる【病気になる】。いたむ【痛む】
怪我をしたり病気になったりして、痛みや苦しみを覚える。

• -ㄴ 것 같다 : 추측을 나타내는 표현.
ようだ。そうだ。らしい。みたいだ
推測の意を表す表現。

• -지 않다 : 앞의 말이 나타내는 행위나 상태를 부정하는 뜻을 나타내는 표현.
ない。くない。ではない
前の言葉の表す行為や状態を否定する意を表す表現。

• -은데요 : (두루높임으로) 의외라 느껴지는 어떤 사실을 감탄하여 말할 때 쓰는 표현.
ですね
(略待上称)意外と思われる事実について感嘆して述べる のに用いる表現。

결국 그 환자+는 다른 병원+을 찾아가+았+지만 역시 아프+ㄴ 곳+을 정확히 찾+[지 못하]+였+다. **찾아갔지만 아픈 찾지 못했다**

• **결국 (副詞)** : 일의 결과로.
けっきょく【結局】
ことの結果として。

• **그 (冠形詞)** : 앞에서 이미 이야기한 대상을 가리킬 때 쓰는 말.
その。あの。れいの【例の】
すでに話した対象をさすときに使う語。

• **환자 (名詞)** : 몸에 병이 들거나 다쳐서 아픈 사람.
かんじゃ【患者】
病気の人や怪我人。

• 는 : 문장 속에서 어떤 대상이 화제임을 나타내는 조사.
は
文の中で、ある対象が話題であることを表す助詞。

• **다른 (冠形詞)** : 해당하는 것 이외의.
ほかの【他の】。べつの【別の】
当該すること以外の。

• **병원 (名詞)** : 시설을 갖추고 의사와 간호사가 병든 사람을 치료해 주는 곳.
びょういん【病院】
医者と看護士が病人を治療する施設。

• 을 : 동작의 도착지나 동작이 이루어지는 장소를 나타내는 조사.
を
動作の到着地や動作が行われる場所を表す助詞。

• **찾아가다 (動詞)** : 사람을 만나거나 어떤 일을 하러 가다.
あいにいく【会いに行く】。たずねていく【訪ねて行く】。おとずれる【訪れる】。ほうもんする【訪問する】
人に会うか、仕事をしに行く。

• -았- : 사건이 과거에 일어났음을 나타내는 어미.
た
出来事が過去にあったという意を表す語尾。

• -지만 : 앞에 오는 말을 인정하면서 그와 반대되거나 다른 사실을 덧붙일 때 쓰는 연결 어미.
が。けれども。けれど。けど
前の内容を認めながらもそれとは反対か異なる事実を付け加えて述べるのに用いる「連結語尾」。

• **역시 (副詞)** : 이전과 마찬가지로.
また【又】。やはり【矢張り】。やっぱり【矢っ張り】
以前と同様に。

• **아프다 (形容詞)** : 다치거나 병이 생겨 통증이나 괴로움을 느끼다.
いたい【痛い】。びょうきになる【病気になる】。いたむ【痛む】
怪我をしたり病気になったりして、痛みや苦しみを覚える。

• -ㄴ : 앞의 말이 관형어의 기능을 하게 만들고 현재의 상태를 나타내는 어미.
た
前の言葉に連体修飾語の機能を持たせ、現在の状態を表す「語尾」。

• **곳 (名詞)** : 일정한 장소나 위치.
ところ・しょ【所】
一定の場所や位置。

• 을 : 동작이 직접적으로 영향을 미치는 대상을 나타내는 조사.
を
動作が直接的に影響を及ぼす対象を表す助詞。

• **정확히 (副詞)** : 바르고 확실하게.
せいかくに【正確に】
正しくて確実に。

• **찾다 (動詞)** : 모르는 것을 알아내려고 노력하다. 또는 모르는 것을 알아내다.
さがす【探す】。さがしもとめる【探し求める】。さぐる【探る】。さぐりもとめる【探り求める】
知らない事を知ろうと努力する。また、知られていない事を究明する。

• -지 못하다 : 앞의 말이 나타내는 행동을 할 능력이 없거나 주어의 의지대로 되지 않음을 나타내는 표현.
(ら)れない。えない【得ない】。ことができない
前の言葉の表す行動をする能力に欠けていたり主語の意志通りにはならないという意を表す表現。

• -였- : 사건이 과거에 일어났음을 나타내는 어미.
た
出来事が過去に発生したという意を表す語尾。

• -다 : 어떤 사건이나 사실, 상태를 서술함을 나타내는 종결 어미.
する。…い。…だ。である
現在の出来事や事実を叙述する意を表す「終結語尾」。

답답하+였던 그 환자+는 어느 한의원+에 들어가+았+다.
답답했던 **들어갔다**

• **답답하다 (形容詞)** : 근심이나 걱정으로 마음이 초조하고 속이 시원하지 않다.
おもくるしい【重苦しい】
心配や懸念で心がいらいらして、すっきりしていない。

• -였던 : 과거의 사건이나 상태를 다시 떠올리거나 그 사건이나 상태가 완료되지 않고 중단되었다는 의미를 나타내는 표현.
た。ていた
過去の出来事や状態を回想したり、その出来事や状態が完了されずに中断したという意を表す表現。

• **그 (冠形詞)** : 앞에서 이미 이야기한 대상을 가리킬 때 쓰는 말.
その。あの。れいの【例の】
すでに話した対象をさすときに使う語。

• **환자 (名詞)** : 몸에 병이 들거나 다쳐서 아픈 사람.
かんじゃ【患者】
病気の人や怪我人。

• 는 : 문장 속에서 어떤 대상이 화제임을 나타내는 조사.
は
文の中で、ある対象が話題であることを表す助詞。

• **어느 (冠形詞)** : 확실하지 않거나 분명하게 말할 필요가 없는 사물, 사람, 때, 곳 등을 가리키는 말.
ある
確実でないか、はっきり言う必要がない事物・人・時・場所などを指す語。

• **한의원 (名詞)** : 우리나라 전통 의술로 환자를 치료하는 의원.
かんぽういいん【韓方医院】
韓国伝統の医術で患者を治療する医院。

• 에 : 앞말이 목적지이거나 어떤 행위의 진행 방향임을 나타내는 조사.
に。へ
前の言葉が目的地であったり、ある行為の進行方向であったりすることを表す助詞。

• **들어가다 (動詞)** : 밖에서 안으로 향하여 가다.
はいる【入る】
外から中に移動する。

• -았- : 사건이 과거에 일어났음을 나타내는 어미.
た
出来事が過去にあったという意を表す語尾。

• -다 : 어떤 사건이나 사실, 상태를 서술함을 나타내는 종결 어미.
する。…い。…だ。である
現在の出来事や事実を叙述する意を表す「終結語尾」。

환자 : 정확히 어디+가 아프+ㄴ지 잘 모르+겠+지만
아픈지

어디+를 누르(눌ㄹ)+[어 보]+아도 아프(아ㅍ)+[아 죽]+겠+어요.
눌러 보아도 **아파 죽겠어요**

• **정확히 (副詞)** : 바르고 확실하게.
せいかくに【正確に】
正しくて確実に。

• **어디 (代名詞)** : 모르는 곳을 가리키는 말.
どこ
知らない場所を指す語。

• 가 : 어떤 상태나 상황에 놓인 대상이나 동작의 주체를 나타내는 조사.
が
ある状態や状況に置かれた対象、または動作の主体を表す助詞。

• **아프다 (形容詞)** : 다치거나 병이 생겨 통증이나 괴로움을 느끼다.
いたい【痛い】。びょうきになる【病気になる】。いたむ【痛む】
怪我をしたり病気になったりして、痛みや苦しみを覚える。

• -ㄴ지 : 뒤에 오는 말의 내용에 대한 막연한 이유나 판단을 나타내는 연결 어미.
だろうか
次にくる事柄に関する漠然とした理由や判断の意を表す「連結語尾」。

• **잘 (副詞)** : 분명하고 정확하게.
よく。きちんと
きちんと正確に。

• **모르다 (動詞)** : 사람이나 사물, 사실 등을 알지 못하거나 이해하지 못하다.
しらない【知らない】。わからない【分からない】
人・物・事実などを知らない、または分からない。

• -겠- : 완곡하게 말하는 태도를 나타내는 어미.
対訳語無し
婉曲に述べる態度を表す語尾。

• -지만 : 앞에 오는 말을 인정하면서 그와 반대되거나 다른 사실을 덧붙일 때 쓰는 연결 어미.
が。けれども。けれど。けど
前の内容を認めながらもそれとは反対か異なる事実を付け加えて述べるのに用いる「連結語尾」。

• **어디 (代名詞)** : 정해져 있지 않거나 정확하게 말할 수 없는 어느 곳을 가리키는 말.
どこか
決まっていないか、はっきり言えない、ある場所を指す語。

• **를** : 동작이 직접적으로 영향을 미치는 대상을 나타내는 조사.
を
動作が直接的に影響を及ぼす対象を表す助詞。

• **누르다 (動詞)** : 물체의 전체나 부분에 대하여 위에서 아래로 힘을 주어 무게를 가하다.
おす【押す】。おさえる【押さえる・圧さえる】
物の全体や部分に上から力を加える。

• -어 보다 : 앞의 말이 나타내는 행동을 시험 삼아 함을 나타내는 표현.
てみる
前の言葉の表す行動を試しにやるという意を表す表現。

• -아도 : 앞에 오는 말을 가정하거나 인정하지만 뒤에 오는 말에는 관계가 없거나 영향을 끼치지 않음을 나타내는 연결 어미.
ても
前の事柄を仮定したり認めたりするものの、後の事柄とは関係がないかそれに影響を及ぼさないという意を表す「連結語尾」。

• **아프다 (形容詞)** : 다치거나 병이 생겨 통증이나 괴로움을 느끼다.
いたい【痛い】。びょうきになる【病気になる】。いたむ【痛む】
怪我をしたり病気になったりして、痛みや苦しみを覚える。

• -아 죽다 : 앞의 말이 나타내는 상태의 정도가 매우 심함을 나타내는 표현.
てたまらない。てしにそうだ【て死にそうだ】
前の言葉の表す状態の程度が極めてひどいという意を表す表現。

• -겠- : 완곡하게 말하는 태도를 나타내는 어미.
対訳語無し
婉曲に述べる態度を表す語尾。

• -어요 : (두루높임으로) 어떤 사실을 서술하거나 질문, 명령, 권유함을 나타내는 종결 어미.
ます。です。ますか。ですか。てください
(略待上称) ある事実を叙述したり質問、命令、勧誘する意を表す「終結語尾」。

환자 : 제발 좀 찾+[아 주]+세요.
찾아 주세요

• **제발 (副詞)** : 간절히 부탁하는데.
どうぞ。どうか。なにとぞ【何卒】。ぜひ【是非】
強く願い望む気持ちを表す語。

• **좀 (副詞)** : 주로 부탁이나 동의를 구할 때 부드러운 느낌을 주기 위해 넣는 말.
ちょっと【一寸・鳥渡】
主に頼んだり同意を得たりする時、雰囲気をやわらかくするためにいう語。

• **찾다 (動詞)** : 모르는 것을 알아내려고 노력하다. 또는 모르는 것을 알아내다.
さがす【探す】。さがしもとめる【探し求める】。さぐる【探る】。さぐりもとめる【探り求める】
知らない事を知ろうと努力する。また、知られていない事を究明する。

• -아 주다 : 남을 위해 앞의 말이 나타내는 행동을 함을 나타내는 표현.
てやる。てあげる。てくれる
他人のために前の言葉の表す行動をするという意を表す表現。

• -세요 : (두루높임으로) 설명, 의문, 명령, 요청의 뜻을 나타내는 종결 어미.
ます。です。ますか。ですか。てください
(略待上称) 説明・疑問・命令・要請の意を表す「終結語尾」。

한의사 선생님+은 의미심장하+ㄴ 표정+을 짓(지)+으며 말하+였+다.
의미심장한 **지으며** **말했다**

• **한의사 (名詞)** : 우리나라 전통 의술로 치료하는 의사.
かんいし【韓医師】。かんぽうい【韓方医】
韓国の伝統的な医術で治療をする医師。

• **선생님 (名詞)** : 어떤 사람의 성이나 직업에 붙여 그 사람을 높이는 말.
せんせい【先生】
名字や職業などに付けて敬称として使う語。

• 은 : 문장 속에서 어떤 대상이 화제임을 나타내는 조사.
は
文章の中である対象が話題であることを表す助詞。

• **의미심장하다 (形容詞)** : 뜻이 매우 깊다.
いみしんちょうだ【意味深長だ】。いみしんだ【意味深だ】
奥深い意味をもっている。

• -ㄴ : 앞의 말이 관형어의 기능을 하게 만들고 현재의 상태를 나타내는 어미.
た
前の言葉に連体修飾語の機能を持たせ、現在の状態を表す「語尾」。

• **표정 (名詞)** : 마음속에 품은 감정이나 생각 등이 얼굴에 드러남. 또는 그런 모습.
ひょうじょう【表情】
心の中の感情や考えなどを顔に表すこと。また、そのようす。

• 을 : 동작이 직접적으로 영향을 미치는 대상을 나타내는 조사.
を
動作が直接的に影響を及ぼす対象を表す助詞。

• **짓다 (動詞)** : 어떤 표정이나 태도 등을 얼굴이나 몸에 나타내다.
つくる【作る】。うかべる【浮かべる】
ある表情や態度などを顔や体に表す。

• -으며 : 두 가지 이상의 동작이나 상태가 함께 일어남을 나타내는 연결 어미.
ながら
二つ以上の動作や状態が共に起こるという意を表す「連結語尾」。

• **말하다 (動詞)** : 어떤 사실이나 자신의 생각 또는 느낌을 말로 나타내다.
いう【言う】。かたる【語る】。はなす【話す】。のべる【述べる】
ある事実や自分の考え、または感情を言葉で表す。

• -였- : 사건이 과거에 일어났음을 나타내는 어미.
た
出来事が過去に発生したという意を表す語尾。

• -다 : 어떤 사건이나 사실, 상태를 서술함을 나타내는 종결 어미.
する。…い。…だ。である
現在の出来事や事実を叙述する意を表す「終結語尾」。

한의사 : 손가락+이 부러지+시+었+군요!
부러지셨군요

• **손가락 (名詞)** : 사람의 손끝의 다섯 개로 갈라진 부분.
ゆび【指】
人の指先の5本に分かれている部分。

• 이 : 어떤 상태나 상황의 대상이나 동작의 주체를 나타내는 조사.
が
ある状態・状況の対象や動作の主体を表す助詞。

• **부러지다 (動詞)** : 단단한 물체가 꺾여 둘로 겹쳐지거나 동강이 나다.
おれる【折れる】
堅い物が曲げられて二重になったり、切り離されたりする。

• -시- : 높이고자 하는 인물과 관계된 소유물이나 신체의 일부가 문장의 주어일 때 그 인물을 높이는 뜻을 나타내는 어미.
お…になる。ご…になる
敬おうとする人と関連した所有物や身体の一部が文の主語である場合、その人を敬う意を表す語尾。

• -었- : 어떤 사건이 과거에 완료되었거나 그 사건의 결과가 현재까지 지속되는 상황을 나타내는 어미.
た。ている
ある出来事が過去に完了したことや、その出来事の結果が現在まで持続している状況を表す語尾。

• -군요 : (두루높임으로) 새롭게 알게 된 사실에 주목하거나 감탄함을 나타내는 표현.
んですね (略待上称)
ある事実を新しく確認したりそれに気づいて感嘆するという意を表す表現。

< 8 단원(たんげん【単元】) >

제목 : 소는 왜 안 보이니?

● 본문 (ほんぶん【本文】)

어느 초등학교 미술 시간이었다.

선생님 : 여러분! 지금은 미술 시간이에요.

오늘은 목장 풍경을 한번 그려 보세요.

시간이 한참 지난 후에 선생님께서는 아이들 자리를 돌아다니며 그림을 살펴보았다.

선생님 : 소가 참 한가로워 보이네요.

잘 그렸어요.

이렇게 선생님께서는 학생들의 그림을 보면서 칭찬을 해 주셨다.

그런데 한 학생의 스케치북은 백지상태 그대로였다.

선생님 : 넌 어떤 그림을 그린 거니?

학생 : 풀을 뜯고 있는 소를 그렸어요.

선생님 : 그런데 풀은 어디 있니?

학생 : 소가 이미 다 먹어 버렸어요.

선생님 : 그럼 소는 왜 안 보이니?

학생 : 선생님도 참, 소가 풀을 다 먹었는데 여기에 있겠어요?

● 발음 (はつおん【発音】)

어느 초등학교 미술 시간이었다.
어느 초등학꾜 미술 시가니얻따.
eoneu chodeunghaggyo misul siganieotda.

선생님 : 여러분! 지금은 미술 시간이에요.
선생님 : 여러분! 지그믄 미술 시가니에요.
seonsaengnim : yeoreobun! jigeumeun misul siganieyo.

오늘은 목장 풍경을 한번 그려 보세요.
오느른 목짱 풍경을 한번 그려 보세요.
oneureun mokjang punggyeongeul hanbeon geuryeo boseyo.

시간이 한참 지난 후에 선생님께서는 아이들 자리를 돌아다니며 그림을 살펴보았다.
시가니 한참 지난 후에 선생님께서는 아이들 자리를 도라다니며 그리믈 살펴보안따.
sigani hancham jinan hue seonsaengnimkkeseoneun aideul jarireul doradanimyeo geurimeul salpyeoboatda.

선생님 : 소가 참 한가로워 보이네요.
선생님 : 소가 참 한가로워 보이네요.
seonsaengnim : soga cham hangarowo boineyo.

잘 그렸어요.
잘 그려써요.
jal geuryeosseoyo.

이렇게 선생님께서는 학생들의 그림을 보면서 칭찬을 해 주셨다.
이러케 선생님께서는 학쌩드레 그리믈 보면서 칭차늘 해 주셛따.
ireoke seonsaengnimkkeseoneun haksaengdeurui(haksaengdeure) geurimeul bomyeonseo chingchaneul hae jusyeotda.

그런데 한 학생의 스케치북은 백지상태 그대로였다.
그런데 한 학쌩에 스케치부근 백찌상태 그대로엳따.
geureonde han haksaengui(haksaenge) seukechibugeun baekjisangtae geudaeroyeotda.

선생님 : 넌 어떤 그림을 그린 거니?
선생님 : 넌 어떤 그리믈 그린 거니?
seonsaengnim : neon eotteon geurimeul geurin geoni?

학생 : 풀을 뜯고 있는 소를 그렸어요.
학쌩 : 푸를 뜯꼬 인는 소를 그려써요.
haksaeng : pureul tteutgo inneun soreul geuryeosseoyo.

선생님 : 그런데 풀은 어디 있니?
선생님 : 그런데 푸른 어디 인니?
seonsaengnim : geureonde pureun eodi inni?

학생 : 소가 이미 다 먹어 버렸어요.
학쌩 : 소가 이미 다 머거 버려써요.
haksaeng : soga imi da meogeo beoryeosseoyo.

선생님 : 그럼 소는 왜 안 보이니?
선생님 : 그럼 소는 왜 안 보이니?
seonsaengnim : geureom soneun wae an boini?

학생 : 선생님도 참, 소가 풀을 다 먹었는데 여기에 있겠어요?
학쌩 : 선생님도 참, 소사 푸를 다 머건는데 여기에 읻께써요?
haksaeng : seonsaengnimdo cham, soga pureul da meogeonneunde yeogie itgesseoyo?

● 어휘 (ごい【語彙】) / 문법 (ぶんぽう【文法】)

어느 초등학교 미술 시간+이+었+다.

선생님 : 여러분! 지금+은 미술 시간+이+에요.

오늘+은 목장 풍경+을 한번 그리+어 보+세요.

시간+이 한참 지나+ㄴ 후에 선생님+께서+는 아이+들 자리+를 돌아다니+며 그림+을 살펴보+았+다.

선생님 : 소+가 참 한가롭(한가로우)+어 보이+네요.

잘 그리+었+어요.

이렇+게 선생님+께서+는 학생+들+의 그림+을 보+면서 칭찬+을 하+여 주+시+었+다.

그런데 한 학생+의 스케치북+은 백지상태 그대로+이+었+다.

선생님 : 너+는 어떤 그림+을 그리+ㄴ 것(거)+(이)+니?

학생 : 풀+을 뜯+고 있+는 소+를 그리+었+어요.

선생님 : 그런데 풀+은 어디 있+니?

학생 : 소+가 이미 다 먹+어 버리+었+어요.

선생님 : 그럼 소+는 왜 안 보이+니?

학생 : 선생님+도 참, 소+가 풀+을 다 먹+었+는데 여기+에 있+겠+어요?

어느 초등학교 미술 시간+이+었+다.

• **어느 (冠形詞)** : 확실하지 않거나 분명하게 말할 필요가 없는 사물, 사람, 때, 곳 등을 가리키는 말.
ある
確実でないか、はっきり言う必要がない事物・人・時・場所などを指す語。

• **초등학교 (名詞)** : 학교 교육의 첫 번째 단계로 만 여섯 살에 입학하여 육 년 동안 기본 교육을 받는 학교.
しょうがっこう【小学校】
学校教育の第一段階で、満6歳に入学して6年間基本的な教育を受ける学校。

• **미술 (名詞)** : 그림이나 조각처럼 눈으로 볼 수 있는 아름다움을 표현한 예술.
びじゅつ【美術】
絵や彫刻など、目で見られる美しさを表現する芸術。

• **시간 (名詞)** : 어떤 일이 시작되어 끝날 때까지의 동안.
じかん【時間】
ある事が始まって終わるまでの間。

• 이다 : 주어가 지시하는 대상의 속성이나 부류를 지정하는 뜻을 나타내는 서술격 조사.

だ。である
主語が指す対象の属性や部類を指定する意を表す叙述格助詞。

• -었- : 사건이 과거에 일어났음을 나타내는 어미.
た
出来事が過去にあったという意を表す語尾。

• -다 : 어떤 사건이나 사실, 상태를 서술함을 나타내는 종결 어미.
する。…い。…だ。である
現在の出来事や事実を叙述する意を表す「終結語尾」。

선생님 : 여러분! 지금+은 미술 시간+이+에요.

• **여러분 (代名詞)** : 듣는 사람이 여러 명일 때 그 사람들을 높여 이르는 말.
みなさん【皆さん】。みなさま【皆様】
複数の聞き手がいる場合、その聞き手たちを敬って呼ぶ語。

• **지금 (名詞)** : 말을 하고 있는 바로 이때.
いま【今】。ただいま【ただ今】
話をしているこの瞬間。または即時に。

• 은 : 문장 속에서 어떤 대상이 화제임을 나타내는 조사.
は
文章の中である対象が話題であることを表す助詞。

• **미술 (名詞)** : 그림이나 조각처럼 눈으로 볼 수 있는 아름다움을 표현한 예술.
びじゅつ【美術】
絵や彫刻など、目で見られる美しさを表現する芸術。

• **시간 (名詞)** : 어떤 일이 시작되어 끝날 때까지의 동안.
じかん【時間】
ある事が始まって終わるまでの間。

• 이다 : 주어가 지시하는 대상의 속성이나 부류를 지정하는 뜻을 나타내는 서술격 조사.
だ。である
主語が指す対象の属性や部類を指定する意を表す叙述格助詞。

• -에요 : (두루높임으로) 어떤 사실을 서술하거나 질문함을 나타내는 종결 어미.
ます。です。ますか。ですか
(略待上称) ある事実を叙述したり質問する意を表す「終結語尾」。

선생님 : 오늘+은 목장 풍경+을 한번 그리+[어 보]+세요. **그려 보세요**

• **오늘 (名詞)** : 지금 지나가고 있는 이날.
きょう【今日】。ほんじつ【本日】
今過ごしているこの日。

• 은 : 문장 속에서 어떤 대상이 화제임을 나타내는 조사.
は
文章の中である対象が話題であることを表す助詞。

• **목장 (名詞)** : 우리와 풀밭 등을 갖추어 소나 말이나 양 등을 놓아 기르는 곳.
ぼくじょう・まきば【牧場】
囲いや草地などを備えて、牛・馬・羊などを放牧する場所。

• **풍경 (名詞)** : 감정을 불러일으키는 경치나 상황.
ふうけい【風景】。じょうけい【情景】
心の中にある感情を沸き起こさせる景色や場面。

• 을 : 동작이 직접적으로 영향을 미치는 대상을 나타내는 조사.
を
動作が直接的に影響を及ぼす対象を表す助詞。

• **한번 (副詞)** : 어떤 일을 시험 삼아 시도함을 나타내는 말.
いちど【一度】
ある事を試しにやってみることを表す語。

• **그리다 (動詞)** : 연필이나 붓 등을 이용하여 사물을 선이나 색으로 나타내다.
かく・えがく【描く】
鉛筆や筆などを利用して、線や色で物を表す。

• -어 보다 : 앞의 말이 나타내는 행동을 시험 삼아 함을 나타내는 표현.
てみる
前の言葉の表す行動を試しにやるという意を表す表現。

• -세요 : (두루높임으로) 설명, 의문, 명령, 요청의 뜻을 나타내는 종결 어미.
ます。です。ますか。ですか。てください
(略待上称) 説明・疑問・命令・要請の意を表す「終結語尾」。

시간+이 한참 <u>지나+[ㄴ 후에]</u> 선생님+께서+는 아이+들 자리+를 돌아다니+며 그림+을 살펴보+았+다. **지난 후에**

• **시간 (名詞)** : 자연히 지나가는 세월.
じかん【時間】。とき【時】
自然に流れていく年月。

• 이 : 어떤 상태나 상황의 대상이나 동작의 주체를 나타내는 조사.
が
ある状態・状況の対象や動作の主体を表す助詞。

• **한참 (名詞)** : 시간이 꽤 지나는 동안.
しばらく【暫く・姑く】。とうぶん【当分】。ながいあいだ【長い間】
長い時間を隔てているさま。

• **지나다 (動詞)** : 시간이 흘러 그 시기에서 벗어나다.
すぎる【過ぎる】。たつ【経つ】。へる【経る】
時間が経過して、その時期から遠ざかる。

• -ㄴ 후에 : 앞에 오는 말이 나타내는 행동을 하고 시간적으로 뒤에 다른 행동을 함을 나타내는 표현.
てから。たあとに【た後に】
前にくる言葉の表す行為をした後で、次の異なる行為をするという意を表す表現。

• **선생님 (名詞)** : (높이는 말로) 학생을 가르치는 사람.
せんせい【先生】
生徒を教える人を敬っていう語。

• 께서 : (높임말로) 가. 이. 어떤 동작의 주체가 높여야 할 대상임을 나타내는 조사.
は
「가」または「이」の尊敬語。ある行動の主体が敬う対象であることを表す助詞。

• 는 : 문장 속에서 어떤 대상이 화제임을 나타내는 조사.
は
文章の中である対象が話題であることを表す助詞。

• **아이 (名詞)** : 나이가 어린 사람.
こ【子】。こども【子供】
幼い者。

• 들 : '복수'의 뜻을 더하는 접미사.
たち・ら【達】
「複数」の意を付加する接尾辞。

• **자리 (名詞)** : 사람이 앉을 수 있도록 만들어 놓은 곳.
せき【席】。ざせき【座席】
人が座れるようにしておいたところ。

• 를 : 동작의 도착지나 동작이 이루어지는 장소를 나타내는 조사.
を
動作の到達点や動作の行われる場所を表す助詞。

• **돌아다니다 (動詞)** : 여기저기를 두루 다니다.
めぐる【巡る】。あるきまわる【歩き回る】。であるく【出歩く】
あちこちと歩く。

• -며 : 두 가지 이상의 동작이나 상태가 함께 일어남을 나타내는 연결 어미.
ながら
二つ以上の動作や状態が共に起こるという意を表す「連結語尾」。

• **그림 (名詞)** : 선이나 색채로 사물의 모양이나 이미지 등을 평면 위에 나타낸 것.
え【絵】。かいが【絵画】
線や色彩で事物の模様やイメージなどを平面上に表したもの。

• 을 : 동작이 직접적으로 영향을 미치는 대상을 나타내는 조사.
を
動作が直接的に影響を及ぼす対象を表す助詞。

• **살펴보다 (動詞)** : 여기저기 빠짐없이 자세히 보다.
よくみる【よく見る】。みまわす【見回す】
あちこち漏れなく細かく見る。

• -았- : 사건이 과거에 일어났음을 나타내는 어미.
た
出来事が過去にあったという意を表す語尾。

• -다 : 어떤 사건이나 사실, 상태를 서술함을 나타내는 종결 어미.
する。…い。…だ。である
現在の出来事や事実を叙述する意を表す「終結語尾」。

선생님 : 소+가 참 한가롭(한가로우)+[어 보이]+네요.
한가로워 보이네요

• **소 (名詞)** : 몸집이 크고 갈색이나 흰색과 검은색의 털이 있으며, 젖을 짜 먹거나 고기를 먹기 위해 기르는 짐승.
うし【牛】
大型で、褐色または白色と黒色の毛があり、乳を搾って飲んだり、肉を食べたりするために飼う家畜。

• 가 : 어떤 상태나 상황에 놓인 대상이나 동작의 주체를 나타내는 조사.
が
ある状態や状況に置かれた対象、または動作の主体を表す助詞。

• **참 (副詞)** : 사실이나 이치에 조금도 어긋남이 없이 정말로.
ほんとうに【本当に】。じつに【実に】。とても。まことに【誠に】
事実や道理に照らし合わせて、ちっとも食い違いがない様子。

• **한가롭다 (形容詞)** : 바쁘지 않고 여유가 있는 듯하다.
のんびりする。のびのびとする
せわしくなく、ゆったりとしているようだ。

• -어 보이다 : 겉으로 볼 때 앞의 말이 나타내는 것처럼 느껴지거나 추측됨을 나타내는 표현.
てみえる。くみえる。にみえる。そうだ
見かけでは前の言葉の表す状態のように見えたり思われるという意を表す表現。

• -네요 : (두루높임으로) 말하는 사람이 직접 경험하여 새롭게 알게 된 사실에 대해 감탄함을 나타낼 때 쓰는 표현.
ですね。ますね
(略待上称) 話し手が直接経験して新しく知ったことについて感嘆する意を表すのに用いる表現。

선생님 : 잘 그리+었+어요.
그렸어요

• **잘 (副詞)** : 익숙하고 솜씨 있게.
よく。うまく。じょうずに【上手に】。たくみに【巧みに】
上手に、手際よく。

• **그리다 (動詞)** : 연필이나 붓 등을 이용하여 사물을 선이나 색으로 나타내다.
かく・えがく【描く】
鉛筆や筆などを利用して、線や色で物を表す。

• -었- : 어떤 사건이 과거에 완료되었거나 그 사건의 결과가 현재까지 지속되는 상황을 나타내는 어미.
た。ている
ある出来事が過去に完了したことや、その出来事の結果が現在まで持続している状況を表す語尾。

• -어요 : (두루높임으로) 어떤 사실을 서술하거나 질문, 명령, 권유함을 나타내는 종결 어미.
ます。です。ますか。ですか。てください
(略待上称) ある事実を叙述したり質問、命令、勧誘する意を表す「終結語尾」。

이렇+게 선생님+께서+는 학생+들+의 그림+을 보+면서 칭찬+을 하+[여 주]+시+었+다. **해 주셨다**

• **이렇다 (形容詞)** : 상태, 모양, 성질 등이 이와 같다.
こうである。このようだ【此の様だ】
状態、形、性質などがこの通りである。

• -게 : 앞의 말이 뒤에서 가리키는 일의 목적이나 결과, 방식, 정도 등이 됨을 나타내는 연결 어미.
…く。…に。ように。ほど
前の事柄が後の事柄の目的・結果・方法・程度などになるという意を表す「連結語尾」。

• **선생님 (名詞)** : (높이는 말로) 학생을 가르치는 사람.
せんせい【先生】
生徒を教える人を敬っていう語。

• 께서 : (높임말로) 가. 이. 어떤 동작의 주체가 높여야 할 대상임을 나타내는 조사.
は
「가」または「이」の尊敬語。ある行動の主体が敬う対象であることを表す助詞。

• 는 : 문장 속에서 어떤 대상이 화제임을 나타내는 조사.
は
文章の中である対象が話題であることを表す助詞。

• **학생 (名詞)** : 학교에 다니면서 공부하는 사람.
じどう【児童】。せいと【生徒】。がくせい【学生】
学校に通って勉強する人。

• 들 : '복수'의 뜻을 더하는 접미사.
たち・ら【達】
「複数」の意を付加する接尾辞。

• 의 : 앞의 말이 뒤의 말에 대하여 소유, 소속, 소재, 관계, 기원, 주체의 관계를 가짐을 나타내는 조사.
の
前の言葉が後ろの言葉に対し、所有、所在、関係、起源、主体の関係を持つことを表す助詞。

• **그림 (名詞)** : 선이나 색채로 사물의 모양이나 이미지 등을 평면 위에 나타낸 것.
え【絵】。かいが【絵画】
線や色彩で事物の模様やイメージなどを平面上に表したもの。

• 을 : 동작이 직접적으로 영향을 미치는 대상을 나타내는 조사.
を
動作が直接的に影響を及ぼす対象を表す助詞。

• **보다 (動詞)** : 책이나 신문, 지도 등의 글자나 그림, 기호 등을 읽고 내용을 이해하다.
みる【見る】。よむ【読む】
本・新聞・地図などの字・絵・記号などを読んで、内容を理解する。

• -면서 : 두 가지 이상의 동작이나 상태가 함께 일어남을 나타내는 연결 어미.
ながら
二つ以上の動作や状態が共に起こるという意を表す「連結語尾」。

• **칭찬 (名詞)** : 좋은 점이나 잘한 일 등을 매우 훌륭하게 여기는 마음을 말로 나타냄. 또는 그런 말.
しょうさん【称賛】
人の良いところや善行などについて非常に優れていると評価し、そのことを言葉に表現すること。また、その褒め言葉。

• 을 : 동작이 직접적으로 영향을 미치는 대상을 나타내는 조사.
を
動作が直接的に影響を及ぼす対象を表す助詞。

• **하다 (動詞)** : 어떤 행동이나 동작, 활동 등을 행하다.
する【為る】。やる【遣る】。なす【成す・為す】
ある行動や動作、活動などを行う。

• -여 주다 : 남을 위해 앞의 말이 나타내는 행동을 함을 나타내는 표현.
てやる。てあげる。てくれる
他人のために前の言葉の表す行動をするという意を表す表現。

• -시- : 어떤 동작이나 상태의 주체를 높이는 뜻을 나타내는 어미.
お…になる。ご…になる
ある動作や状態の主体を敬う意を表す語尾。

• -었- : 사건이 과거에 일어났음을 나타내는 어미.
た
出来事が過去にあったという意を表す語尾。

• -다 : 어떤 사건이나 사실, 상태를 서술함을 나타내는 종결 어미.
する。…い。…だ。である
現在の出来事や事実を叙述する意を表す「終結語尾」。

그런데 한 학생+의 스케치북+은 백지상태 <u>그대로+이+었+다</u>. **그대로였다**

• **그런데 (副詞)** : 이야기를 앞의 내용과 관련시키면서 다른 방향으로 바꿀 때 쓰는 말.
しかし
話題を前の内容と関連づけて他の方向に変える時に用いる語。

• **한 (冠形詞)** : 여럿 중 하나인 어떤.
ある【或る】
多くの中で一つ。

• **학생 (名詞)** : 학교에 다니면서 공부하는 사람.
じどう【児童】。せいと【生徒】。がくせい【学生】
学校に通って勉強する人。

• 의 : 앞의 말이 뒤의 말에 대하여 소유, 소속, 소재, 관계, 기원, 주체의 관계를 가짐을 나타내는 조사.
の
前の言葉が後ろの言葉に対し、所有、所在、関係、起源、主体の関係を持つことを表す助詞。

• **스케치북 (名詞)** : 그림을 그릴 수 있는 하얀 도화지를 여러 장 묶어 놓은 책.
スケッチフック
絵が描ける白い図画用紙を数枚束ねておいた本。

• 은 : 문장 속에서 어떤 대상이 화제임을 나타내는 조사.
は
文章の中である対象が話題であることを表す助詞。

• **백지상태 (名詞)** : 종이에 아무것도 쓰지 않은 상태.
はくしのじょうたい【白紙の状態】
紙に何も書いていない状態。

• **그대로 (名詞)** : 그것과 똑같은 것.
そのまま
そのものとまったく同じであること。

• 이다 : 주어가 지시하는 대상의 속성이나 부류를 지정하는 뜻을 나타내는 서술격 조사.
だ。である
主語が指す対象の属性や部類を指定する意を表す叙述格助詞。

• -었- : 사건이 과거에 일어났음을 나타내는 어미.
た
出来事が過去にあったという意を表す語尾。

• -다 : 어떤 사건이나 사실, 상태를 서술함을 나타내는 종결 어미.
する。…い。…だ。である
現在の出来事や事実を叙述する意を表す「終結語尾」。

선생님 : 너+는 어떤 그림+을 그리+[ㄴ 것(거)]+(이)+니? 넌 그린 거니

• **너 (代名詞)** : 듣는 사람이 친구나 아랫사람일 때, 그 사람을 가리키는 말.
おまえ【お前】。きみ【君】
聞き手が友人か目下の人である場合、その聞き手をさす語。

• 는 : 문장 속에서 어떤 대상이 화제임을 나타내는 조사.
は
文章の中である対象が話題であることを表す助詞。

• **어떤 (冠形詞)** : 사람이나 사물의 특징, 내용, 성격, 성질, 모양 등이 무엇인지 물을 때 쓰는 말.
どんな。どのような。どういう
人や物の特徴、内容、性格、形などについて聞く時に用いる語。

• **그림 (名詞)** : 선이나 색채로 사물의 모양이나 이미지 등을 평면 위에 나타낸 것.
え【絵】。かいが【絵画】
線や色彩で事物の模様やイメージなどを平面上に表したもの。

• 을 : 서술어의 명사형 목적어임을 나타내는 조사.
を
述語の名詞形目的語であることを表す助詞。

• **그리다 (動詞)** : 연필이나 붓 등을 이용하여 사물을 선이나 색으로 나타내다.
かく・えがく【描く】
鉛筆や筆などを利用して、線や色で物を表す。

• -ㄴ 것 : 명사가 아닌 것을 문장에서 명사처럼 쓰이게 하거나 '이다' 앞에 쓰일 수 있게 할 때 쓰는 표현.
こと。の。もの
名詞でないものを文中で名詞化し、「이다」の前にくるようにするのに用いる表現。

• 이다 : 주어가 지시하는 대상의 속성이나 부류를 지정하는 뜻을 나타내는 서술격 조사.
だ。である
主語が指す対象の属性や部類を指定する意を表す叙述格助詞。

• -니 : (아주낮춤으로) 물음을 나타내는 종결 어미.
か
(下称) 質問の意を表す「終結語尾」。

학생 : 풀+을 뜯+[고 있]+는 소+를 그리+었+어요.
그렸어요

• **풀 (名詞)** : 줄기가 연하고, 대개 한 해를 지내면 죽는 식물.
くさ【草】
茎が柔らかく、大体1年が経つと枯れる植物。

• 을 : 동작이 직접적으로 영향을 미치는 대상을 나타내는 조사.
を
動作が直接的に影響を及ぼす対象を表す助詞。

• **뜯다 (動詞)** : 풀이나 질긴 음식을 입에 물고 떼어서 먹다.
かじる【齧る】。はむ【食む】
草や堅い食べ物を歯でかみ取って食べる。

• -고 있다 : 앞의 말이 나타내는 행동이 계속 진행됨을 나타내는 표현.
ている
前の言葉の表す行動が引き続き行われるという意を表す表現。

• -는 : 앞의 말이 관형어의 기능을 하게 만들고 사건이나 동작이 현재 일어남을 나타내는 어미.
する。ている
前の言葉に連体修飾語の機能を持たせ、出来事や動作が現在進行中であるという意を表す語尾。

• **소 (名詞)** : 몸집이 크고 갈색이나 흰색과 검은색의 털이 있으며, 젖을 짜 먹거나 고기를 먹기 위해 기르는 짐승.
うし【牛】
大型で、褐色または白色と黒色の毛があり、乳を搾って飲んだり、肉を食べたりするために飼う家畜。

• 를 : 동작이 직접적으로 영향을 미치는 대상을 나타내는 조사.
を
動作が直接的に影響を及ぼす対象を表す助詞。

• **그리다 (動詞)** : 연필이나 붓 등을 이용하여 사물을 선이나 색으로 나타내다.
かく・えがく【描く】
鉛筆や筆などを利用して、線や色で物を表す。

• -었- : 어떤 사건이 과거에 완료되었거나 그 사건의 결과가 현재까지 지속되는 상황을 나타내는 어미.
た。ている
ある出来事が過去に完了したことや、その出来事の結果が現在まで持続している状況を表す語尾。

• -어요 : (두루높임으로) 어떤 사실을 서술하거나 질문, 명령, 권유함을 나타내는 종결 어미.
ます。です。ますか。ですか。てください
(略待上称) ある事実を叙述したり質問、命令、勧誘する意を表す「終結語尾」。

선생님 : 그런데 풀+은 어디 있+니?

• **그런데 (副詞)** : 이야기를 앞의 내용과 관련시키면서 다른 방향으로 바꿀 때 쓰는 말.
しかし
話題を前の内容と関連づけて他の方向に変える時に用いる語。

• **풀 (名詞)** : 줄기가 연하고, 대개 한 해를 지내면 죽는 식물.
くさ【草】
茎が柔らかく、大体1年が経つと枯れる植物。

• 은 : 문장 속에서 어떤 대상이 화제임을 나타내는 조사.
は
文章の中である対象が話題であることを表す助詞。

• **어디 (代名詞)** : 모르는 곳을 가리키는 말.
どこ
知らない場所を指す語。

• **있다 (形容詞)** : 무엇이 어떤 곳에 자리나 공간을 차지하고 존재하는 상태이다.
ある【有る・在る】
何かがある空間を占めて存在する状態だ。

• -니 : (아주낮춤으로) 물음을 나타내는 종결 어미.
か
(下称) 質問の意を表す「終結語尾」。

학생 : 소+가 이미 다 먹+[어 버리]+었+어요. **먹어 버렸어요**

• **소 (名詞)** : 몸집이 크고 갈색이나 흰색과 검은색의 털이 있으며, 젖을 짜 먹거나 고기를 먹기 위해 기르는 짐승.
うし【牛】
大型で、褐色または白色と黒色の毛があり、乳を搾って飲んだり、肉を食べたりするために飼う家畜。

• 가 : 어떤 상태나 상황에 놓인 대상이나 동작의 주체를 나타내는 조사.
が
ある状態や状況に置かれた対象、または動作の主体を表す助詞。

• **이미 (副詞)** : 어떤 일이 이루어진 때가 지금 시간보다 앞서.
すでに【既に・已に】。もう
あることが行われた時が今より先。

• **다 (副詞)** : 남거나 빠진 것이 없이 모두.
ぜんぶ【全部】。すべて【全て】。みな【皆】。のこらず【残らず】。もれなく
残ったり、漏れたものがなく、全て。

• **먹다 (動詞)** : 음식 등을 입을 통하여 배 속에 들여보내다.
たべる【食べる】。くう【食う・喰う】。くらう【食らう】
食べ物を口の中に入れて飲み込む。

• -어 버리다 : 앞의 말이 나타내는 행동이 완전히 끝났음을 나타내는 표현.
てしまう
前の言葉の表す行動が完全に終わったという意を表す表現。

• -었- : 어떤 사건이 과거에 완료되었거나 그 사건의 결과가 현재까지 지속되는 상황을 나타내는 어미.
た。ている
ある出来事が過去に完了したことや、その出来事の結果が現在まで持続している状況を表す語尾。

• -어요 : (두루높임으로) 어떤 사실을 서술하거나 질문, 명령, 권유함을 나타내는 종결 어미.
ます。です。ますか。ですか。てください
(略待上称) ある事実を叙述したり質問、命令、勧誘する意を表す「終結語尾」。

선생님 : 그럼 소+는 왜 안 보이+니?

• **그럼 (副詞)** : 앞의 내용을 받아들이거나 그 내용을 바탕으로 하여 새로운 주장을 할 때 쓰는 말.
では
前の内容を受け入れたり、その内容に基づいて新しい主張をしたりする時に用いる語。

• **소 (名詞)** : 몸집이 크고 갈색이나 흰색과 검은색의 털이 있으며, 젖을 짜 먹거나 고기를 먹기 위해 기르는 짐승.
うし【牛】
大型で、褐色または白色と黒色の毛があり、乳を搾って飲んだり、肉を食べたりするために飼う家畜。

• 는 : 문장 속에서 어떤 대상이 화제임을 나타내는 조사.
は
文章の中である対象が話題であることを表す助詞。

• **왜 (副詞)** : 무슨 이유로. 또는 어째서.
なぜ【何故】。どうして。なんで【何で】
どういう理由で。また、何ゆえ。

• **안 (副詞)** : 부정이나 반대의 뜻을 나타내는 말.
対訳語無し
否定や反対の意を表す語。

• **보이다 (動詞)** : 눈으로 대상의 존재나 겉모습을 알게 되다.
みえる【見える】
目で対象の存在や見かけが分かるようになる。

• -니 : (아주낮춤으로) 물음을 나타내는 종결 어미.
か
(下称) 質問の意を表す「終結語尾」。

학생 : 선생님+도 참, 소+가 풀+을 다 먹+었+는데 여기+에 있+겠+어요?

• **선생님 (名詞)** : (높이는 말로) 학생을 가르치는 사람.
せんせい【先生】
生徒を教える人を敬っていう語。

• 도 : 놀라움, 감탄, 실망 등의 감정을 강조함을 나타내는 조사.
も
驚き・感嘆・失望などの感情を強調するという意を表す助詞。

• **참 (感動詞)** : 어이가 없거나 난처할 때 내는 소리.
まったく
あきれたり困った時に出す声。

• **소 (名詞)** : 몸집이 크고 갈색이나 흰색과 검은색의 털이 있으며, 젖을 짜 먹거나 고기를 먹기 위해 기르는 짐승.
うし【牛】
大型で、褐色または白色と黒色の毛があり、乳を搾って飲んだり、肉を食べたりするために飼う家畜。

• 가 : 어떤 상태나 상황에 놓인 대상이나 동작의 주체를 나타내는 조사.
が
ある状態や状況に置かれた対象、または動作の主体を表す助詞。

• **풀 (名詞)** : 줄기가 연하고, 대개 한 해를 지내면 죽는 식물.
くさ【草】
茎が柔らかく、大体1年が経つと枯れる植物。

• 을 : 동작이 직접적으로 영향을 미치는 대상을 나타내는 조사.
を
動作が直接的に影響を及ぼす対象を表す助詞。

• **다 (副詞)** : 남거나 빠진 것이 없이 모두.
ぜんぶ【全部】。すべて【全て】。みな【皆】。のこらず【残らず】。もれなく
残ったり、漏れたものがなく、全て。

• **먹다 (動詞)** : 음식 등을 입을 통하여 배 속에 들여보내다.
たべる【食べる】。くう【食う・喰う】。くらう【食らう】
食べ物を口の中に入れて飲み込む。

• -었- : 어떤 사건이 과거에 완료되었거나 그 사건의 결과가 현재까지 지속되는 상황을 나타내는 어미.
た。ている
ある出来事が過去に完了したことや、その出来事の結果が現在まで持続している状況を表す語尾。

• -는데 : 뒤의 말을 하기 위하여 그 대상과 관련이 있는 상황을 미리 말함을 나타내는 연결 어미.
が。けど
何かを言うための前置きとして、それと関連した状況を前もって述べるという意を表す「連結語尾」。

• **여기 (代名詞)** : 말하는 사람에게 가까운 곳을 가리키는 말.
ここ
話し手に近い所をさしていう語。

• 에 : 앞말이 어떤 장소나 자리임을 나타내는 조사.
に
前の言葉が場所や席であることを表す助詞。

• **있다 (動詞)** : 사람이나 동물이 어느 곳에서 떠나거나 벗어나지 않고 머물다.
いる【居る】
人や動物がある場所を離れずに留まる。

• -겠- : 완곡하게 말하는 태도를 나타내는 어미.
対訳語無し
婉曲に述べる態度を表す語尾。

• -어요 : (두루높임으로) 어떤 사실을 서술하거나 질문, 명령, 권유함을 나타내는 종결 어미.
ます。です。ますか。ですか。てください
(略待上称) ある事実を叙述したり質問、命令、勧誘する意を表す「終結語尾」。

< 9 단원(たんげん【単元】) >

제목 : 가장 큰 장애 요소는 무엇일까요?

● 본문 (ほんぶん【本文】)

한 중학교에서 선생님이 꿈의 중요성에 대해 이야기하고 있었다.

선생님 : 자, 여러분들에게 질문 하나 할게요.

여러분들이 꿈을 펼치려고 할 때 가장 큰 장애 요소는 무엇일까요?

잘 생각해 보세요.

힌트를 하나 줄게요.

답은 '자'로 시작하는 네 글자예요.

학생 1 : 정답은 자기 비하라고 생각합니다.

학생 2 : 정답은 자기 부정이라고 생각합니다.

선생님 : 맞아요.

자기 비하 또는 자기 부정은 꿈을 이루는 데 장애 요소가 돼요.

그때 한 학생이 천연덕스럽게 대답했다.

학생 3 : 정답은 자기 부모라고 생각합니다.

● 발음 (はつおん【発音】)

한 중학교에서 선생님이 꿈의 중요성에 대해 이야기하고 있었다.
한 중학꾜에서 선생니미 꾸메 중요성에 대해 이야기하고 이썯따.
han junghakgyoeseo seonsaengnimi kkumui(kkume) jungyoseonge daehae iyagihago isseotda.

선생님 : 자, 여러분들에게 질문 하나 할게요.
선생님 : 자, 여러분드레게 질문 하나 할께요.
seonsaengnim : ja, yeoreobundeurege jilmun hana halgeyo.

여러분들이 꿈을 펼치려고 할 때 가장 큰 장애 요소는 무엇일까요?
여러분드리 꾸믈 펼치려고 할 때 가장 큰 장애 요소는 무어실까요?
yeoreobundeuri kkumeul pyeolchiryeogo hal ttae gajang keun jangae yosoneun mueosilkkayo?

잘 생각해 보세요.
잘 생가캐 보세요.
jal saenggakae boseyo.

힌트를 하나 줄게요.
힌트를 하나 줄께요.
hinteureul hana julgeyo.

답은 '자'로 시작하는 네 글자예요.
다븐 '자'로 시자카는 네 글자예요.
dabeun 'ja'ro sijakaneun ne geuljayeyo.

학생 1 : 정답은 자기 비하라고 생각합니다.
학쌩 1 : 정다븐 자기 비하라고 생가캄니다.
haksaeng 1 : jeongdabeun jagi biharago saenggakamnida.

학생 2 : 정답은 자기 부정이라고 생각합니다.
학생 2 : 정다븐 자기 부정이라고 생가캄니다.
haksaeng 2 : jeongdabeun jagi bujeongirago saenggakamnida.

선생님 : 맞아요.
선생님 : 마자요.
seonsaengnim : majayo.

자기 비하 또는 자기 부정은 꿈을 이루는 데 장애 요소가 돼요.
자기 비하 또는 자기 부정은 꾸믈 이루는 데 장애 요소가 돼요.
jagi biha ttoneun jagi bujeongeun kkumeul iruneun de jangae yosoga dwaeyo.

그때 한 학생이 천연덕스럽게 대답했다.
그때 한 학쌩이 처년덕쓰럽께 대다팯따.
geuttae han haksaengi cheonyeondeokseureopge daedapaetda.

학생 3 : 정답은 자기 부모라고 생각합니다.
학쌩 3 : 정다븐 자기 부모라고 생가캄니다.
haksaeng 3 : jeongdabeun jagi bumorago saenggakamnida.

● 어휘 (ごい【語彙】) / 문법 (ぶんぽう【文法】)

한 중학교+에서 선생님+이 꿈+의 중요성+에 대하+여 이야기하+고 있+었+다.

선생님 : 자, 여러분+들+에게 질문 하나 하+ㄹ게요.

여러분+들+이 꿈+을 펼치+려고 하+ㄹ 때 가장 크+ㄴ 장애 요소+는

무엇+이+ㄹ까요?

잘 생각하+여 보+세요.

힌트+를 하나 주+ㄹ게요.

답+은 '자'+로 시작하+는 네 글자+이+에요.

학생 1 : 정답+은 자기 비하+(이)+라고 생각하+ㅂ니다.

학생 2 : 정답+은 자기 부정+이+라고 생각하+ㅂ니다.

선생님 : 맞+아요.

자기 비하 또는 자기 부정+은 꿈+을 이루+는 데 장애 요소+가 되+어요.

그때 한 학생+이 천연덕스럽+게 대답하+였+다.

학생 3 : 정답+은 자기 부모+(이)+라고 생각하+ㅂ니다.

한 중학교+에서 선생님+이 꿈+의 중요성+에 대하+여 이야기하+[고 있]+었+다. **대해**

• **한 (冠形詞)** : 여럿 중 하나인 어떤.
ある【或る】
多くの中で一つ。

• **중학교 (名詞)** : 초등학교를 졸업하고 중등 교육을 받기 위해 다니는 학교.
ちゅうがっこう【中学校】。ちゅうがく【中学】
小学校を卒業した人が中等教育を受けるために通う学校。

• 에서 : 앞말이 행동이 이루어지고 있는 장소임을 나타내는 조사.
で
前の言葉が行動の行われる場所であることを表す助詞。

• **선생님 (名詞)** : (높이는 말로) 학생을 가르치는 사람.
せんせい【先生】
生徒を教える人を敬っていう語。

• 이 : 어떤 상태나 상황의 대상이나 동작의 주체를 나타내는 조사.
が
ある状態・状況の対象や動作の主体を表す助詞。

• **꿈 (名詞)** : 앞으로 이루고 싶은 희망이나 목표.
ゆめ【夢】
これから実現したい希望や目標。

• 의 : 앞의 말이 뒤의 말에 대하여 속성이나 수량을 한정하거나 같은 자격임을 나타내는 조사.
の
前の言葉が後ろの言葉に対し、属性や数量を限定したり同格であることを表したりする助詞。

• **중요성 (名詞)** : 귀중하고 꼭 필요한 요소나 성질.
じゅうようせい【重要性】
貴重で必ず必要な要素や性質。

• 에 : 앞말이 말하고자 하는 특정한 대상임을 나타내는 조사.
に
前の言葉が言おうとする特定の対象であることを表す助詞。

• **대하다 (動詞)** : 대상이나 상대로 삼다.
たいする【対する】
対象や相手にする。

• -여 : 앞의 말이 뒤의 말보다 먼저 일어났거나 뒤의 말에 대한 방법이나 수단이 됨을 나타내는 연결 어미.
て。てから
前の事柄が後の事柄より先に行われたか、後の事柄の方法や手段になるという意を表す「連結語尾」。

• **이야기하다 (動詞)** : 어떠한 사실이나 상태, 현상, 경험, 생각 등에 관해 누군가에게 말을 하다.
はなす【話す】。いう【言う】。かたる【語る】。のべる【述べる】
ある事実や状態、現象、経験、考えなどを誰かに言葉で伝える。

• -고 있다 : 앞의 말이 나타내는 행동이 계속 진행됨을 나타내는 표현.
ている
前の言葉の表す行動が引き続き行われるという意を表す表現。

• -었- : 사건이 과거에 일어났음을 나타내는 어미.
た
出来事が過去に発生したという意を表す語尾。

• -다 : 어떤 사건이나 사실, 상태를 서술함을 나타내는 종결 어미.
する。…い。…だ。である
現在の出来事や事実を叙述する意を表す「終結語尾」。

선생님 : 자, 여러분+들+에게 질문 하나 하+ㄹ게요. **할게요**

• **자 (感動詞)** : 남의 주의를 끌려고 할 때에 하는 말.
さあ。ほら
注意を促すのに用いる語。

• **여러분 (代名詞)** : 듣는 사람이 여러 명일 때 그 사람들을 높여 이르는 말.
みなさん【皆さん】。みなさま【皆様】
複数の聞き手がいる場合、その聞き手たちを敬って呼ぶ語。

• 들 : '복수'의 뜻을 더하는 접미사.
たち・ら【達】
「複数」の意を付加する接尾辞。

• 에게 : 어떤 행동이 미치는 대상임을 나타내는 조사.
に
行動が行われる対象を表す助詞。

• **질문 (名詞)** : 모르는 것이나 알고 싶은 것을 물음.
しつもん【質問】
知らない点や知りたい点を尋ねること。

• **하나 (数詞)** : 숫자를 셀 때 맨 처음의 수.
ひとつ【一つ】。いち【一・壱】
数字を数えるときの最初の数。

• **하다 (動詞)** : 어떤 행동이나 동작, 활동 등을 행하다.
する【為る】。やる【遣る】。なす【成す・為す】
ある行動や動作、活動などを行う。

• -ㄹ게요 : (두루높임으로) 말하는 사람이 어떤 행동을 할 것을 듣는 사람에게 약속하거나 의지를 나타내는 표현.
ます
(略待上称) 話し手が聞き手に対してある行動をすると約束したり知らせたりする意を表す表現。

선생님 : 여러분+들+이 꿈+을 펼치+[려고 하]+[ㄹ 때] 가장 크+ㄴ 장애 요소+는
펼치려고 할 때 **큰**
무엇+이+ㄹ까요?
무엇일까요

• **여러분 (代名詞)** : 듣는 사람이 여러 명일 때 그 사람들을 높여 이르는 말.
みなさん【皆さん】。みなさま【皆様】
複数の聞き手がいる場合、その聞き手たちを敬って呼ぶ語。

• 들 : '복수'의 뜻을 더하는 접미사.
たち・ら【達】
「複数」の意を付加する接尾辞。

• 이 : 어떤 상태나 상황의 대상이나 동작의 주체를 나타내는 조사.
が
ある状態・状況の対象や動作の主体を表す助詞。

• **꿈 (名詞)** : 앞으로 이루고 싶은 희망이나 목표.
ゆめ【夢】
これから実現したい希望や目標。

• 을 : 동작이 직접적으로 영향을 미치는 대상을 나타내는 조사.
を
動作が直接的に影響を及ぼす対象を表す助詞。

• **펼치다 (動詞)** : 꿈이나 계획 등을 실제로 행하다.
じっこうする【実行する】。くりひろげる【繰り広げる】
夢・計画などを実際に行う。

• -려고 하다 : 앞의 말이 나타내는 행동을 할 의도나 의향이 있음을 나타내는 표현.
しようとする
前の言葉の表す行動をする意図や意向があるという意を表す表現。

• -ㄹ 때 : 어떤 행동이나 상황이 일어나는 동안이나 그 시기 또는 그러한 일이 일어난 경우를 나타내는 표현.
とき【時】。ときに【時に】
ある行動や状況が起こっている間やその時期、またそのようなことが起こった場合を表す表現。

• **가장 (副詞)** : 여럿 가운데에서 제일로.
もっとも【最も】。いちばん【一番】。なによりも【何よりも】
他のどれよりもまさるさま。

• **크다 (形容詞)** : 길이, 넓이, 높이, 부피 등이 보통 정도를 넘다.
おおきい【大きい】。たかい【高い】
長さ・広さ・高さ・かさなどが普通の水準を超える。

• -ㄴ : 앞의 말이 관형어의 기능을 하게 만들고 현재의 상태를 나타내는 어미.
た
前の言葉に連体修飾語の機能を持たせ、現在の状態を表す「語尾」。

• **장애 (名詞)** : 가로막아서 어떤 일을 하는 데 거슬리거나 방해가 됨. 또는 그런 일이나 물건.
しょうがい【障害・障碍・障礙】
あることをするのに妨げになったり邪魔になったりすること。また、その事や物。

• **요소 (名詞)** : 무엇을 이루는 데 반드시 있어야 할 중요한 성분이나 조건.
ようそ【要素】
何かを成すのに欠かせない重要な成分や条件。

• 는 : 문장 속에서 어떤 대상이 화제임을 나타내는 조사.
は
文章の中である対象が話題であることを表す助詞。

• **무엇 (代名詞)** : 모르는 사실이나 사물을 가리키는 말.
なに【何】
未知の事実や事物を指していう語。

• 이다 : 주어가 지시하는 대상의 속성이나 부류를 지정하는 뜻을 나타내는 서술격 조사.
だ。である
主語が指す対象の属性や部類を指定する意を表す叙述格助詞。

• -ㄹ까요 : (두루높임으로) 아직 일어나지 않았거나 모르는 일에 대해서 말하는 사람이 추측하며 질문할 때 쓰는 표현.
でしょうか
(略待上称)まだ起こっていないことや知らないことについて話し手が推測しながら尋ねるのに用いる表現。

선생님 : 잘 <u>생각하+[여 보]+세요</u>.
생각해 보세요
힌트+를 하나 <u>주+ㄹ게요</u>.
줄게요

• **잘 (副詞)** : 생각이 매우 깊고 조심스럽게.
じゅうぶんに【十分に】。じっくり
考えが非常に深くて慎重に。

• **생각하다 (動詞)** : 사람이 머리를 써서 판단하거나 인식하다.
かんがえる【考える】。しこうする【思考する】。おもう【思う】
人が頭を使って判断したり認識したりする。

• -여 보다 : 앞의 말이 나타내는 행동을 시험 삼아 함을 나타내는 표현.
てみる
前の言葉の表す行動を試してやるという意を表す表現。

• -세요 : (두루높임으로) 설명, 의문, 명령, 요청의 뜻을 나타내는 종결 어미.
ます。です。ますか。ですか。てください
(略待上称) 説明・疑問・命令・要請の意を表す「終結語尾」。

• **힌트 (名詞)** : 문제를 풀거나 일을 해결하는 데 도움이 되는 것.
ヒント
問題を解いたり、物事を解決するための手がかり。

• 를 : 동작이 직접적으로 영향을 미치는 대상을 나타내는 조사.
を
動作が直接的に影響を及ぼす対象を表す助詞。

• **하나 (数詞)** : 숫자를 셀 때 맨 처음의 수.
ひとつ【一つ】。いち【一・壱】
数字を数えるときの最初の数。

• **주다 (動詞)** : 남에게 경고, 암시 등을 하여 어떤 내용을 알 수 있게 하다.
あたえる【与える】
人に警告、暗示などをして、あることを分からせる。

• -ㄹ게요 : (두루높임으로) 말하는 사람이 어떤 행동을 할 것을 듣는 사람에게 약속하거나 의지를 나타내는 표현.
ます
(略待上称) 話し手が聞き手に対してある行動をすると約束したり知らせたりする意を表す表現。

선생님 : 답+은 '자'+로 시작하+는 네 <u>글자+이+에요</u>.
글자예요

• **답 (名詞)** : 질문이나 문제가 요구하는 것을 밝혀 말함. 또는 그런 말.
こたえ【答え】。かいとう【解答】
質問や問題が要求することを明らかにして言うこと。また、その言葉。

• 은 : 문장 속에서 어떤 대상이 화제임을 나타내는 조사.
は
文章の中である対象が話題であることを表す助詞。

• 로 : 움직임의 방향을 나타내는 조사.
に。へ
動きの方向を表す助詞。

• **시작하다 (動詞)** : 어떤 일이나 행동의 처음 단계를 이루거나 이루게 하다.
はじめる【始める】。てがける【手掛ける】。おこす【起す】
ある事や行動の初めの段階になったり、すること。また、そのような段階。

• -는 : 앞의 말이 관형어의 기능을 하게 만들고 사건이나 동작이 현재 일어남을 나타내는 어미.
する。ている
前の言葉に連体修飾語の機能を持たせ、出来事や動作が現在進行中であるという意を表す語尾。

• **네 (冠形詞)** : 넷의.
よっつの【四つの】
四つの。

• **글자 (名詞)** : 말을 적는 기호.
じ【字】。もじ【文字】
言葉を書き記す記号。

• 이다 : 주어가 지시하는 대상의 속성이나 부류를 지정하는 뜻을 나타내는 서술격 조사.
だ。である
主語が指す対象の属性や部類を指定する意を表す叙述格助詞。

• -에요 : (두루높임으로) 어떤 사실을 서술하거나 질문함을 나타내는 종결 어미.
ます。です。ますか。ですか
(略待上称) ある事実を叙述したり質問する意を表す「終結語尾」。

학생 1 : 정답+은 자기 비하+(이)+라고 생각하+ㅂ니다.
자기 비하라고　　생각합니다

• **정답 (名詞)** : 어떤 문제나 질문에 대한 옳은 답.
せいとう【正答】。せいかい【正解】
ある問題や質問に対する正しい答え。

• 은 : 문장 속에서 어떤 대상이 화제임을 나타내는 조사.
は
文章の中である対象が話題であることを表す助詞。

• **자기 (名詞)** : 그 사람 자신.
じこ【自己】。じぶん【自分】
その人自身。

• **비하 (名詞)** : 자기 자신을 낮춤.
ひげ【卑下】
自分自身を卑しめること。

• 이다 : 주어가 지시하는 대상의 속성이나 부류를 지정하는 뜻을 나타내는 서술격 조사.
だ。である
主語が指す対象の属性や部類を指定する意を表す叙述格助詞。

• -라고 : 다른 사람에게서 들은 내용을 간접적으로 전달하거나 주어의 생각, 의견 등을 나타내는 표현.
と
他人から聞いた話の内容を間接的に伝えたり主語の考えや意見などを述べるという意を表す表現。

• **생각하다 (動詞)** : 사람이 머리를 써서 판단하거나 인식하다.
かんがえる【考える】。しこうする【思考する】。おもう【思う】
人が頭を使って判断したり認識したりする。

• -ㅂ니다 : (아주높임으로) 현재의 동작이나 상태, 사실을 정중하게 설명함을 나타내는 종결 어미.
ます。です
(上称) 現在の動作や状態、事実を丁寧に説明する意を表す「終結語尾」。

학생 2 : 정답+은 자기 부정+이+라고 생각하+ㅂ니다.
생각합니다

• **정답 (名詞)** : 어떤 문제나 질문에 대한 옳은 답.
せいとう【正答】。せいかい【正解】
ある問題や質問に対する正しい答え。

• 은 : 문장 속에서 어떤 대상이 화제임을 나타내는 조사.
は
文章の中である対象が話題であることを表す助詞。

• **자기 (名詞)** : 그 사람 자신.
じこ【自己】。じぶん【自分】
その人自身。

• **부정 (名詞)** : 그렇지 않다고 판단하여 결정하거나 옳지 않다고 반대함.
ひてい【否定】
そうでないと判断して決定するか、非として反対すること。

• 이다 : 주어가 지시하는 대상의 속성이나 부류를 지정하는 뜻을 나타내는 서술격 조사.
だ。である
主語が指す対象の属性や部類を指定する意を表す叙述格助詞。

• -라고 : 다른 사람에게서 들은 내용을 간접적으로 전달하거나 주어의 생각, 의견 등을 나타내는 표현.
と
他人から聞いた話の内容を間接的に伝えたり主語の考えや意見などを述べるという意を表す表現。

• **생각하다 (動詞)** : 사람이 머리를 써서 판단하거나 인식하다.
かんがえる【考える】。しこうする【思考する】。おもう【思う】
人が頭を使って判断したり認識したりする。

• -ㅂ니다 : (아주높임으로) 현재의 동작이나 상태, 사실을 정중하게 설명함을 나타내는 종결 어미.
ます。です
(上称) 現在の動作や状態、事実を丁寧に説明する意を表す「終結語尾」。

선생님 : 맞+아요.

• **맞다 (動詞)** : 문제에 대한 답이 틀리지 않다.
あう【合う】
問題に対する答が間違わない。

• -아요 : (두루높임으로) 어떤 사실을 서술하거나 질문, 명령, 권유함을 나타내는 종결 어미.
ます。です。ますか。ですか。てください。
(略待上称) ある事実を叙述したり質問、命令、勧誘する意を表す「終結語尾」。

선생님 : 자기 비하 또는 자기 부정+은 꿈+을 이루+는 데 장애 요소+가 되+어요.
돼요

• **자기 (名詞)** : 그 사람 자신.
じこ【自己】。じぶん【自分】
その人自身。

• **비하 (名詞)** : 자기 자신을 낮춤.
ひげ【卑下】
自分自身を卑しめること。

• **또는 (副詞)** : 그렇지 않으면.
それとも。または。あるいは
それでなければ。

• **자기 (名詞)** : 그 사람 자신.
じこ【自己】。じぶん【自分】
その人自身。

• **부정 (名詞)** : 그렇지 않다고 판단하여 결정하거나 옳지 않다고 반대함.
ひてい【否定】
そうでないと判断して決定するか、非として反対すること。

• 은 : 문장 속에서 어떤 대상이 화제임을 나타내는 조사.
は
文章の中である対象が話題であることを表す助詞。

• **꿈 (名詞)** : 앞으로 이루고 싶은 희망이나 목표.
ゆめ【夢】
これから実現したい希望や目標。

• 을 : 동작이 직접적으로 영향을 미치는 대상을 나타내는 조사.
を
動作が直接的に影響を及ぼす対象を表す助詞。

• **이루다 (動詞)** : 뜻대로 되어 바라는 결과를 얻다.
なす【成す】。とげる【遂げる】。はたす【果す】
望んでいた結果を得る。

• -는 : 앞의 말이 관형어의 기능을 하게 만들고 사건이나 동작이 현재 일어남을 나타내는 어미.
する。ている
前の言葉に連体修飾語の機能を持たせ、出来事や動作が現在進行中であるという意を表す語尾。

• **데 (名詞)** : 일이나 것.
こと。の
ことやもの。

• **장애 (名詞)** : 가로막아서 어떤 일을 하는 데 거슬리거나 방해가 됨. 또는 그런 일이나 물건.
しょうがい【障害・障碍・障礙】
あることをするのに妨げになったり邪魔になったりすること。また、その事や物。

• **요소 (名詞)** : 무엇을 이루는 데 반드시 있어야 할 중요한 성분이나 조건.
ようそ【要素】
何かを成すのに欠かせない重要な成分や条件。

• 가 : 바뀌게 되는 대상이나 부정하는 대상임을 나타내는 조사.
に
対象が変わったり、否定したりすることを表す助詞。

• **되다 (動詞)** : 어떤 특별한 뜻을 가지는 상태에 놓이다.
なる
ある特別な意味を持つ状態に置かれる。

• -어요 : (두루높임으로) 어떤 사실을 서술하거나 질문, 명령, 권유함을 나타내는 종결 어미.
ます。です。ますか。ですか。てください。
(略待上称) ある事実を叙述したり質問、命令、勧誘する意を表す「終結語尾」。

그때 한 학생+이 천연덕스럽+게 대답하+였+다. **대답했다**

• **그때 (名詞)** : 앞에서 이야기한 어떤 때.
そのとき【その時】。そのじき【その時期】
前述のある時。

• **한 (冠形詞)** : 여럿 중 하나인 어떤.
ある【或る】
多くの中で一つ。

• **학생 (名詞)** : 학교에 다니면서 공부하는 사람.
じどう【児童】。せいと【生徒】。がくせい【学生】
学校に通って勉強する人。

• 이 : 어떤 상태나 상황의 대상이나 동작의 주체를 나타내는 조사.
が
ある状態・状況の対象や動作の主体を表す助詞。

• **천연덕스럽다 (形容詞)** : 생긴 그대로 조금도 거짓이나 꾸밈이 없고 자연스러운 데가 있다.
かざりけがない【飾り気が無い】
ありのままで少しも偽りや飾りがなく、自然なところがある。

• -게 : 앞의 말이 뒤에서 가리키는 일의 목적이나 결과, 방식, 정도 등이 됨을 나타내는 연결 어미.
…く。…に。ように。ほど
前の事柄が後の事柄の目的・結果・方法・程度などになるという意を表す「連結語尾」。

• **대답하다 (動詞)** : 묻거나 요구하는 것에 해당하는 것을 말하다.
こたえる【答える】。かいとうする【回答する】
問いや要求に対して該当することを言う。

• -였- : 사건이 과거에 일어났음을 나타내는 어미.
た
出来事が過去に発生したという意を表す語尾。

• -다 : 어떤 사건이나 사실, 상태를 서술함을 나타내는 종결 어미.
する。…い。…だ。である
現在の出来事や事実を叙述する意を表す「終結語尾」。

학생 3 : 정답+은 자기 부모+(이)+라고 생각하+ㅂ니다. 자기 부모라고 생각합니다

• **정답 (名詞)** : 어떤 문제나 질문에 대한 옳은 답.
せいとう【正答】。せいかい【正解】
ある問題や質問に対する正しい答え。

• 은 : 문장 속에서 어떤 대상이 화제임을 나타내는 조사.
は
文章の中である対象が話題であることを表す助詞。

• **자기 (名詞)** : 그 사람 자신.
じこ【自己】。じぶん【自分】
その人自身。

• **부모 (名詞)** : 아버지와 어머니.
おや【親】。りょうしん【両親】。ふぼ【父母】
父と母。

• 이다 : 주어가 지시하는 대상의 속성이나 부류를 지정하는 뜻을 나타내는 서술격 조사.
だ。である
主語が指す対象の属性や部類を指定する意を表す叙述格助詞。

• -라고 : 다른 사람에게서 들은 내용을 간접적으로 전달하거나 주어의 생각, 의견 등을 나타내는 표현.
と
他人から聞いた話の内容を間接的に伝えたり主語の考えや意見などを述べるという意を表す表現。

• **생각하다 (動詞)** : 사람이 머리를 써서 판단하거나 인식하다.
かんがえる【考える】。しこうする【思考する】。おもう【思う】
人が頭を使って判断したり認識したりする。

• -ㅂ니다 : (아주높임으로) 현재의 동작이나 상태, 사실을 정중하게 설명함을 나타내는 종결 어미.
ます。です
(上称) 現在の動作や状態、事実を丁寧に説明する意を表す「終結語尾」。

< 10 단원(たんげん【単元】) >

제목 : 뭐, 없어진 물건이라도 있으세요?

● 본문 (ほんぶん【本文】)

북적거리는 쇼핑몰에서 한 여성이 핸드백을 잃어버렸다.

핸드백을 주운 정직한 소년은 그 여성에게 가방을 돌려줬다.

건네받은 핸드백 안을 이리저리 살펴보던 여자가 말했다.

여자 : 핸드백에 중요한 것이 많아서 못 찾을까 봐 걱정했는데 너무 고맙구나.

그런데 음, 이상한 일이구나.

소년 : 뭐, 없어진 물건이라도 있으세요?

여자 : 그건 아니고, 지갑 안에 분명히 오만 원짜리 지폐 한 장이 들어 있었는데

지금은 만 원짜리 다섯 장이 들어 있네.

거참, 신기하네.

소년 : 아, 그거요.

저번에 제가 어떤 여자분 지갑을 찾아 줬는데 그분이 잔돈이 없다고

사례금을 안 주셨거든요.

● 발음 (はつおん【発音】)

북적거리는 쇼핑몰에서 한 여성이 핸드백을 잃어버렸다.
북쩍꺼리는 쇼핑모레서 한 여성이 핸드배글 이러버렫따.
bukjeokgeorineun syopingmoreseo han yeoseongi haendeubaegeul ireobeoryeotda.

핸드백을 주운 정직한 소년은 그 여성에게 가방을 돌려줬다.
핸드배글 주운 정지칸 소녀는 그 여성에게 가방을 돌려줟따.
haendeubaegeul juun jeongjikan sonyeoneun geu yeoseongege gabangeul dollyeojwotda.

건네받은 핸드백 안을 이리저리 살펴보던 여자가 말했다.
건네바든 핸드백 아늘 이리저리 살펴보던 여자가 말핻따.
geonnebadeun haendeubaek aneul irijeori salpyeobodeon yeojaga malhaetda.

여자 : 핸드백에 중요한 것이 많아서 못 찾을까 봐 걱정했는데 너무 고맙구나.
여자 : 핸드배게 중요한 거시 마나서 몯 차즐까 봐 걱쩡핸는데 너무 고맙꾸나.
yeoja : haendeubaege jungyohan geosi manaseo mot chajeulkka bwa geokjeonghaenneunde neomu gomapguna.

그런데 음, 이상한 일이구나.
그런데 음, 이상한 이리구나.
geureonde eum, isanghan iriguna.

소년 : 뭐, 없어진 물건이라도 있으세요?
소년 : 뭐, 업써진 물거니라도 이쓰세요?
sonyeon : mwo, eopseojin mulgeonirado isseuseyo?

여자 : 그건 아니고, 지갑 안에 분명히 오만 원짜리 지폐 한 장이 들어 있었는데
여자 : 그건 아니고, 지갑 아네 분명히 오만 원짜리 지폐 한 장이 드러 이썬는데
yeoja : geugeon anigo, jigap ane bunmyeonghi oman wonjjari jipye(jipe) han jangi deureo isseonneunde

지금은 만 원짜리 다섯 장이 들어 있네.
지그믄 만 원짜리 다섣 장이 드러 인네.
jigeumeun man wonjjari daseot jangi deureo inne.

거참, 신기하네.
거참, 신기하네.
geocham, singihane.

소년 : 아, 그거요.
소년 : 아, 그거요.
sonyeon : a, geugeoyo.

저번에 제가 어떤 여자분 지갑을 찾아 줬는데 그분이 잔돈이 없다고
저버네 제가 어떤 여자분 지가블 차자 줜는데 그부니 잔도니 업따고
jeobeone jega eotteon yeojabun jigabeul chaja jwonneunde geubuni jandoni eopdago

사례금을 안 주셨거든요.
사례그믈 안 주셛꺼드뇨.
saryegeumeul an jusyeotgeodeunyo.

● 어휘 (ごい【語彙】) / 문법 (ぶんぽう【文法】)

북적거리+는 쇼핑몰+에서 한 여성+이 핸드백+을 잃어버리+었+다.

핸드백+을 줍(주우)+ㄴ 정직하+ㄴ 소년+은 그 여성+에게 가방+을 돌려주+었+다.

건네받+은 핸드백 안+을 이리저리 살펴보+던 여자+가 말하+였+다.

여자 : 핸드백+에 중요하+ㄴ 것+이 많+아서 못 찾+을까 보+아 걱정하+였+는데 너무 고맙+구나.

그런데 음, 이상하+ㄴ 일+이+구나.

소년 : 뭐, 없어지+ㄴ 물건+이라도 있+으세요?

여자 : 그것(그거)+은 아니+고, 지갑 안+에 분명히 오만 원+짜리 지폐 한 장+이 들+어 있+었+는데 지금+은 만 원+짜리 다섯 장+이 들+어 있+네.

거참, 신기하+네.

소년 : 아, 그거+요.

저번+에 제+가 어떤 여자+분 지갑+을 찾+아 주+었+는데 그분+이 잔돈+이 없+다고 사례금+을 안 주+시+었+거든요.

북적거리+는 쇼핑몰+에서 한 여성+이 핸드백+을 잃어버리+었+다. 잃어버렸다

• **북적거리다 (動詞)** : 많은 사람이 한곳에 모여 매우 어수선하고 시끄럽게 자꾸 떠들다.
ごたごたする。ごたつく。ごったがえす【ごった返す】
多くの人が一か所に集まって、うるさく騒ぐ。

• -는 : 앞의 말이 관형어의 기능을 하게 만들고 사건이나 동작이 현재 일어남을 나타내는 어미.
する。ている
前の言葉に連体修飾語の機能を持たせ、出来事や動作が現在進行中であるという意を表す語尾。

• **쇼핑몰 (名詞)** : 여러 가지 물건을 파는 상점들이 모여 있는 곳.
ショッピングモール
様々な商品を売る多数の店が密集している商店街。

• 에서 : 앞말이 행동이 이루어지고 있는 장소임을 나타내는 조사.
で
前の言葉が行動の行われる場所であることを表す助詞。

• **한 (冠形詞)** : 여럿 중 하나인 어떤.
ある【或る】
多くの中で一つ。

• **여성 (名詞)** : 어른이 되어 아이를 낳을 수 있는 여자.
じょせい【女性】。ふじん【婦人】
子供を産むことができる成人した女。

• 이 : 어떤 상태나 상황의 대상이나 동작의 주체를 나타내는 조사.
が
ある状態・状況の対象や動作の主体を表す助詞。

• **핸드백 (名詞)** : 여자들이 손에 들거나 한쪽 어깨에 메는 작은 가방.
ハンドバッグ
手に持ったり肩に掛けたりする女性用の小型かばん。

• 을 : 동작이 직접적으로 영향을 미치는 대상을 나타내는 조사.
を
動作が直接的に影響を及ぼす対象を表す助詞。

• **잃어버리다 (動詞)** : 가졌던 물건을 흘리거나 놓쳐서 더 이상 갖지 않게 되다.
うしなう【失う】。わすれる【忘れる】。なくす【無くす】。ふんしつする【紛失する】
持っていた物を落として、これ以上持たなくなる。

• -었- : 사건이 과거에 일어났음을 나타내는 어미.
た
出来事が過去にあったという意を表す語尾。

• -다 : 어떤 사건이나 사실, 상태를 서술함을 나타내는 종결 어미.
する。…い。…だ。である
現在の出来事や事実を叙述する意を表す「終結語尾」。

핸드백+을 줍(주우)+ㄴ 정직하+ㄴ 소년+은 그 여성+에게 가방+을 돌려주+었+다.
주운 **정직한** **돌려줬다**

• **핸드백 (名詞)** : 여자들이 손에 들거나 한쪽 어깨에 메는 작은 가방.
ハンドバッグ
手に持ったり肩に掛けたりする女性用の小型かばん。

• 을 : 동작이 직접적으로 영향을 미치는 대상을 나타내는 조사.
を
動作が直接的に影響を及ぼす対象を表す助詞。

• **줍다 (動詞)** : 남이 잃어버린 물건을 집다.
しゅうとくする【習得する】。ひろう【拾う】
他人の落とした物を手に入れる。

• -ㄴ : 앞의 말이 관형어의 기능을 하게 만들고 사건이나 동작이 완료되어 그 상태가 유지되고 있음을 나타내는 어미.
た。ている
前の言葉に連体修飾語の機能を持たせ、出来事や動作が完了してその状態が続いているという意を表す語尾。

• **정직하다 (形容詞)** : 마음에 거짓이나 꾸밈이 없고 바르고 곧다.
しょうじきだ【正直だ】
心にうそやごまかしがなく、正しくて真っ直ぐだ。

• -ㄴ : 앞의 말이 관형어의 기능을 하게 만들고 현재의 상태를 나타내는 어미.
た
前の言葉に連体修飾語の機能を持たせ、現在の状態を表す「語尾」。

• **소년 (名詞)** : 아직 어른이 되지 않은 어린 남자아이.
しょうねん【少年】
まだ成年に達していない、年少の男子。

• 은 : 문장 속에서 어떤 대상이 화제임을 나타내는 조사.
は
文章の中である対象が話題であることを表す助詞。

• **그 (冠形詞)** : 앞에서 이미 이야기한 대상을 가리킬 때 쓰는 말.
その。あの。れいの【例の】
すでに話した対象をさすときに使う語。

• **여성 (名詞)** : 어른이 되어 아이를 낳을 수 있는 여자.
じょせい【女性】。ふじん【婦人】
子供を産むことができる成人した女。

• 에게 : 어떤 행동이 미치는 대상임을 나타내는 조사.
に
行動が行われる対象を表す助詞。

• **가방 (名詞)** : 물건을 넣어 손에 들거나 어깨에 멜 수 있게 만든 것.
かばん。バッグ
何かを中に入れて手でさげたり肩にかけたりできるように作られた携帯用具。

• 을 : 동작이 직접적으로 영향을 미치는 대상을 나타내는 조사.
を
動作が直接的に影響を及ぼす対象を表す助詞。

• **돌려주다 (動詞)** : 빌리거나 빼거나 받은 것을 주인에게 도로 주거나 갚다.
かえす【返す】。へんきゃくする【返却する】。へんさいする【返済する】
借りたり奪ったりもらったりした物を持ち主に戻す。

• -었- : 사건이 과거에 일어났음을 나타내는 어미.
た
出来事が過去にあったという意を表す語尾。

• -다 : 어떤 사건이나 사실, 상태를 서술함을 나타내는 종결 어미.
する。…い。…だ。である
現在の出来事や事実を叙述する意を表す「終結語尾」。

건네받+은 핸드백 안+을 이리저리 살펴보+던 여자+가 말하+였+다. **말했다**

• **건네받다 (動詞)** : 다른 사람으로부터 어떤 것을 옮기어 받다.
わたされる【渡される】。てわたされる【手渡される】
他の人にお金や物を与えてもらう。

• -은 : 앞의 말이 관형어의 기능을 하게 만들고 사건이나 동작이 완료되어 그 상태가 유지되고 있음을 나타내는 어미.
た。ている
前の言葉に連体修飾語の機能を持たせ、出来事や動作が完了してその状態が続いているという意を表す語尾。

• **핸드백 (名詞)** : 여자들이 손에 들거나 한쪽 어깨에 메는 작은 가방.
ハンドバッグ
手に持ったり肩に掛けたりする女性用の小型かばん。

• **안 (名詞)** : 어떤 물체나 공간의 둘레에서 가운데로 향한 쪽. 또는 그러한 부분.
なか【中】。ないぶ【内部】。うち【内】。おく【奥】
ある物体や空間の内側。また、その部分。

• 을 : 동작이 직접적으로 영향을 미치는 대상을 나타내는 조사.
を
動作が直接的に影響を及ぼす対象を表す助詞。

• **이리저리 (副詞)** : 방향을 정하지 않고 이쪽저쪽으로.
あちこち【彼方此方】。あっちこっち【彼方此方】。あちらこちら【彼方此方】
方向を決めずにいろいろな所へ。

• **살펴보다 (動詞)** : 무엇을 찾거나 알아보다.
さぐる【探る】。しらべる【調べる】
何かを探したり調べる。

• -던 : 앞의 말이 관형어의 기능을 하게 만들고 사건이나 동작이 과거에 완료되지 않고 중단되었음을 나타내는 어미.
…かけた。…かけの。ていた
前の言葉に連体修飾語の機能を持たせ、出来事や動作が過去に完了せずに中断されたという意を表す語尾。

• **여자 (名詞)** : 여성으로 태어난 사람.
おんな【女】。じょし【女子】。じょせい【女性】
女として生まれた人。

• 가 : 어떤 상태나 상황에 놓인 대상이나 동작의 주체를 나타내는 조사.
が
ある状態・状況の対象や動作の主体を表す助詞。

• **말하다 (動詞)** : 어떤 사실이나 자신의 생각 또는 느낌을 말로 나타내다.
いう【言う】。かたる【語る】。はなす【話す】。のべる【述べる】
ある事実や自分の考え、または感情を言葉で表す。

• -였- : 사건이 과거에 일어났음을 나타내는 어미.
た
出来事が過去にあったという意を表す語尾。

• -다 : 어떤 사건이나 사실, 상태를 서술함을 나타내는 종결 어미.
する。…い。…だ。である
現在の出来事や事実を叙述する意を表す「終結語尾」。

여자 : 핸드백+에 <u>중요하+[ㄴ 것]+이</u> 많+아서 못 <u>찾+[을까 보]+아</u> <u>걱정하+였+는데</u>
중요한 것이 찾을까 봐 걱정했는데

너무 고맙+구나.

• **핸드백** (名詞) : 여자들이 손에 들거나 한쪽 어깨에 메는 작은 가방.
ハンドバッグ
手に持ったり肩に掛けたりする女性用の小型かばん。

• 에 : 앞말이 어떤 장소나 자리임을 나타내는 조사.
に
前の言葉が場所や席であることを表す助詞。

• **중요하다** (形容詞) : 귀중하고 꼭 필요하다.
じゅうようだ【重要だ】
貴重で必ず必要である。

• -ㄴ 것 : 명사가 아닌 것을 문장에서 명사처럼 쓰이게 하거나 '이다' 앞에 쓰일 수 있게 할 때 쓰는 표현.
こと。の。もの
名詞でないものを文中で名詞化し、「이다」の前にくるようにするのに用いる表現。

• 이 : 어떤 상태나 상황의 대상이나 동작의 주체를 나타내는 조사.
が
ある状態・状況の対象や動作の主体を表す助詞。

• **많다** (形容詞) : 수나 양, 정도 등이 일정한 기준을 넘다.
おおい【多い】。たくさんだ【沢山だ】。かずおおい【数多い】。ゆたかだ【豊かだ】
数や量、程度などが一定の基準を超える。

• -아서 : 이유나 근거를 나타내는 연결 어미.
て。から。ので。ため。ゆえ【故】
理由や根拠の意を表す「連結語尾」。

• **못 (副詞)** : 동사가 나타내는 동작을 할 수 없게.
対訳語無し
動詞が表す動作が不可能であるさま。

• **찾다 (動詞)** : 무엇을 얻거나 누구를 만나려고 여기저기를 살피다. 또는 그것을 얻거나 그 사람을 만나다.
さがす【探す】。さがしもとめる【探し求める】。みつける【見付ける】。たずねる【尋ねる】。あう【会う】
物事を得ようとしたり誰かに会うためにあちこちを巡る。また、それを手に入れたりその人に会う。

• -을까 보다 : 앞에 오는 말이 나타내는 상황이 될 것을 걱정하거나 두려워함을 나타내는 표현.
そうだ。ようだ。みたいだ。かもしれない
前の言葉の表す状況になることを心配したり恐れるという意を表す表現。

• -아 : 앞에 오는 말이 뒤에 오는 말에 대한 원인이나 이유임을 나타내는 연결 어미.
て。たので。たから
前の事柄が後の事柄の原因や理由であることを表す「連結語尾」。

• **걱정하다 (動詞)** : 좋지 않은 일이 있을까 봐 두려워하고 불안해하다.
しんぱいする【心配する】
よくないことがあるのではないかと思って、恐ろしくて不安だ。

• -였- : 어떤 사건이 과거에 완료되었거나 그 사건의 결과가 현재까지 지속되는 상황을 나타내는 어미.
た。ている
ある出来事が過去に完了したことや、その出来事の結果が現在まで持続している状況を表す語尾。

• -는데 : 뒤의 말을 하기 위하여 그 대상과 관련이 있는 상황을 미리 말함을 나타내는 연결 어미.
が。けど
何かを言うための前置きとして、それと関連した状況を前もって述べるという意を表す「連結語尾」。

• **너무 (副詞)** : 일정한 정도나 한계를 훨씬 넘어선 상태로.
あまりに
一定の程度や限界をはるかに超えた状態で。

• **고맙다 (形容詞)** : 남이 자신을 위해 무엇을 해주어서 마음이 흐뭇하고 보답하고 싶다.
ありがたい【有難い】
他人が自分に何かしてくれたことに対して、嬉しく恩返ししたいと思う。

• -구나 : (아주낮춤으로) 새롭게 알게 된 사실에 어떤 느낌을 실어 말함을 나타내는 종결 어미.
(だ)な。(だ)ね
(下称) 新しく知った事実に何らかの感情をこめて述べるという意を表す「終結語尾」。

여자 : 그런데 음, 이상하+ㄴ 일+이+구나. 이상한

• **그런데 (副詞)** : 이야기를 앞의 내용과 관련시키면서 다른 방향으로 바꿀 때 쓰는 말.
しかし
話題を前の内容と関連づけて他の方向に変える時に用いる語。

• **음 (感動詞)** : 믿지 못할 때 내는 소리.
ううん
信じられない時に発する語。

• **이상하다 (形容詞)** : 원래 알고 있던 것과 달리 별나거나 색다르다.
いじょうだ【異常だ】。おかしい。へんだ【変だ】
知っていたことと違って、珍しかったり目新しかったりする。

• -ㄴ : 앞의 말이 관형어의 기능을 하게 만들고 현재의 상태를 나타내는 어미.
た
前の言葉に連体修飾語の機能を持たせ、現在の状態を表す「語尾」。

• **일 (名詞)** : 어떤 내용을 가진 상황이나 사실.
こと【事】
内容のある状況や事実。

• 이다 : 주어가 지시하는 대상의 속성이나 부류를 지정하는 뜻을 나타내는 서술격 조사.
だ。である
主語が指す対象の属性や部類を指定する意を表す叙述格助詞。

• -구나 : (아주낮춤으로) 새롭게 알게 된 사실에 어떤 느낌을 실어 말함을 나타내는 종결 어미.
（だ）な。（だ）ね
(下称) 新しく知った事実に何らかの感情をこめて述べるという意を表す「終結語尾」。

소년 : 뭐, 없어지+ㄴ 물건+이라도 있+으세요?
없어진

• **뭐 (感動詞)** : 놀랐을 때 내는 소리.
なに【何】。ええっ。はあ
驚いた時に出す声。

• **없어지다 (動詞)** : 사람, 사물, 현상 등이 어떤 곳에 자리나 공간을 차지하고 존재하지 않게 되다.
なくなる【無くなる】。きえる【消える】
席や空間を占めていた人、物、現象などが存在しないようになる。

• -ㄴ : 앞의 말이 관형어의 기능을 하게 만들고 사건이나 동작이 완료되어 그 상태가 유지되고 있음을 나타내는 어미.
た。ている
前の言葉に連体修飾語の機能を持たせ、出来事や動作が完了してその状態が続いているという意を表す語尾。

• **물건 (名詞)** : 일정한 모양을 갖춘 어떤 물질.
もの【物】。ぶったい【物体】。ぶっぴん【物品】
一定の形を持つ物質。

• 이라도 : 불확실한 사실에 대한 말하는 이의 의심이나 의문을 나타내는 조사.
でも
不確実な事柄に対する、話し手の疑いや疑問を表す助詞。

• **있다 (形容詞)** : 무엇이 어떤 곳에 자리나 공간을 차지하고 존재하는 상태이다.
ある【有る・在る】
何かがある空間を占めて存在する状態だ。

• -으세요 : (두루높임으로) 설명, 의문, 명령, 요청의 뜻을 나타내는 종결 어미.
ます。です。てください
(略待上称) 説明・疑問・命令・要請の意を表す「終結語尾」。

여자 : <u>그것(그거)+은</u> 아니+고, 지갑 안+에 분명히 오만 원+짜리 지폐 한 장+이 　　　　그건 　　　들+[어 있]+었+는데 지금+은 만 원+짜리 다섯 장+이 들+[어 있]+네.

• **그것 (代名詞)** : 앞에서 이미 이야기한 대상을 가리키는 말.
それ。あれ
前に話で話題になった対象をさす語。

• 은 : 문장 속에서 어떤 대상이 화제임을 나타내는 조사.
は
文章の中である対象が話題であることを表す助詞。

• **아니다 (形容詞)** : 어떤 사실이나 내용을 부정하는 뜻을 나타내는 말.
ではない
ある事実や内容を否定する意味を表す語。

• -고 : 두 가지 이상의 대등한 사실을 나열할 때 쓰는 연결 어미.
て
二つ以上の対等な事柄を並べ立てるのに用いる「連結語尾」。

• **지갑 (名詞)** : 돈, 카드, 명함 등을 넣어 가지고 다닐 수 있게 가죽이나 헝겊 등으로 만든 물건.
さいふ【財布】。かねいれ【金入れ】。さついれ【札入れ】
金銭、カード、名刺などを入れて持ち歩くことができるように革や布などで作ったもの。

• **안 (名詞)** : 어떤 물체나 공간의 둘레에서 가운데로 향한 쪽. 또는 그러한 부분.
なか【中】。ないぶ【内部】。うち【内】。おく【奥】
ある物体や空間の内側。また、その部分。

• 에 : 앞말이 어떤 장소나 자리임을 나타내는 조사.
に
前の言葉が場所や席であることを表す助詞。

• **분명히 (副詞)** : 어떤 사실이 틀림이 없이 확실하게.
ぶんめいに【分明に】。たしかに【確かに】。めいかくに【明確に】
ある事実が間違いなくはっきりと。

• **오만** : 50,000

• **원 (名詞)** : 한국의 화폐 단위.
ウォン
韓国の通貨単位。

• 짜리 : '그만한 수나 양을 가진 것' 또는 '그만한 가치를 가진 것'의 뜻을 더하는 접미사.
対訳語無し
「それほどの数や量がある物」または「それに値する物」の意を付加する接尾辞。

• **지폐 (名詞)** : 종이로 만든 돈.
しへい【紙幣】
紙製の貨幣。

• **한 (冠形詞)** : 하나의.
いち【一】
1の。

• **장 (名詞)** : 종이나 유리와 같이 얇고 넓적한 물건을 세는 단위.
まい【枚】。ちょう【張】
紙やガラスなど、薄く平たいものを数える単位。

• 이 : 어떤 상태나 상황의 대상이나 동작의 주체를 나타내는 조사.
が
ある状態・状況の対象や動作の主体を表す助詞。

• **들다 (動詞)** : 안에 담기거나 그 일부를 이루다.
はいる【入る】
中に含まれていたり、その一部を成している。

• -어 있다 : 앞의 말이 나타내는 상태가 계속됨을 나타내는 표현.
ている
前の言葉の表す状態が続いているという意を表す表現。

• -었- : 어떤 사건이 과거에 완료되었거나 그 사건의 결과가 현재까지 지속되는 상황을 나타내는 어미.
た。ている
ある出来事が過去に完了したことや、その出来事の結果が現在まで持続している状況を表す語尾。

• -는데 : 뒤의 말을 하기 위하여 그 대상과 관련이 있는 상황을 미리 말함을 나타내는 연결 어미.
が。けど
何かを言うための前置きとして、それと関連した状況を前もって述べるという意を表す「連結語尾」。

• **지금 (名詞)** : 말을 하고 있는 바로 이때.
いま【今】。ただいま【ただ今】
話をしているこの瞬間。または即時に。

• 은 : 문장 속에서 어떤 대상이 화제임을 나타내는 조사.
は
文章の中である対象が話題であることを表す助詞。

• **만** : 10,000

• **원 (名詞)** : 한국의 화폐 단위.
ウォン
韓国の通貨単位。

• 짜리 : '그만한 수나 양을 가진 것' 또는 '그만한 가치를 가진 것'의 뜻을 더하는 접미사.
対訳語無し
「それほどの数や量がある物」または「それに値する物」の意を付加する接尾辞。

• **다섯 (冠形詞)** : 넷에 하나를 더한 수의.
ご【五】。いつつ【五つ】
四に一を足した数の。

• **장 (名詞)** : 종이나 유리와 같이 얇고 넓적한 물건을 세는 단위.
まい【枚】。ちょう【張】
紙やガラスなど、薄く平たいものを数える単位。

• 이 : 어떤 상태나 상황의 대상이나 동작의 주체를 나타내는 조사.
が
ある状態・状況の対象や動作の主体を表す助詞。

• **들다 (動詞)** : 안에 담기거나 그 일부를 이루다.
はいる【入る】
中に含まれていたり、その一部を成している。

• -어 있다 : 앞의 말이 나타내는 상태가 계속됨을 나타내는 표현.
ている
前の言葉の表す状態が続いているという意を表す表現。

• -네 : (아주낮춤으로) 지금 깨달은 일에 대하여 말함을 나타내는 종결 어미.
(だ)なあ。(だ)ね。(なの)か。(だ)よ
(下称) その場で悟った事について述べるという意を表す「終結語尾」。

여자 : 거참, 신기하+네.

• **거참 (感動詞)** : 안타까움이나 아쉬움, 놀라움의 뜻을 나타낼 때 하는 말.
まったく。それはそれは。はてさて。いやはや
残念に思ったり驚いたり惜しい気持ちを表す時にいう語。

• **신기하다 (形容詞)** : 믿을 수 없을 정도로 색다르고 이상하다.
ふしぎだ【不思議だ】
信じられないほど独特でおかしい。

• -네 : (아주낮춤으로) 지금 깨달은 일에 대하여 말함을 나타내는 종결 어미.
(だ)なあ。(だ)ね。(なの)か。(だ)よ
(下称) その場で悟った事について述べるという意を表す「終結語尾」。

소년 : 아, 그거+요.

• **아 (感動詞)** : 남에게 말을 걸거나 주의를 끌 때, 말에 앞서 내는 소리.
あ。ほら
呼びかけたり注意を引いたりする時に発する語。

• **그거 (代名詞)** : 앞에서 이미 이야기한 대상을 가리키는 말.
それ。あれ
前に話で話題になった対象をさす語。

• 요 : 높임의 대상인 상대방에게 존대의 뜻을 나타내는 조사.
です。ですね
敬う対象である相手に尊敬の意を表す助詞。

소년 : 저번+에 제+가 어떤 여자+분 지갑+을 찾+[아 주]+었+는데 그분+이 잔돈+이 **찾아 줬는데** **없+다고 사례금+을 안 주+시+었+거든요.** **주셨거든요**

• **저번 (名詞)** : 말하고 있는 때 이전의 지나간 차례나 때.
このまえ【此の前】。このあいだ【此の間】。せんじつ【先日】。せんぱん【先般】
言っている時点の前の回や時。

• 에 : 앞말이 시간이나 때임을 나타내는 조사.
に
前の言葉が時間や時期であることを表す助詞。

• **제 (代名詞)** : 말하는 사람이 자신을 낮추어 가리키는 말인 '저'에 조사 '가'가 붙을 때의 형태.
わたくし【私】
話し手が自分をへりくだっていう語である「저」に助詞「가」がつく時の形。

• 가 : 어떤 상태나 상황에 놓인 대상이나 동작의 주체를 나타내는 조사.
が
ある状態・状況の対象や動作の主体を表す助詞。

• **어떤 (冠形詞)** : 굳이 말할 필요가 없는 대상을 뚜렷하게 밝히지 않고 나타낼 때 쓰는 말.
ある【或る】
あえて言う必要のない対象の名をはっきり挙げずに物事をさす語。

• **여자 (名詞)** : 여성으로 태어난 사람.
おんな【女】。じょし【女子】。じょせい【女性】
女として生まれた人。

• 분 : '높임'의 뜻을 더하는 접미사.
かた【方】
「敬う」意を付加する接尾辞。

• **지갑 (名詞)** : 돈, 카드, 명함 등을 넣어 가지고 다닐 수 있게 가죽이나 헝겊 등으로 만든 물건.
さいふ【財布】。かねいれ【金入れ】。さついれ【札入れ】
金銭、カード、名刺などを入れて持ち歩くことができるように革や布などで作ったもの。

• 을 : 동작이 직접적으로 영향을 미치는 대상을 나타내는 조사.
を
動作が直接的に影響を及ぼす対象を表す助詞。

• **찾다 (動詞)** : 무엇을 얻거나 누구를 만나려고 여기저기를 살피다. 또는 그것을 얻거나 그 사람을 만나다.
さがす【探す】。さがしもとめる【探し求める】。みつける【見付ける】。たずねる【尋ねる】。あう【会う】
物事を得ようとしたり誰かに会うためにあちこちを巡る。また、それを手に入れたりその人に会う。

• -아 주다 : 남을 위해 앞의 말이 나타내는 행동을 함을 나타내는 표현.
てやる。てあげる。てくれる
他人のために前の言葉の表す行動をするという意を表す表現。

• -었- : 사건이 과거에 일어났음을 나타내는 어미.
た
出来事が過去にあったという意を表す語尾。

• -는데 : 뒤의 말을 하기 위하여 그 대상과 관련이 있는 상황을 미리 말함을 나타내는 연결 어미.
が。けど
何かを言うための前置きとして、それと関連した状況を前もって述べるという意を表す「連結語尾」。

• **그분 (代名詞)** : (아주 높이는 말로) 그 사람.
そのかた【その方】。あのかた【あの方】
その人やあの人を非常に敬っていう語。

• 이 : 어떤 상태나 상황의 대상이나 동작의 주체를 나타내는 조사.
が
ある状態・状況の対象や動作の主体を表す助詞。

• **잔돈 (名詞)** : 단위가 작은 돈.
こぜに【小銭】
小さい単位の金。

• 이 : 어떤 상태나 상황의 대상이나 동작의 주체를 나타내는 조사.
が
ある状態・状況の対象や動作の主体を表す助詞。

• **없다 (形容詞)** : 사람, 사물, 현상 등이 어떤 곳에 자리나 공간을 차지하고 존재하지 않는 상태이다.
ない【無い】。いない。そんざいしない【存在しない】
人・事物・現象などがある所で場所や空間を占めていず、存在していない状態だ。

• -다고 : 어떤 행위의 목적, 의도를 나타내거나 어떤 상황의 이유, 원인을 나타내는 연결 어미.
といって
ある行為の目的・意図、またはある状況の理由・原因の意を表す「連結語尾」。

• **사례금 (名詞)** : 고마운 뜻을 나타내려고 주는 돈.
しゃれいきん【謝礼金】
感謝の気持ちを表すために渡す金。

• 을 : 동작이 직접적으로 영향을 미치는 대상을 나타내는 조사.
を
動作が直接的に影響を及ぼす対象を表す助詞。

• **안 (副詞)** : 부정이나 반대의 뜻을 나타내는 말.
対訳語無し
否定や反対の意を表す語。

• **주다 (動詞)** : 물건 등을 남에게 건네어 가지거나 쓰게 하다.
あたえる【与える】。やる【遣る】。くれる【呉れる】。あげる【上げる】
物などを他人に渡して持たせたり使わせたりする。

• -시- : 어떤 동작이나 상태의 주체를 높이는 뜻을 나타내는 어미.
お…になる。ご…になる
ある動作や状態の主体を敬う意を表す語尾。

• -었- : 사건이 과거에 일어났음을 나타내는 어미.
た
出来事が過去にあったという意を表す語尾。

• -거든요 : (두루높임으로) 앞의 내용에 대해 말하는 사람이 생각한 이유나 원인, 근거를 나타내는 표현.
んですよ。んですもの。んですから
(略待上称) 前の内容について話し手がそう考えた理由や原因、根拠を表す表現。

< 11 단원(たんげん【単元】) >

제목 : 새에 대한 논문을 쓰고 계시나 보죠?

● 본문 (ほんぶん【本文】)

강의 준비를 하기 위해 교수님 한 분이 컴퓨터를 켜고 있었다.

그런데 컴퓨터가 바이러스에 걸렸는지 작동되지 않아 수리 기사를 부르게 되었다.

수리공이 컴퓨터를 고치다가 저장된 파일을 보니 독수리, 참새, 앵무새, 까치, 비둘기, 제비 등 모두 새 이름으로 되어 있었다.

수리 기사는 궁금증을 참다못해 교수님에게 물었다.

수리 기사 : 교수님, 파일 이름을 모두 새 이름으로 지으셨네요.

요즘 새에 대한 논문을 쓰고 계시나 보죠?

교수님이 울상을 지으면서 말했다.

교수님 : 아니에요.

실은 그것 때문에 짜증이 나서 미치겠어요.

파일 저장할 때마다 '새 이름으로 저장'이라고 나오는데 이제 생각나는 새 이름도 없는데.

● 발음 (はつおん【発音】)

강의 준비를 하기 위해 교수님 한 분이 컴퓨터를 켜고 있었다.
강의 준비를 하기 위해 교수님 한 부니 컴퓨터를 켜고 이썯따.
gangui junbireul hagi wihae gyosunim han buni keompyuteoreul kyeogo isseotda.

그런데 컴퓨터가 바이러스에 걸렸는지 작동되지 않아 수리 기사를 부르게 되었다.
그런데 컴퓨터가 바이러스에 걸련는지 작똥되지 아나 수리 기사를 부르게 되얻따.
geureonde keompyuteoga baireoseue geollyeonneunji jakdongdoeji ana suri gisareul bureuge doeeotda.

수리공이 컴퓨터를 고치다가 저장된 파일을 보니 독수리, 참새, 앵무새, 까치, 비둘기, 제비 등 모두 새
수리공이 컴퓨터를 고치다가 저장된 파이를 보니 독쑤리, 참새, 앵무새, 까치, 비둘기, 제비 등 모두 새
surigongi keompyuteoreul gochidaga jeojangdoen paireul boni doksuri, chamsae, aengmusae, kkachi, bidulgi, jebi deung modu sae

이름으로 되어 있었다.
이르므로 되어 이썯따.
ireumeuro doeeo isseotda.

수리 기사는 궁금증을 참다못해 교수님에게 물었다.
수리 기사는 궁금쯩을 참따모태 교수니메게 무럳따.
suri gisaneun gunggeumjeungeul chamdamotae gyosunimege mureotda.

수리 기사 : 교수님, 파일 이름을 모두 새 이름으로 지으셨네요.
수리 기사 : 교수님, 파일 이르믈 모두 새 이르므로 지으션네요.
suri gisa : gyosunim, pail ireumeul modu sae ireumeuro jieusyeonneyo.

요즘 새에 대한 논문을 쓰고 계시나 보죠?
요즘 새에 대한 논무늘 쓰고 게시나 보죠?
yojeum saee daehan nonmuneul sseugo gyesina(gesina) bojyo?

교수님이 울상을 지으면서 말했다.
교수니미 울쌍을 지으면서 말핻따.
gyosunimi ulsangeul jieumyeonseo malhaetda.

교수님 : 아니에요.
교수님 : 아니에요.
gyosunim : anieyo.

실은 그것 때문에 짜증이 나서 미치겠어요.
시른 그걷 때무네 짜증이 나서 미치게써요.
sireun geugeot ttaemune jjajeungi naseo michigesseoyo.

파일 저장할 때마다 '새 이름으로 저장'이라고 나오는데 이제 생각나는
파일 저장할 때마다 '새 이르므로 저장'이라고 나오는데 이제 생강나는
pail jeojanghal ttaemada 'sae ireumeuro jeojang'irago naoneunde ije saenggangnaneun

새 이름도 없는데.
새 이름도 엄는데.
sae ireumdo eomneunde.

● 어휘 (ごい【語彙】) / 문법 (ぶんぽう【文法】)

강의 준비+를 하+기 위해서 교수+님 한 분+이 컴퓨터+를 켜+고 있+었+다.

그런데 컴퓨터+가 바이러스+에 걸리+었+는지 작동되+지 않+아 수리 기사+를 부르+게 되+었+다.

수리공+이 컴퓨터+를 고치+다가 저장되+ㄴ 파일+을 보+니 독수리, 참새, 앵무새, 까치, 비둘기, 제비 등 모두 새 이름+으로 되+어 있+었+다.

수리 기사+는 궁금증+을 참다못하+여 교수+님+에게 묻(물)+었+다.

수리 기사 : 교수+님, 파일 이름+을 모두 새 이름+으로 짓(지)+으시+었+네요.

요즘 새+에 대한 논문+을 쓰+고 계시+나 보+지요?

교수+님+이 울상+을 짓(지)+으면서 말하+였+다.

교수님 : 아니+에요.

실은 그것 때문+에 짜증+이 나+(아)서 미치+겠+어요.

파일 저장하+ㄹ 때+마다 '새 이름+으로 저장'+이라고 나오+는데

이제 생각나+는 새 이름+도 없+는데.

강의 준비+를 하+[기 위해서] 교수+님 한 분+이 컴퓨터+를 켜+[고 있]+었+다.

• **강의 (名詞)** : 대학이나 학원, 기관 등에서 지식이나 기술 등을 체계적으로 가르침.
こうぎ【講義】
大学や学院、機関などで知識や技術などを体系的に教えること。

• **준비 (名詞)** : 미리 마련하여 갖춤.
じゅんび【準備】。ようい【用意】
前もって必要なものを揃えておく。

• 를 : 동작이 직접적으로 영향을 미치는 대상을 나타내는 조사.
を
動作が直接的に影響を及ぼす対象を表す助詞。

• **하다 (動詞)** : 어떤 행동이나 동작, 활동 등을 행하다.
する【為る】。やる【遣る】。なす【成す・為す】
ある行動や動作、活動などを行う。

• -기 위해서 : 어떤 일을 하는 목적인 의도를 나타내는 표현.
ために
何かをする目的としての意図を表す表現。

• **교수 (名詞)** : 대학에서 학문을 연구하고 가르치는 일을 하는 사람. 또는 그 직위.
きょうじゅ【教授】
大学で学問を研究して教えることをする人。またはその職位。

• 님 : '높임'의 뜻을 더하는 접미사.
さま【様】
「敬う」意を付加する接尾辞。

• **한 (冠形詞)** : 하나의.
いち【一】
1の。

• **분 (名詞)** : 사람을 높여서 세는 단위.
にんさま【人様】。めいさま【名様】
人を敬って数える単位。

• 이 : 어떤 상태나 상황의 대상이나 동작의 주체를 나타내는 조사.
が
ある状態・状況の対象や動作の主体を表す助詞。

• **컴퓨터 (名詞)** : 전자 회로를 이용하여 문서, 사진, 영상 등의 대량의 데이터를 빠르고 정확하게 처리하는 기계.
コンピューター
電子回路を用いて文書・写真・映像などの大量のデータを迅速かつ正確に処理する装置。

• 를 : 동작이 직접적으로 영향을 미치는 대상을 나타내는 조사.
を
動作が直接的に影響を及ぼす対象を表す助詞。

• **켜다 (動詞)** : 전기 제품 등을 작동하게 만들다.
つける【付ける】
電気製品などを作動させる。

• -고 있다 : 앞의 말이 나타내는 행동이 계속 진행됨을 나타내는 표현.
ている
前の言葉の表す行動が引き続き行われるという意を表す表現。

• -었- : 사건이 과거에 일어났음을 나타내는 어미.
た
出来事が過去にあったという意を表す語尾。

• -다 : 어떤 사건이나 사실, 상태를 서술함을 나타내는 종결 어미.
する。…い。…だ。である
現在の出来事や事実を叙述する意を表す「終結語尾」。

그런데 컴퓨터+가 바이러스+에 걸리+었+는지 작동되+[지 않]+아 수리 기사+를
걸렸는지

부르+[게 되]+었+다.

• **그런데 (副詞)** : 이야기를 앞의 내용과 관련시키면서 다른 방향으로 바꿀 때 쓰는 말.
しかし
話題を前の内容と関連づけて他の方向に変える時に用いる語。

• **컴퓨터 (名詞)** : 전자 회로를 이용하여 문서, 사진, 영상 등의 대량의 데이터를 빠르고 정확하게 처리하는 기계.
コンピューター
電子回路を用いて文書・写真・映像などの大量のデータを迅速かつ正確に処理する装置。

• 가 : 어떤 상태나 상황에 놓인 대상이나 동작의 주체를 나타내는 조사.
が
ある状態・状況の対象や動作の主体を表す助詞。

• **바이러스 (名詞)** : 컴퓨터를 비정상적으로 작용하게 만드는 프로그램.
ウィルス。コンピューターウィルス
コンピューターを正常に作動させなくするプログラム。

• 에 : 앞말이 무엇의 조건, 환경, 상태 등임을 나타내는 조사.
に
前の言葉が何かの条件、環境、状態であることを表す助詞。

• **걸리다 (動詞)** : 어떤 상태에 빠지게 되다.
かかる【掛かる】
ある状態に陥る。

• -었- : 사건이 과거에 일어났음을 나타내는 어미.
た
出来事が過去にあったという意を表す語尾。

• -는지 : 뒤에 오는 말의 내용에 대한 막연한 이유나 판단을 나타내는 연결 어미.
か。かどうか。のか。ためか
次にくる事柄に関する漠然とした理由や判断の意を表す「連結語尾」。

• **작동되다 (動詞)** : 기계 등이 움직여 일하다.
さどうする【作動する】
機械などが動いて機能する。

• -지 않다 : 앞의 말이 나타내는 행위나 상태를 부정하는 뜻을 나타내는 표현.
ない。くない。ではない
前の言葉の表す行為や状態を否定する意を表す表現。

• -아 : 앞에 오는 말이 뒤에 오는 말에 대한 원인이나 이유임을 나타내는 연결 어미.
て。たので。たから
前の事柄が後の事柄の原因や理由であることを表す「連結語尾」。

• **수리 (名詞)** : 고장 난 것을 손보아 고침.
しゅうり【修理】。しゅうぜん【修繕】
故障したものに手を加えて直すこと。

• **기사 (名詞)** : 국가나 단체가 인정한 기술 자격증을 가진 기술자.
ぎし【技士】
国や団体が認める技術資格証を持つ技術者。

• 를 : 동작이 직접적으로 영향을 미치는 대상을 나타내는 조사.
を
動作が直接的に影響を及ぼす対象を表す助詞。

• **부르다 (動詞)** : 부탁하여 오게 하다.
まねく【招く】。しょうたいする【招待する】
頼んで来させる。

• -게 되다 : 앞의 말이 나타내는 상태나 상황이 됨을 나타내는 표현.
ようになる。ことになる
前の言葉の表す状態や状況になるという意を表す表現。

• -었- : 사건이 과거에 일어났음을 나타내는 어미.
た
出来事が過去にあったという意を表す語尾。

• -다 : 어떤 사건이나 사실, 상태를 서술함을 나타내는 종결 어미.
する。…い。…だ。である
現在の出来事や事実を叙述する意を表す「終結語尾」。

수리공+이 컴퓨터+를 고치+다가 저장되+ㄴ 파일+을 보+니 독수리, 참새, 앵무새, 까치, 비둘기, 제비
저장된

등 모두 새 이름+으로 되+[어 있]+었+다.

• **수리공 (名詞)** : 고장 난 것을 고치는 일을 하는 사람.
しゅうりこう【修理工】
故障したものを直すことを職業とする人。

• 이 : 어떤 상태나 상황의 대상이나 동작의 주체를 나타내는 조사.
が
ある状態・状況の対象や動作の主体を表す助詞。

• **컴퓨터 (名詞)** : 전자 회로를 이용하여 문서, 사진, 영상 등의 대량의 데이터를 빠르고 정확하게 처리하는 기계.
コンピューター
電子回路を用いて文書・写真・映像などの大量のデータを迅速かつ正確に処理する装置。

• 를 : 동작이 직접적으로 영향을 미치는 대상을 나타내는 조사.
を
動作が直接的に影響を及ぼす対象を表す助詞。

• **고치다 (動詞)** : 고장이 나거나 못 쓰게 된 것을 손질하여 쓸 수 있게 하다.
なおす【直す】
壊れたり使えなくなったりしたものを役に立つようにする。

• -다가 : 어떤 행동이 진행되는 중에 다른 행동이 나타남을 나타내는 연결 어미.
ていて
ある行動が進行しているうちに、別の行動が現れる意を表す「連結語尾」。

• **저장되다 (動詞)** : 물건이나 재화 등이 모아져서 보관되다.
ちょぞうされる【貯蔵される】。ほぞんされる【保存される】
物や財貨などがためておかれる。

• -ㄴ : 앞의 말이 관형어의 기능을 하게 만들고 사건이나 동작이 완료되어 그 상태가 유지되고 있음을 나타내는 어미.
た。ている
前の言葉に連体修飾語の機能を持たせ、出来事や動作が完了してその状態が続いているという意を表す語尾。

• **파일 (名詞)** : 컴퓨터의 기억 장치에 일정한 단위로 저장된 정보의 묶음.
ファイル
コンピューターの記憶装置に一定単位で記録されたデータのまとまり。

• 을 : 동작이 직접적으로 영향을 미치는 대상을 나타내는 조사.
を
動作が直接的に影響を及ぼす対象を表す助詞。

• **보다 (動詞)** : 대상의 내용이나 상태를 알기 위하여 살피다.
みる【見る】。みきわめる【見極める】。しらべる【調べる】
対象の内容や状態を知るために見極める。

• -니 : 앞에서 이야기한 내용과 관련된 다른 사실을 이어서 설명할 때 쓰는 연결 어미.
たら。と
前述した内容と関連した別の事実を続けて説明するのに用いる「連結語尾」。

• **독수리 (名詞)** : 갈고리처럼 굽은 날카로운 부리와 발톱을 가지고 있으며 빛깔이 검은 큰 새.
わし【鷲】
鉤（かぎ）のように曲がった鋭いくちばしと爪を持っていて、黒く大きい鳥。

• **참새 (名詞)** : 주로 사람이 사는 곳 근처에 살며, 몸은 갈색이고 배는 회백색인 작은 새.
すずめ【雀】
主に人家の近くに棲み、体は茶色で腹は灰白色である小鳥。

• **앵무새 (名詞)** : 사람의 말을 잘 흉내 내며 여러 빛깔을 가진 새.
おうむ
人の言葉を巧みに真似る、多様な色の羽を持つ鳥。

• **까치 (名詞)** : 머리에서 등까지는 검고 윤이 나며 어깨와 배는 흰, 사람의 집 근처에 사는 새.
かささぎ【鵲】
頭から背中までは黒くてつやがあり、肩と腹部は白い人家の近くで暮らす鳥。

• **비둘기 (名詞)** : 공원이나 길가 등에서 흔히 볼 수 있는, 다리가 짧고 날개가 큰 회색 혹은 하얀색의 새.
はと【鳩】
公園や道端などでよく見かける、脚が短くて翼が大きい灰色または白色の鳥。

• **제비 (名詞)** : 등은 검고 배는 희며 매우 빠르게 날고, 봄에 한국에 날아왔다가 가을에 남쪽으로 날아가는 작은 여름 철새.
つばめ・つばくら・つばくらめ・つばくろ【燕】
背面が黒色で腹面は白色、速く飛んで、春に韓国に来て秋に南方に去る、小さい夏鳥。

• **등 (名詞)** : 앞에서 말한 것 외에도 같은 종류의 것이 더 있음을 나타내는 말.
など・とう【等】。ら
前述したものの他に同類のものがまだあるという意を表す語。

• **모두 (副詞)** : 빠짐없이 다.
みんな。みな【皆】。すべて
欠如なしに全部。

• **새 (名詞)** : 몸에 깃털과 날개가 있고 날 수 있으며 다리가 둘인 동물.
とり【鳥】
体に羽や翼があり、2本足の、飛ぶ動物。

• **이름 (名詞)** : 다른 것과 구별하기 위해 동물, 사물, 현상 등에 붙여서 부르는 말.
な【名】。なまえ【名前】。めいしょう【名称】
他と区別するため、動物・事物・現象などにつけて呼ぶ語。

• 으로 : 어떤 일의 방법이나 방식을 나타내는 조사.
に。で
方法や方式を表す助詞。

• **되다 (動詞)** : 어떤 형태나 구조로 이루어지다.
なる
ある形や構造から成っている。

• -어 있다 : 앞의 말이 나타내는 상태가 계속됨을 나타내는 표현.
ている
前の言葉の表す状態が続いているという意を表す表現。

• -었- : 사건이 과거에 일어났음을 나타내는 어미.
た
出来事が過去にあったという意を表す語尾。

• -다 : 어떤 사건이나 사실, 상태를 서술함을 나타내는 종결 어미.
する。…い。…だ。である
現在の出来事や事実を叙述する意を表す「終結語尾」。

수리 기사+는 궁금증+을 참다못하+여 교수+님+에게 묻(물)+었+다. 참다못해 물었다

• **수리 (名詞)** : 고장 난 것을 손보아 고침.
しゅうり【修理】。しゅうぜん【修繕】
故障したものに手を加えて直すこと。

• **기사 (名詞)** : 국가나 단체가 인정한 기술 자격증을 가진 기술자.
ぎし【技士】
国や団体が認める技術資格証を持つ技術者。

• 는 : 문장 속에서 어떤 대상이 화제임을 나타내는 조사.
は
文の中で、ある対象が話題であることを表す助詞。

• **궁금증 (名詞)** : 몹시 궁금한 마음.
きがかり【気がかり】
非常に気になるさま。

• 을 : 동작이 직접적으로 영향을 미치는 대상을 나타내는 조사.
を
動作が直接的に影響を及ぼす対象を表す助詞。

• **참다못하다 (動詞)** : 참을 수 있는 만큼 참다가 더 이상 참지 못하다.
がまんしきれない【我慢しきれない】。しんぼうしきれない【辛抱しきれない】。こらえきれない。たえかねる【耐えかねる】
我慢できるだけ最大限に我慢し、もうこれ以上我慢できない。

• -여 : 앞의 말이 뒤의 말보다 먼저 일어났거나 뒤의 말에 대한 방법이나 수단이 됨을 나타내는 연결 어미.
て。てから
前の事柄が後の事柄より先に行われたか、後の事柄の方法や手段になるという意を表す「連結語尾」。

• **교수 (名詞)** : 대학에서 학문을 연구하고 가르치는 일을 하는 사람. 또는 그 직위.
きょうじゅ【教授】
大学で学問を研究して教えることをする人。またはその職位。

• 님 : '높임'의 뜻을 더하는 접미사.
さま【様】
「敬う」意を付加する接尾辞。

• 에게 : 어떤 행동이 미치는 대상임을 나타내는 조사.
に
行動が行われる対象を表す助詞。

• **묻다 (動詞)** : 대답이나 설명을 요구하며 말하다.
とう【問う】。きく【聞く・訊く】。たずねる【尋ねる】
答えや説明を求めて言う。

• -었- : 사건이 과거에 일어났음을 나타내는 어미.
た
出来事が過去にあったという意を表す語尾。

• -다 : 어떤 사건이나 사실, 상태를 서술함을 나타내는 종결 어미.
する。…い。…だ。である
現在の出来事や事実を叙述する意を表す「終結語尾」。

수리 기사 : 교수+님, 파일 이름+을 모두 새 이름+으로 짓(지)+으시+었+네요. **지으셨네요**

• **교수 (名詞)** : 대학에서 학문을 연구하고 가르치는 일을 하는 사람. 또는 그 직위.
きょうじゅ【教授】
大学で学問を研究して教えることをする人。またはその職位。

• 님 : '높임'의 뜻을 더하는 접미사.
さま【様】
「敬う」意を付加する接尾辞。

• **파일 (名詞)** : 컴퓨터의 기억 장치에 일정한 단위로 저장된 정보의 묶음.
ファイル
コンピューターの記憶装置に一定単位で記録されたデータのまとまり。

• **이름 (名詞)** : 다른 것과 구별하기 위해 동물, 사물, 현상 등에 붙여서 부르는 말.
な【名】。なまえ【名前】。めいしょう【名称】
他と区別するため、動物・事物・現象などにつけて呼ぶ語。

• 을 : 동작이 직접적으로 영향을 미치는 대상을 나타내는 조사.
を
動作が直接的に影響を及ぼす対象を表す助詞。

• **모두 (副詞)** : 빠짐없이 다.
みんな。みな【皆】。すべて
欠如なしに全部。

• **새 (名詞)** : 몸에 깃털과 날개가 있고 날 수 있으며 다리가 둘인 동물.
とり【鳥】
体に羽や翼があり、2本足の、飛ぶ動物。

• **이름 (名詞)** : 다른 것과 구별하기 위해 동물, 사물, 현상 등에 붙여서 부르는 말.
な【名】。なまえ【名前】。めいしょう【名称】
他と区別するため、動物・事物・現象などにつけて呼ぶ語。

• 으로 : 어떤 일의 방법이나 방식을 나타내는 조사.
に。で
方法や方式を表す助詞。

• **짓다 (動詞)** : 이름 등을 정하다.
つくる【作る】。つける【付ける】
名前などを決める。

• -으시- : 어떤 동작이나 상태의 주체를 높이는 뜻을 나타내는 어미.
お…になる。ご…になる。られる
ある動作や状態の主体を敬う意を表す語尾。

• -었- : 어떤 사건이 과거에 완료되었거나 그 사건의 결과가 현재까지 지속되는 상황을 나타내는 어미.
た。ている
ある出来事が過去に完了したことや、その出来事の結果が現在まで持続している状況を表す語尾。

• -네요 : (두루높임으로) 말하는 사람이 직접 경험하여 새롭게 알게 된 사실에 대해 감탄함을 나타낼 때 쓰는 표현.
ですね。ますね
(略待上称) 話し手が直接経験して新しく知ったことについて感嘆する意を表すのに用いる表現。

수리 기사 : 요즘 새+[에 대한] 논문+을 쓰+[고 계시]+[나 보]+지요?
쓰고 계시나 보죠

• **요즘 (名詞)** : 아주 가까운 과거부터 지금까지의 사이.
さいきん【最近】。ちかごろ【近頃】。このごろ【この頃】
少し前から現在までの間。

• **새 (名詞)** : 몸에 깃털과 날개가 있고 날 수 있으며 다리가 둘인 동물.
とり【鳥】
体に羽や翼があり、2本足の、飛ぶ動物。

• 에 대한 : 뒤에 오는 명사를 수식하며 앞에 오는 명사를 뒤에 오는 명사의 대상으로 함을 나타내는 표현.
にたいする【に対する】。についての
後ろの名詞を修飾し、前の名詞が後ろの名詞の対象になることを表す表現。

• **논문 (名詞)** : 어떠한 주제에 대한 학술적인 연구 결과를 일정한 형식에 맞추어 체계적으로 쓴 글.
ろんぶん【論文】
あるテーマに対する学術的な研究結果を一定の形式に合わせて、体系的に書いた文章。

• 을 : 동작이 직접적으로 영향을 미치는 대상을 나타내는 조사.
を
動作が直接的に影響を及ぼす対象を表す助詞。

• **쓰다 (動詞)** : 머릿속의 생각이나 느낌 등을 종이 등에 글로 적어 나타내다.
かく【書く】
頭の中の考えや感じなどを紙などに文字で表す。

• -고 계시다 : (높임말로) 앞의 말이 나타내는 행동이 계속 진행됨을 나타내는 표현.
ていらっしゃる。なさっている
(尊敬語) 前の言葉の表す行動が引き続き行われるという意を表す表現。

• -나 보다 : 앞의 말이 나타내는 사실을 추측함을 나타내는 표현.
ようだ。らしい。だろうとおもう【だろうと思う】。のではないかとおもう【のではないかと思う】
前の言葉の表す事実を推量するという意を表す表現。

• -지요 : (두루높임으로) 말하는 사람이 듣는 사람에게 친근함을 나타내며 물을 때 쓰는 종결 어미.
ますか。ですか。でしょうか
(略待上称) 話し手が聞き手に親しみを表明しながら尋ねるのに用いる「終結語尾」。

교수+님+이 울상+을 짓(지)+으면서 말하+였+다.
지으면서 **말했다**

• **교수 (名詞)** : 대학에서 학문을 연구하고 가르치는 일을 하는 사람. 또는 그 직위.
きょうじゅ【教授】
大学で学問を研究して教えることをする人。またはその職位。

• 님 : '높임'의 뜻을 더하는 접미사.
さま【様】
「敬う」意を付加する接尾辞。

• 이 : 어떤 상태나 상황의 대상이나 동작의 주체를 나타내는 조사.
が
ある状態・状況の対象や動作の主体を表す助詞。

• **울상 (名詞)** : 울려고 하는 얼굴 표정.
なきつら【泣き面】
泣き出しそうな顔つき。

• 을 : 동작이 직접적으로 영향을 미치는 대상을 나타내는 조사.
を
動作が直接的に影響を及ぼす対象を表す助詞。

• **짓다 (動詞)** : 어떤 표정이나 태도 등을 얼굴이나 몸에 나타내다.
つくる【作る】。うかべる【浮かべる】
ある表情や態度などを顔や体に表す。

• -으면서 : 두 가지 이상의 동작이나 상태가 함께 일어남을 나타내는 연결 어미.
ながら
二つ以上の動作や状態が共に起こるという意を表す「連結語尾」。

• **말하다 (動詞)** : 어떤 사실이나 자신의 생각 또는 느낌을 말로 나타내다.
いう【言う】。かたる【語る】。はなす【話す】。のべる【述べる】
ある事実や自分の考え、または感情を言葉で表す。

• -였- : 사건이 과거에 일어났음을 나타내는 어미.
た
出来事が過去にあったという意を表す語尾。

• -다 : 어떤 사건이나 사실, 상태를 서술함을 나타내는 종결 어미.
する。…い。…だ。である
現在の出来事や事実を叙述する意を表す「終結語尾」。

교수님 : 아니+에요.

실은 그것 때문+에 짜증+이 나+(아)서 미치+겠+어요.
나서

• **아니다 (形容詞)** : 어떤 사실이나 내용을 부정하는 뜻을 나타내는 말.
ではない
ある事実や内容を否定する意味を表す語。

• -에요 : (두루높임으로) 어떤 사실을 서술하거나 질문함을 나타내는 종결 어미.
ます。です。ますか。ですか
(略待上称) ある事実を叙述したり質問する意を表す「終結語尾」。

• **실은 (副詞)** : 사실을 말하자면. 실제로는.
じつは【実は】
事実を言えば。実際は。

• **그것 (代名詞)** : 앞에서 이미 이야기한 대상을 가리키는 말.
それ。あれ
前に話で話題になった対象をさす語。

• **때문 (名詞)** : 어떤 일의 원인이나 이유.
ため【為】。せい【所為】
物事の原因や理由。

• 에 : 앞말이 어떤 일의 원인임을 나타내는 조사.
に。で
前の言葉が原因であることを表す助詞。

• **짜증 (名詞)** : 마음에 들지 않아서 화를 내거나 싫은 느낌을 겉으로 드러내는 일. 또는 그런 성미.
かんしゃく【癇癪】。いらだち【苛立ち】
気に入らなくて腹を立てたり嫌な気分を表現すること。また、そのような性格。

• 이 : 어떤 상태나 상황의 대상이나 동작의 주체를 나타내는 조사.
が
ある状態・状況の対象や動作の主体を表す助詞。

• **나다 (動詞)** : 어떤 감정이나 느낌이 생기다.
うまれる【生まれる】。おこる【起こる】
ある感情や感じが生じる。

• -아서 : 이유나 근거를 나타내는 연결 어미.
て。から。ので。ため。ゆえ【故】
理由や根拠の意を表す「連結語尾」。

• **미치다 (動詞)** : 어떤 상태가 너무 심해서 정신이 없어질 정도로 괴로워하다.
くるう【狂う】
ある状態がひどすぎて、正気を失うほど苦しむ。

• -겠- : 완곡하게 말하는 태도를 나타내는 어미.
対訳語無し
婉曲に述べる態度を表す語尾。

• -어요 : (두루높임으로) 어떤 사실을 서술하거나 질문, 명령, 권유함을 나타내는 종결 어미.
ます。です。ますか。ですか。てください
(略待上称) ある事実を叙述したり質問、命令、勧誘する意を表す「終結語尾」。

교수님 : 파일 저장하+[ㄹ 때]+마다 '새 이름+으로 저장'+이라고 나오+는데 저장할 때 이제 생각나+는 새 이름+도 없+는데.

• **파일 (名詞)** : 컴퓨터의 기억 장치에 일정한 단위로 저장된 정보의 묶음.
ファイル
コンピューターの記憶装置に一定単位で記録されたデータのまとまり。

• **저장하다 (動詞)** : 물건이나 재화 등을 모아서 보관하다.
ちょぞうする【貯蔵する】。ほぞんする【保存する】
物や財貨などをためておく。

• -ㄹ 때 : 어떤 행동이나 상황이 일어나는 동안이나 그 시기 또는 그러한 일이 일어난 경우를 나타내는 표현.
とき【時】。ときに【時に】
ある行動や状況が起こっている間やその時期、またそのようなことが起こった場合を表す表現。

• 마다 : 하나하나 빠짐없이 모두의 뜻을 나타내는 조사.
たびに。ごとに。おきに。つど【都度】
一つ一つもれなくすべての意を表す助詞。

• **새 (冠形詞)** : 생기거나 만든 지 얼마 되지 않은.
しん【新】
生じたり作られたりしたばかりの。

• **이름 (名詞)** : 다른 것과 구별하기 위해 동물, 사물, 현상 등에 붙여서 부르는 말.
な【名】。なまえ【名前】。めいしょう【名称】
他と区別するため、動物・事物・現象などにつけて呼ぶ語。

• 으로 : 어떤 일의 방법이나 방식을 나타내는 조사.
に。で
方法や方式を表す助詞。

• **저장 (名詞)** : 물건이나 재화 등을 모아서 보관함.
ちょぞう【貯蔵】。ほぞん【保存】
物や財貨などをためておくこと。

• 이라고 : 앞의 말이 원래 말해진 그대로 인용됨을 나타내는 조사.
と
前の言葉が、元の発話内容そのまま引用されているという意を表す助詞。

• **나오다 (動詞)** : 책, 신문, 방송 등에 글이나 그림 등이 실리거나 어떤 내용이 나타나다.
でる【出る】。のる【載る】
本、新聞、放送などに文章や絵などが掲載されたり、ある内容が現れたりする。

• -는데 : 뒤의 말을 하기 위하여 그 대상과 관련이 있는 상황을 미리 말함을 나타내는 연결 어미.
が。けど
何かを言うための前置きとして、それと関連した状況を前もって述べるという意を表す「連結語尾」。

• **이제 (副詞)** : 말하고 있는 바로 이때에.
ただいま【只今・唯今】
言っている瞬間に。

• **생각나다 (動詞)** : 새로운 생각이 머릿속에 떠오르다.
おもいだす【思い出す】
新しい考えが頭の中に浮かぶ。

• -는 : 앞의 말이 관형어의 기능을 하게 만들고 사건이나 동작이 현재 일어남을 나타내는 어미.
する。ている
前の言葉に連体修飾語の機能を持たせ、出来事や動作が現在進行中であるという意を表す語尾。

• **새 (名詞)** : 몸에 깃털과 날개가 있고 날 수 있으며 다리가 둘인 동물.
とり【鳥】
体に羽や翼があり、2本足の、飛ぶ動物。

• **이름 (名詞)** : 다른 것과 구별하기 위해 동물, 사물, 현상 등에 붙여서 부르는 말.
な【名】。なまえ【名前】。めいしょう【名称】
他と区別するため、動物・事物・現象などにつけて呼ぶ語。

• 도 : 이미 있는 어떤 것에 다른 것을 더하거나 포함함을 나타내는 조사.
も
既存の物事に他の物事を加えたり含ませたりするという意を表す助詞。

• **없다 (形容詞)** : 어떤 물건을 가지고 있지 않거나 자격이나 능력 등을 갖추지 않은 상태이다.
もたない【持たない】
ある物を持っていないか、資格・能力などを備えていない状態だ。

• -는데 : (두루낮춤으로) 듣는 사람의 반응을 기대하며 어떤 일에 대해 감탄함을 나타내는 종결 어미.
(だ)ね。(だ)なあ
(略待下称) 聞き手の反応を期待しながら何かについて感嘆しているという意を表す「終結語尾」。

< 12 단원(たんげん【単元】) >

제목 : 이 늦은 시간에 여기서 뭐 하고 계세요?

● 본문 (ほんぶん【本文】)

늦은 밤 담력 훈련에 참가한 두 여자가 마지막 코스인 공동묘지를 지나가고 있었다.

그녀들은 무서웠지만 애써 태연한 모습으로 걸어가고 있었는데 갑자기 '톡탁톡탁' 하는 소리가 들려오기 시작했다.

깜짝 놀란 두 여자는 공포에 질려 가까스로 천천히 발걸음을 내딛고 있었다.

그때 눈앞에 망치를 들고 정으로 묘비를 쪼고 있는 노인의 모습이 희미하게 보였다.

순간 두 여자는 안도의 한숨을 내쉬며 말했다.

여자 1 : 할아버지, 귀신인 줄 알고 깜짝 놀랐잖아요.

그런데 이 늦은 시간에 여기서 뭐 하고 계세요?

여자 2 : 내일 밝을 때 하시는 게 좋을 것 같아요.

지금은 어두워서 위험하세요.

할아버지 : 음, 오늘 안에 빨리 끝내야 돼.

여자 1 : 그런데 묘비에 무슨 문제라도 있나요?

할아버지 : 글쎄, 어떤 멍청한 녀석들이 묘비에 내 이름을 잘못 써 놨잖아.

● 발음 (はつおん【発音】)

늦은 밤 담력 훈련에 참가한 두 여자가 마지막 코스인 공동묘지를 지나가고 있었다.
느즌 밤 담녁 훌려네 참가한 두 여자가 마지막 코스인 공동묘지를 지나가고 이썯따.
neujeun bam damnyeok hullyeone chamgahan du yeojaga majimak koseuin gongdongmyojireul jinagago isseotda.

그녀들은 무서웠지만 애써 태연한 모습으로 걸어가고 있었는데 갑자기 '톡탁톡탁' 하는 소리가 들려오기
그녀드른 무서월찌만 애써 태연한 모스브로 거러가고 이썬는데 갑짜기 '톡탁톡탁' 하는 소리가 들려오기
geunyeodeureun museowotjiman aesseo taeyeonhan moseubeuro georeogago isseonneunde gapjagi 'toktaktoktak' haneun soriga deullyeoogi

시작했다.
시자캗따.
sijakaetda.

깜짝 놀란 두 여자는 공포에 질려 가까스로 천천히 발걸음을 내딛고 있었다.
깜짝 놀란 두 여자는 공포에 질려 가까스로 천천히 발꺼르믈 내딛꼬 이썯따.
kkamjjak nollan du yeojaneun gongpoe jillyeo gakkaseuro cheoncheonhi balgeoreumeul naeditgo isseotda.

그때 눈앞에 망치를 들고 정으로 묘비를 쪼고 있는 노인의 모습이 희미하게 보였다.
그때 누나페 망치를 들고 정으로 묘비를 쪼고 인는 노이네 모스비 히미하게 보엳따.
geuttae nunape mangchireul deulgo jeongeuro myobireul jjogo inneun noinui(noine) moseubi huimihage(himihage) boyeotda.

순간 두 여자는 안도의 한숨을 내쉬며 말했다.
순간 두 여자는 안도에 한수믈 내쉬며 말핻따.
sungan du yeojaneun andoui(andoe) hansumeul naeswimyeo malhaetda.

여자 1 : 할아버지, 귀신인 줄 알고 깜짝 놀랐잖아요.
여자 1 : 하라버지, 귀시닌 줄 알고 깜짝 놀랃짜나요.
yeoja 1 : harabeoji, gwisinin jul algo kkamjjak nollatjanayo.

그런데 이 늦은 시간에 여기서 뭐 하고 계세요?
그런데 이 느즌 시가네 여기서 뭐 하고 게세요?
geureonde i neujeun sigane yeogiseo mwo hago gyeseyo(geseyo)?

여자 2 : 내일 밝을 때 하시는 게 좋을 것 같아요.
여자 2 : 내일 발글 때 하시는 게 조을 껃 가타요.
yeoja 2 : naeil balgeul ttae hasineun ge joeul geot gatayo.

지금은 어두워서 위험하세요.
지그믄 어두워서 위험하세요.
jigeumeun eoduwoseo wiheomhaseyo.

할아버지 : 음, 오늘 안에 빨리 끝내야 돼.
하라버지 : 음, 오늘 아네 빨리 끈내에 돼.
harabeoji : eum, oneul ane ppalli kkeunnaeya dwae.

여자 1 : 그런데 묘비에 무슨 문제라도 있나요?
여자 1 : 그런데 묘비에 무슨 문제라도 인나요?
yeoja 1 : geureonde myobie museun munjerado innayo?

할아버지 : 글쎄, 어떤 멍청한 녀석들이 묘비에 내 이름을 잘못 써 놨잖아.
하라버지 : 글쎄, 어떤 멍청한 녀석드리 묘비에 내 이르믈 잘몯 써 놛짜나.
harabeoji : geulsse, eotteon meongcheonghan nyeoseokdeuri myobie nae ireumeul jalmot sseo nwatjana.

● 어휘 (ごい【語彙】) / 문법 (ぶんぽう【文法】)

늦+은 밤 담력 훈련+에 참가하+ㄴ 두 여자+가 마지막 코스+이+ㄴ 공동묘지+를 지나가+고 있+었+다.

그녀+들+은 무섭(무서우)+었+지만 애쓰(애써)+어 태연하+ㄴ 모습+으로 걸어가+고 있+었+는데 갑자기

'톡탁톡탁' 하+는 소리+가 들려오+기 시작하+였+다.

깜짝 놀라+ㄴ 두 여자+는 공포+에 질리+어 가까스로 천천히 발걸음+을 내딛+고 있+었+다.

그때 눈앞+에 망치+를 들+고 정+으로 묘비+를 쪼+고 있+는 노인+의 모습+이 희미하+게 보이+었+다.

순간 두 여자+는 안도+의 한숨+을 내쉬+며 말하+였+다.

여자 1 : 할아버지, 귀신+이+ㄴ 줄 알+고 깜짝 놀라+았+잖아요.

그런데 이 늦+은 시간+에 여기+서 뭐 하+고 계시+어요?

여자 2 : 내일 밝+을 때 하+시+는 것(거)+이 좋+을 것 같+아요.

지금+은 어둡(어두우)+어서 위험하+세요.

할아버지 : 음, 오늘 안+에 빨리 끝내+(어)야 되+어.

여자 1 : 그런데 묘비+에 무슨 문제+라도 있+나요?

할아버지 : 글쎄, 어떤 멍청하+ㄴ 녀석+들+이 묘비+에 나+의 이름+을 잘못

쓰(써)+어 놓+았+잖아.

늦+은 밤 담력 훈련+에 참가하+ㄴ 두 여자+가 마지막 코스+이+ㄴ 공동묘지+를 지나가+[고 있]+었+다. **참가한** **코스인**

• **늦다 (形容詞)** : 적당한 때를 지나 있다. 또는 시기가 한창인 때를 지나 있다.
おそい【遅い】
適当な時期が過ぎている。また、盛期が過ぎている。

• -은 : 앞의 말이 관형어의 기능을 하게 만들고 현재의 상태를 나타내는 어미.
た。ている
前の言葉に連体修飾語の機能を持たせ、現在の状態の意を表す語尾。

• **밤 (名詞)** : 해가 진 후부터 다음 날 해가 뜨기 전까지의 어두운 동안.
よる【夜】
日が暮れた後から翌日日が昇る前までの暗い間。

• **담력 (名詞)** : 겁이 없고 용감한 기운.
たんりょく【胆力】。きもったま【肝っ玉・肝っ魂】。たんき【胆気】。どきょう【度胸】
怯えない勇敢な気力。

• **훈련 (名詞)** : 가르쳐서 익히게 함.
くんれん【訓練】
教えて習熟させること。

• 에 : 앞말이 목적지이거나 어떤 행위의 진행 방향임을 나타내는 조사.
に。へ
前の言葉が目的地であったり、ある行為の進行方向であったりすることを表す助詞。

• **참가하다 (動詞)** : 모임이나 단체, 경기, 행사 등의 자리에 가서 함께하다.
さんかする【参加する】
会や団体・試合・行事などの場に行って行動を共にする。

• -ㄴ : 앞의 말이 관형어의 기능을 하게 만들고 사건이나 동작이 과거에 일어났음을 나타내는 어미.
た。ている
前の言葉に連体修飾語の機能を持たせ、出来事や動作が過去にあったという意を表す「語尾」。

• **두 (冠形詞)** : 둘의.
に【二】。ふたつ【二つ】
二つの。

• **여자 (名詞)** : 여성으로 태어난 사람.
おんな【女】。じょし【女子】。じょせい【女性】
女として生まれた人。

• 가 : 어떤 상태나 상황에 놓인 대상이나 동작의 주체를 나타내는 조사.
が
ある状態や状況に置かれた対象、または動作の主体を表す助詞。

• **마지막 (名詞)** : 시간이나 순서의 맨 끝.
さいご【最後】
時間や順序のいちばんあと。

• **코스 (名詞)** : 어떤 목적에 따라 정해진 길.
コース。しんろ【進路】
ある目的に沿って決められた道筋。

• 이다 : 주어가 지시하는 대상의 속성이나 부류를 지정하는 뜻을 나타내는 서술격 조사.
だ。である
主語が指す対象の属性や部類を指定する意を表す叙述格助詞。

• -ㄴ : 앞의 말이 관형어의 기능을 하게 만들고 현재의 상태를 나타내는 어미.
た。ている
前の言葉に連体修飾語の機能を持たせ、現在の状態の意を表す語尾。

• **공동묘지 (名詞)** : 한 지역에 여러 사람의 무덤이 있어 공동으로 관리하는 무덤.
きょうどうぼち【共同墓地】。きょうどうがたぼち【共同型墓地】
一つの地域に多くの人々の墓があって共同で管理する墓地。

• 를 : 동작의 도착지나 동작이 이루어지는 장소를 나타내는 조사.
を
動作の到達点や動作の行われる場所を表す助詞。

• **지나가다 (動詞)** : 어떤 곳을 통과하여 가다.
すぎる【過ぎる】。とおる【通る】。とおりすぎる【通り過ぎる】。とおりかかる【通りかかる】。へる【経る】
ある地域を通過して行く。

• -고 있다 : 앞의 말이 나타내는 행동이 계속 진행됨을 나타내는 표현.
ている
前の言葉の表す行動が引き続き行われるという意を表す表現。

• -었- : 사건이 과거에 일어났음을 나타내는 어미.
た
出来事が過去にあったという意を表す語尾。

• -다 : 어떤 사건이나 사실, 상태를 서술함을 나타내는 종결 어미.
する。…い。…だ。である
現在の出来事や事実を叙述する意を表す「終結語尾」。

그녀+들+은 무섭(무서우)+었+지만 애쓰(애ㅆ)+어 태연하+ㄴ 모습+으로 걸어가+[고 있]+었+는데
무서웠지만 **애써** **태연한**
갑자기 '톡탁톡탁' 하+는 소리+가 들려오+기 시작하+였+다.
시작했다

• **그녀 (代名詞)** : 앞에서 이미 이야기한 여자를 가리키는 말.
かのじょ【彼女】
前の話で話題になった女性をさす語。

• 들 : '복수'의 뜻을 더하는 접미사.
たち・ら【達】
「複数」の意を付加する接尾辞。

• 은 : 문장 속에서 어떤 대상이 화제임을 나타내는 조사.
は
文章の中である対象が話題であることを表す助詞。

• **무섭다 (形容詞)** : 어떤 대상이 꺼려지거나 무슨 일이 일어날까 두렵다.
こわい【恐い・怖い】。おそろしい【恐ろしい】
何かに近づきたくなかったり何かが起こりそうで不安である。

• -었- : 사건이 과거에 일어났음을 나타내는 어미.
た
出来事が過去にあったという意を表す語尾。

• -지만 : 앞에 오는 말을 인정하면서 그와 반대되거나 다른 사실을 덧붙일 때 쓰는 연결 어미.
が。けれども。けれど。けど
前の内容を認めながらもそれとは反対か異なる事実を付け加えて述べるのに用いる「連結語尾」。

• **애쓰다 (動詞)** : 무엇을 이루기 위해 힘을 들이다.
ほねおる【骨折る】。どりょくする【努力する】
何かを成し遂げるために力を入れる。

• -어 : 앞의 말이 뒤의 말보다 먼저 일어났거나 뒤의 말에 대한 방법이나 수단이 됨을 나타내는 연결 어미.
て
前の事柄が後の事柄より先に行われたか、後の事柄の方法や手段になるという意を表す「連結語尾」。

• **태연하다 (形容詞)** : 당연히 머뭇거리거나 두려워할 상황에서 태도나 얼굴빛이 아무렇지도 않다.
たいぜんとしている【泰然としている】。おちついている【落ち着いている】
ためらうか恐れるべき状況においても態度が落ち着いていて顔色も変わらない。

• -ㄴ : 앞의 말이 관형어의 기능을 하게 만들고 현재의 상태를 나타내는 어미.
た。ている
前の言葉に連体修飾語の機能を持たせ、現在の状態の意を表す語尾。

• **모습 (名詞)** : 겉으로 드러난 상태나 모양.
ようす【様子】。ありさま。じょうきょう【状況】。じょうたい【状態】
表に現れた状態や様子。

• 으로 : 어떤 일의 방법이나 방식을 나타내는 조사.
に。で
方法や方式を表す助詞。

• **걸어가다 (動詞)** : 목적지를 향하여 다리를 움직여 나아가다.
あるいていく【歩いていく】。あゆんでいく【歩んでいく】
目的地に向かって、足を動かして進む。

• -고 있다 : 앞의 말이 나타내는 행동이 계속 진행됨을 나타내는 표현.
ている
前の言葉の表す行動が引き続き行われるという意を表す表現。

• -었- : 사건이 과거에 일어났음을 나타내는 어미.
た
出来事が過去にあったという意を表す語尾。

• -는데 : 뒤의 말을 하기 위하여 그 대상과 관련이 있는 상황을 미리 말함을 나타내는 연결 어미.
が。けど
何かを言うための前置きとして、それと関連した状況を前もって述べるという意を表す「連結語尾」。

• **갑자기 (副詞)** : 미처 생각할 틈도 없이 빨리.
きゅうに【急に】
考える間もなくいきなり。

• **톡탁톡탁 (副詞)** : 단단한 물건을 계속해서 가볍게 두드리는 소리.
こつんこつん。ぽんぽん。ぱたぱた。こんこん
続けざまに硬い物を軽く叩く音。

• **하다 (動詞)** : 그런 소리가 나다. 또는 그런 소리를 내다.
する【為る】
音が出る。また、音を出す。

• -는 : 앞의 말이 관형어의 기능을 하게 만들고 사건이나 동작이 현재 일어남을 나타내는 어미.
する。ている
前の言葉に連体修飾語の機能を持たせ、出来事や動作が現在進行中であるという意を表す語尾。

• **소리 (名詞)** : 물체가 진동하여 생긴 음파가 귀에 들리는 것.
おと【音】
物体が振動してできた音波が耳に聞こえること。

• 가 : 어떤 상태나 상황에 놓인 대상이나 동작의 주체를 나타내는 조사.
が
ある状態や状況に置かれた対象、または動作の主体を表す助詞。

• **들려오다 (動詞)** : 어떤 소리나 소식 등이 들리다.
きこえる【聞こえる】
ある音や消息などが耳に入る。

• -기 : 앞의 말이 명사의 기능을 하게 하는 어미.
こと
前の言葉を名詞化する語尾。

• **시작하다 (動詞)** : 어떤 일이나 행동의 처음 단계를 이루거나 이루게 하다.
はじめる【始める】。てがける【手掛ける】。おこす【起す】
ある事や行動の初めの段階になったり、すること。また、そのような段階。

• -였- : 사건이 과거에 일어났음을 나타내는 어미.
た
出来事が過去にあったという意を表す語尾。

• -다 : 어떤 사건이나 사실, 상태를 서술함을 나타내는 종결 어미.
する。…い。…だ。である
現在の出来事や事実を叙述する意を表す「終結語尾」。

깜짝 놀라+ㄴ 두 여자+는 공포+에 질리+어 가까스로 천천히 발걸음+을 내딛+[고 있]+었+다.
놀란 **질려**

• **깜짝 (副詞)** : 갑자기 놀라는 모양.
びっくり
急に驚くさま。

• **놀라다 (動詞)** : 뜻밖의 일을 당하거나 무서워서 순간적으로 긴장하거나 가슴이 뛰다.
おどろく【驚く】。びっくりする
意外なことに出くわしたり怖かったりして、瞬間的に緊張したり胸がどきどきしたりする。

• -ㄴ : 앞의 말이 관형어의 기능을 하게 만들고 사건이나 동작이 과거에 일어났음을 나타내는 어미.
た。ている
前の言葉に連体修飾語の機能を持たせ、出来事や動作が過去にあったという意を表す「語尾」。

• **두 (冠形詞)** : 둘의.
に【二】。ふたつ【二つ】
二つの。

• **여자 (名詞)** : 여성으로 태어난 사람.
おんな【女】。じょし【女子】。じょせい【女性】
女として生まれた人。

• 는 : 문장 속에서 어떤 대상이 화제임을 나타내는 조사.
は
文章の中である対象が話題であることを表す助詞。

• **공포 (名詞)** : 두렵고 무서움.
きょうふ【恐怖】
恐れて怖いと思うこと。

• 에 : 앞말이 어떤 일의 원인임을 나타내는 조사.
に。で
前の言葉が原因であることを表す助詞。

• **질리다 (動詞)** : 몹시 놀라거나 무서워서 얼굴빛이 변하다.
まっさおになる【真っ青になる】。ちのけがひく【血の気が引く】。おじけづく【怖気づく】
非常に驚いたり、とても怖く感じたりして顔色が変わる。

• -어 : 앞에 오는 말이 뒤에 오는 말에 대한 원인이나 이유임을 나타내는 연결 어미.
て。たので。たから
前の事柄が後の事柄の原因や理由であるという意を表す「連結語尾」。

• **가까스로 (副詞)** : 매우 어렵게 힘을 들여.
ようやく。やっと。やっとのことで。どうにかこうにか。いろいろくしんしたあとで【いろいろ苦心したあとで】
とても厳しい環境の下で苦心・苦労して。

• **천천히 (副詞)** : 움직임이나 태도가 느리게.
ゆっくり。のんびり。じょじょに【徐徐に】。おそく【遅く】
動きや態度などが遅い速度で。

• **발걸음 (名詞)** : 발을 옮겨 걷는 동작.
あし【足】。あしどり【足取り】。あゆみ【歩み】
足を運んで歩く動作。

• 을 : 동작이 직접적으로 영향을 미치는 대상을 나타내는 조사.
を
動作が直接的に影響を及ぼす対象を表す助詞。

• **내닫다 (動詞)** : 서 있다가 앞쪽으로 발을 옮기다.
ふみだす【踏み出す】
立っている状態で前へ足を移す。

• -고 있다 : 앞의 말이 나타내는 행동이 계속 진행됨을 나타내는 표현.
ている
前の言葉の表す行動が引き続き行われるという意を表す表現。

• -었- : 사건이 과거에 일어났음을 나타내는 어미.
た
出来事が過去にあったという意を表す語尾。

• -다 : 어떤 사건이나 사실, 상태를 서술함을 나타내는 종결 어미.
する。…い。…だ。である
現在の出来事や事実を叙述する意を表す「終結語尾」。

그때 눈앞+에 망치+를 들+고 정+으로 묘비+를 쪼+[고 있]+는 노인+의 모습+이 희미하+게 보이+었+다. **보였다**

• **그때 (名詞)** : 앞에서 이야기한 어떤 때.
そのとき【その時】。そのじき【その時期】
前述のある時。

• **눈앞 (名詞)** : 눈에 바로 보이는 곳.
めさき【目先・目前】。もくぜん【目前】
目の前にすぐ見えるところ。

• 에 : 앞말이 어떤 장소나 자리임을 나타내는 조사.
に
前の言葉が場所や席であることを表す助詞。

• **망치 (名詞)** : 쇠뭉치에 손잡이를 달아 단단한 물건을 두드리거나 못을 박는 데 쓰는 연장.
つち【鎚・槌】。ハンマー
鉄の塊に取っ手をつけて硬いものをたたいたり、釘を打つときに使う道具。

• 를 : 동작이 직접적으로 영향을 미치는 대상을 나타내는 조사.
を
動作が直接的に影響を及ぼす対象を表す助詞。

• **들다 (動詞)** : 손에 가지다.
もつ【持つ】。とる【取る】
手に持つ。

• -고 : 앞의 말이 나타내는 행동이나 그 결과가 뒤에 오는 행동이 일어나는 동안에 그대로 지속됨을 나타내는 연결 어미.
て
前の言葉の表す動作やその結果が、次にくる動作が行われる間にもそのまま持続されるという意を表す「連結語尾」。

• **정 (名詞)** : 돌에 구멍을 뚫거나 돌을 쪼아서 다듬는 데 쓰는 쇠로 만든 연장.
いしのみ【石鑿】。いしきりのみ【石切鑿】
石に穴を開けたり、石を打って形を作ったりするのに用いる金属工具。

• 으로 : 어떤 일의 수단이나 도구를 나타내는 조사.
で
手段や道具を表す助詞。

• **묘비 (名詞)** : 죽은 사람의 이름, 출생일, 사망일, 행적, 신분 등을 새겨서 무덤 앞에 세우는 비석.
ぼひ【墓碑】
死者の名前・出生日・没年月日・行跡・身分などを刻んで、墓の前に立てる碑石。

• 를 : 동작이 직접적으로 영향을 미치는 대상을 나타내는 조사.
を
動作が直接的に影響を及ぼす対象を表す助詞。

• **쪼다 (動詞)** : 뾰족한 끝으로 쳐서 찍다.
つつく。ついばむ【啄ばむ】。きざむ【刻む】
尖った先で勢いよく当てて突く。

• -고 있다 : 앞의 말이 나타내는 행동이 계속 진행됨을 나타내는 표현.
ている
前の言葉の表す行動が引き続き行われるという意を表す表現。

• -는 : 앞의 말이 관형어의 기능을 하게 만들고 사건이나 동작이 현재 일어남을 나타내는 어미.
する。ている
前の言葉に連体修飾語の機能を持たせ、出来事や動作が現在進行中であるという意を表す語尾。

• **노인 (名詞)** : 나이가 들어 늙은 사람.
おとしより【お年寄り】。ろうじん【老人】。シルバー。こうれいしゃ【高齢者】
年をとって老いた人。

• 의 : 앞의 말이 뒤의 말에 대하여 소유, 소속, 소재, 관계, 기원, 주체의 관계를 가짐을 나타내는 조사.
の
前の言葉が後ろの言葉に対し、所有、所在、関係、起源、主体の関係を持つことを表す助詞。

• **모습 (名詞)** : 사람이나 사물의 생김새.
ようぼう【容貌】。すがた【姿】。ようす【様子】
人や物の姿。

• 이 : 어떤 상태나 상황의 대상이나 동작의 주체를 나타내는 조사.
が
ある状態や状況に置かれた対象、または動作の主体を表す助詞。

• **희미하다 (形容詞)** : 분명하지 못하고 흐릿하다.
ほのかだ【仄かだ】
鮮明でなく、ぼんやりしている。

• -게 : 앞의 말이 뒤에서 가리키는 일의 목적이나 결과, 방식, 정도 등이 됨을 나타내는 연결 어미.
…く。…に。ように。ほど
前の事柄が後の事柄の目的・結果・方法・程度などになるという意を表す「連結語尾」。

• **보이다 (動詞)** : 눈으로 대상의 존재나 겉모습을 알게 되다.
みえる【見える】
目で対象の存在や見かけが分かるようになる。

• -었- : 사건이 과거에 일어났음을 나타내는 어미.
た
出来事が過去にあったという意を表す語尾。

• -다 : 어떤 사건이나 사실, 상태를 서술함을 나타내는 종결 어미.
する。…い。…だ。である
現在の出来事や事実を叙述する意を表す「終結語尾」。

순간 두 여자+는 안도+의 한숨+을 내쉬+며 말하+였+다. **말했다**

• **순간 (名詞)** : 어떤 일이 일어나거나 어떤 행동이 이루어지는 바로 그때.
しゅんかん【瞬間】。とたん
ある事が起きたり、ある行動が行われるちょうどその時。

• **두 (冠形詞)** : 둘의.
に【二】。ふたつ【二つ】
二つの。

• **여자 (名詞)** : 여성으로 태어난 사람.
おんな【女】。じょし【女子】。じょせい【女性】
女として生まれた人。

• 는 : 문장 속에서 어떤 대상이 화제임을 나타내는 조사.
は
文章の中である対象が話題であることを表す助詞。

• **안도 (名詞)** : 어떤 일이 잘되어 마음을 놓음.
あんど【安堵】。あんしん【安心】
物事がうまく行って安心すること。

• 의 : 앞의 말이 뒤의 말에 대하여 속성이나 수량을 한정하거나 같은 자격임을 나타내는 조사.
の
前の言葉が後ろの言葉に対し、属性や数量を限定したり同格であることを表したりする助詞。

• **한숨 (名詞)** : 걱정이 있을 때나 긴장했다가 마음을 놓을 때 길게 몰아서 내쉬는 숨.
ためいき【溜め息】
心配事があったり、緊張がほぐれたりしたときに出る大きな吐息。

• 을 : 동작이 직접적으로 영향을 미치는 대상을 나타내는 조사.
を
動作が直接的に影響を及ぼす対象を表す助詞。

• **내쉬다 (動詞)** : 숨을 몸 밖으로 내보내다.
はく【吐く】。はきだす【吐き出す】
息を体の外に出す。

• -며 : 두 가지 이상의 동작이나 상태가 함께 일어남을 나타내는 연결 어미.
ながら
二つ以上の動作や状態が共に起こるという意を表す「連結語尾」。

• **말하다 (動詞)** : 어떤 사실이나 자신의 생각 또는 느낌을 말로 나타내다.
いう【言う】。かたる【語る】。はなす【話す】。のべる【述べる】
ある事実や自分の考え、または感情を言葉で表す。

• -였- : 사건이 과거에 일어났음을 나타내는 어미.
た
出来事が過去にあったという意を表す語尾。

• -다 : 어떤 사건이나 사실, 상태를 서술함을 나타내는 종결 어미.
する。…い。…だ。である
現在の出来事や事実を叙述する意を表す「終結語尾」。

여자 1 : 할아버지, 귀신+이+[ㄴ 줄] 알+고 깜짝 놀라+았+잖아요. 귀신인 줄 놀랐잖아요

• **할아버지 (名詞)** : (친근하게 이르는 말로) 늙은 남자를 이르거나 부르는 말.
おじいさん【御爺さん】。じいさん【爺さん】。じじ【爺】
年老いた男性を親しみをこめて指したり呼ぶ語。

• **귀신 (名詞)** : 사람이 죽은 뒤에 남는다고 하는 영혼.
たましい・たま【魂】。れいこん【霊魂】
人の死後に残るといわれている霊魂。

• 이다 : 주어가 지시하는 대상의 속성이나 부류를 지정하는 뜻을 나타내는 서술격 조사.
だ。である
主語が指す対象の属性や部類を指定する意を表す叙述格助詞。

• -ㄴ 줄 : 어떤 사실이나 상태에 대해 알고 있거나 모르고 있음을 나타내는 표현.
対訳語無し
ある事実や状態について知っているか、知らないという意を表す表現。

• **알다 (動詞)** : 교육이나 경험, 생각 등을 통해 사물이나 상황에 대한 정보 또는 지식을 갖추다.
しる【知る】。わかる【分かる】。りかいする【理解する】
教育・経験・思考などを通じ、事物や状況への情報または知識を備える。

• -고 : 앞의 말과 뒤의 말이 차례대로 일어남을 나타내는 연결 어미.
て
前の事柄と後の事柄が順次に起こるという意を表す「連結語尾」。

• **깜짝 (副詞)** : 갑자기 놀라는 모양.
びっくり
急に驚くさま。

• **놀라다 (動詞)** : 뜻밖의 일을 당하거나 무서워서 순간적으로 긴장하거나 가슴이 뛰다.
おどろく【驚く】。びっくりする
意外なことに出くわしたり怖かったりして、瞬間的に緊張したり胸がどきどきしたりする。

• -았- : 어떤 사건이 과거에 완료되었거나 그 사건의 결과가 현재까지 지속되는 상황을 나타내는 어미.
た。ている
ある出来事が過去に完了したことや、その出来事の結果が現在まで持続している状況を表す語尾。

• -잖아요 : (두루높임으로) 어떤 상황에 대해 말하는 사람이 상대방에게 확인하거나 정정해 주듯이 말함을 나타내는 표현.
じゃないですか。ではないですか
(略待上称)ある状況について話し手が相手に確認、または訂正するように述べるという意を表す表現。

여자 1 : 그런데 이 늦+은 시간+에 여기+서 뭐 하+[고 계시]+어요? **하고 계세요**

• **그런데 (副詞)** : 이야기를 앞의 내용과 관련시키면서 다른 방향으로 바꿀 때 쓰는 말.
しかし
話題を前の内容と関連づけて他の方向に変える時に用いる語。

• **이 (冠形詞)** : 말하는 사람에게 가까이 있거나 말하는 사람이 생각하고 있는 대상을 가리킬 때 쓰는 말.
この
話し手の近くにあるか、話し手が考えている対象を指す語。

• **늦다 (形容詞)** : 적당한 때를 지나 있다. 또는 시기가 한창인 때를 지나 있다.
おそい【遅い】
適当な時期が過ぎている。また、盛期が過ぎている。

• -은 : 앞의 말이 관형어의 기능을 하게 만들고 현재의 상태를 나타내는 어미.
た。ている
前の言葉に連体修飾語の機能を持たせ、現在の状態の意を表す語尾。

• **시간 (名詞)** : 어떤 일을 하도록 정해진 때. 또는 하루 중의 어느 한 때.
じかん【時間】。とき【時】
ある事を行うように定められた時。または、一日中のある時。

• 에 : 앞말이 시간이나 때임을 나타내는 조사.
に
前の言葉が時間や時期であることを表す助詞。

• **여기 (代名詞)** : 말하는 사람에게 가까운 곳을 가리키는 말.
ここ
話し手に近い所をさしていう語。

• 서 : 앞말이 행동이 이루어지고 있는 장소임을 나타내는 조사.
で。にて
前の言葉がその行動が行われている場所であることを表す助詞。

• **뭐 (代名詞)** : 모르는 사실이나 사물을 가리키는 말.
なん・なに【何】
知らない事実・事物を指す語。

• **하다 (動詞)** : 어떤 행동이나 동작, 활동 등을 행하다.
する【為る】。やる【遣る】。なす【成す・為す】
ある行動や動作、活動などを行う。

• -고 계시다 : (높임말로) 앞의 말이 나타내는 행동이 계속 진행됨을 나타내는 표현.
ていらっしゃる。なさっている
(尊敬語) 前の言葉の表す行動が引き続き行われるという意を表す表現。

• -어요 : (두루높임으로) 어떤 사실을 서술하거나 질문, 명령, 권유함을 나타내는 종결 어미.
ます。です。ますか。ですか。てください
(略待上称) ある事実を叙述したり質問、命令、勧誘する意を表す「終結語尾」。

여자 2 : 내일 밝+[을 때] 하+시+[는 것(거)]+이 좋+[을 것 같]+아요. 하시는 게

• **내일 (副詞)** : 오늘의 다음 날에.
あした【明日】
今日の翌日に。

• **밝다 (形容詞)** : 빛을 많이 받아 어떤 장소가 환하다.
あかるい【明るい】
ある場所が光を受けて明るい。

• -을 때 : 어떤 행동이나 상황이 일어나는 동안이나 그 시기 또는 그러한 일이 일어난 경우를 나타내는 표현.
とき【時】。ころ【頃】
ある行動や状況が起こっている間やその時期、またそのようなことが起こった場合を表す表現。

• **하다 (動詞)** : 어떤 행동이나 동작, 활동 등을 행하다.
する【為る】。やる【遣る】。なす【成す・為す】
ある行動や動作、活動などを行う。

• -시- : 어떤 동작이나 상태의 주체를 높이는 뜻을 나타내는 어미.
お…になる。ご…になる
ある動作や状態の主体を敬う意を表す語尾。

• -는 것 : 명사가 아닌 것을 문장에서 명사처럼 쓰이게 하거나 '이다' 앞에 쓰일 수 있게 할 때 쓰는 표현.
こと。の。もの
名詞でないものを文中で名詞化し、「이다」の前にくるようにするのに用いる表現。

• 이 : 어떤 상태나 상황의 대상이나 동작의 주체를 나타내는 조사.
が
ある状態や状況に置かれた対象、または動作の主体を表す助詞。

• **좋다 (形容詞)** : 어떤 일을 하기가 쉽거나 편하다.
やすい【易い】
何かをすることが容易だったり便利だったりする。

• -을 것 같다 : 추측을 나타내는 표현.
ようだ。そうだ。らしい。みたいだ
推測の意を表す表現。

• -아요 : (두루높임으로) 어떤 사실을 서술하거나 질문, 명령, 권유함을 나타내는 종결 어미.
ます。です。ますか。ですか。てください
(略待上称) ある事実を叙述したり質問、命令、勧誘する意を表す「終結語尾」。

여자 2 : 지금+은 어둡(어두우)+어서 위험하+세요. 어두워서

• **지금 (名詞)** : 말을 하고 있는 바로 이때.
いま【今】。ただいま【ただ今】
話をしているこの瞬間。または即時に。

• 은 : 문장 속에서 어떤 대상이 화제임을 나타내는 조사.
は
文章の中である対象が話題であることを表す助詞。

• **어둡다 (形容詞)** : 빛이 없거나 약해서 밝지 않다.
くらい【暗い】
光が無いか弱くて、明るくない。

• -어서 : 이유나 근거를 나타내는 연결 어미.
て。から。ので。ため。ゆえ【故】
理由や根拠の意を表す「連結語尾」。

• **위험하다 (形容詞)** : 해를 입거나 다칠 가능성이 있어 안전하지 못하다.
きけんだ【危険だ】。あぶない【危ない】
損害や怪我の恐れがあるほど安全ではない。

• -세요 : (두루높임으로) 설명, 의문, 명령, 요청의 뜻을 나타내는 종결 어미.
ます。です。ますか。ですか。てください
(略待上称) 説明・疑問・命令・要請の意を表す「終結語尾」。

할아버지 : 음, 오늘 안+에 빨리 끝내+[(어)야 되]+어. 끝내야 돼

• **음** (感動詞) : 마음에 들지 않거나 걱정스러울 때 하는 소리.
ううん
気に入らなかったり心配したりする時に発する語。

• **오늘** (名詞) : 지금 지나가고 있는 이날.
きょう【今日】。ほんじつ【本日】
今過ごしているこの日。

• **안** (名詞) : 일정한 기준이나 한계를 넘지 않은 정도.
ない【内】。なか【中】
一定の基準や限界を越えていない程度。

• 에 : 앞말이 시간이나 때임을 나타내는 조사.
に
前の言葉が時間や時期であることを表す助詞。

• **빨리** (副詞) : 걸리는 시간이 짧게.
はやく【早く】
かかる時間が短く。

• **끝내다** (動詞) : 일을 마지막까지 이루다.
おえる【終える】。すます【済ます】
物事を最後までなす。

• -어야 되다 : 반드시 그럴 필요나 의무가 있음을 나타내는 표현.
ないといけない。ないとならない。なければいけない。なければならない。ねばならない。べきだ
必ずそうすべき必然性や義務があるという意を表す表現。

• -어 : (두루낮춤으로) 어떤 사실을 서술하거나 물음, 명령, 권유를 나타내는 종결 어미.
のか。なさい。よう。ましょう
(略待下称) ある事実を叙述したり、質問・命令・勧誘の意を表す「終結語尾」。

여자 1 : 그런데 묘비+에 무슨 문제+라도 있+나요?

• **그런데** (副詞) : 이야기를 앞의 내용과 관련시키면서 다른 방향으로 바꿀 때 쓰는 말.
しかし
話題を前の内容と関連づけて他の方向に変える時に用いる語。

• **묘비** (名詞) : 죽은 사람의 이름, 출생일, 사망일, 행적, 신분 등을 새겨서 무덤 앞에 세우는 비석.
ぼひ【墓碑】
死者の名前・出生日・没年月日・行跡・身分などを刻んで、墓の前に立てる碑石。

• 에 : 앞말이 어떤 장소나 자리임을 나타내는 조사.
に
前の言葉が場所や席であることを表す助詞。

• **무슨** (冠形詞) : 확실하지 않거나 잘 모르는 일, 대상, 물건 등을 물을 때 쓰는 말.
なに【何】。なんの。どの。どのような。どういう
確実でないか、よく知らないこと、対象、ものなどを聞く時に使う語。

• **문제** (名詞) : 난처하거나 해결하기 어려운 일.
もんだい【問題】
困ったことや解決が難しいこと。

• 라도 : 불확실한 사실에 대한 말하는 이의 의심이나 의문을 나타내는 조사.
でも
不確実な事柄に対する話し手の不審や疑問を表す助詞。

• **있다** (形容詞) : 어떤 사람에게 무슨 일이 생긴 상태이다.
ある【有る・在る】
ある人に何かが起こった状態だ。

• -나요 : (두루높임으로) 앞의 내용에 대해 상대방에게 물어볼 때 쓰는 표현.
ですか。ますか
(略待上称) 前の内容について相手に尋ねるのに用いる表現。

할아버지 : 글쎄, 어떤 멍청하+ㄴ 녀석+들+이 묘비+에 나+의 이름+을 잘못 쓰(ㅆ)+[어 놓]+았+잖아.
멍청하+ㄴ → **멍청한** / 나+의 → **내** / 쓰(ㅆ)+[어 놓]+았+잖아 → **써 놨잖아**

• **글쎄** (感動詞) : 말하는 이가 자신의 뜻이나 주장을 다시 강조하거나 고집할 때 쓰는 말.
だから。だって
話し手が自分の意見や主張を改めて強調したり押し通す時にいう語。

• **어떤** (冠形詞) : 굳이 말할 필요가 없는 대상을 뚜렷하게 밝히지 않고 나타낼 때 쓰는 말.
ある【或る】
あえて言う必要のない対象の名をはっきり挙げずに物事をさす語。

• **멍청하다** (形容詞) : 일을 제대로 판단하지 못할 정도로 어리석다.
おろかだ【愚かだ】。ドジだ。ばかだ【馬鹿だ】。まぬけだ【間抜けだ】
正しい判断ができないほどバカである。

• -ㄴ : 앞의 말이 관형어의 기능을 하게 만들고 현재의 상태를 나타내는 어미.
た。ている
前の言葉に連体修飾語の機能を持たせ、現在の状態の意を表す語尾。

• **녀석 (名詞)** : (낮추는 말로) 남자.
あいつ。こいつ
男性を卑しめていう語。

• 들 : '복수'의 뜻을 더하는 접미사.
たち・ら【達】
「複数」の意を付加する接尾辞。

• 이 : 어떤 상태나 상황의 대상이나 동작의 주체를 나타내는 조사.
が
ある状態や状況に置かれた対象、または動作の主体を表す助詞。

• **묘비 (名詞)** : 죽은 사람의 이름, 출생일, 사망일, 행적, 신분 등을 새겨서 무덤 앞에 세우는 비석.
ぼひ【墓碑】
死者の名前・出生日・没年月日・行跡・身分などを刻んで、墓の前に立てる碑石。

• 에 : 앞말이 어떤 장소나 자리임을 나타내는 조사.
に
前の言葉が場所や席であることを表す助詞。

• **나 (代名詞)** : 말하는 사람이 친구나 아랫사람에게 자기를 가리키는 말.
わたし【私】。ぼく【僕】。おれ【俺】。じぶん【自分】
話し手が友人や目下の人に対し、自分をさす語。

• 의 : 앞의 말이 뒤의 말에 대하여 소유, 소속, 소재, 관계, 기원, 주체의 관계를 가짐을 나타내는 조사.
の
前の言葉が後ろの言葉に対し、所有、所在、関係、起源、主体の関係を持つことを表す助詞。

• **이름 (名詞)** : 사람의 성과 그 뒤에 붙는 그 사람만을 부르는 말.
しめい【氏名】。せいめい【姓名】。なまえ【名前】
人の姓とその後に付く、その人だけを呼ぶ語。

• 을 : 동작이 직접적으로 영향을 미치는 대상을 나타내는 조사.
を
動作が直接的に影響を及ぼす対象を表す助詞。

• **잘못 (副詞)** : 바르지 않게 또는 틀리게.
まちがえて【間違えて】。あやまって【誤って】
正しくなく。

• **쓰다 (動詞)** : 연필이나 펜 등의 필기도구로 종이 등에 획을 그어서 일정한 글자를 적다.
かく【書く】
鉛筆やペンなどの筆記用具で紙などに線をひいて文字をしるす。

• -어 놓다 : 앞의 말이 나타내는 행동을 끝내고 그 결과를 유지함을 나타내는 표현.
ておく
前の言葉の表す行動を終え、その結果を維持するという意を表す表現。

• -았- : 어떤 사건이 과거에 완료되었거나 그 사건의 결과가 현재까지 지속되는 상황을 나타내는 어미.
た。ている
ある出来事が過去に完了したことや、その出来事の結果が現在まで持続している状況を表す語尾。

• -잖아 : (두루낮춤으로) 어떤 상황에 대해 말하는 사람이 상대방에게 확인하거나 정정해 주듯이 말함을 나타내는 표현.
じゃないか。ではないか
(略待下称) ある状況について話し手が相手に確認、または訂正するように述べるという意を表す表現。

< 13 단원(たんげん【単元】) >

제목 : 엄마는 왜 흰머리가 있어?

● 본문 (ほんぶん【本文】)

어느 날 설거지를 하고 있는 엄마에게 어린 딸이 머리를 갸우뚱거리며 질문을 했다.

딸 : 엄마 머리 앞쪽에 하얀색 머리카락이 있어.

엄마 : 이제 엄마도 흰머리가 점점 많이 생기네.

딸 : 나는 흰머리가 없는데 엄마는 왜 흰머리가 있어?

흰머리가 왜 생기는지 궁금해.

엄마 : 우리 딸이 엄마 말을 안 들어서 엄마가 속이 상하거나 슬퍼지면 흰머리가

한 개씩 생기더라고.

그러니까 앞으로 엄마가 하는 말 잘 들어야 돼.

딸은 잠시 동안 생각을 하다가 엄마에게 다시 물었다.

딸 : 엄마, 외할머니 머리는 전부 하얀색인데?

● 발음 (はつおん【発音】)

어느 날 설거지를 하고 있는 엄마에게 어린 딸이 머리를 갸우뚱거리며 질문을 했다.
어느 날 설거지를 하고 인는 엄마에게 어린 따리 머리를 갸우뚱거리며 질무늘 핻따.
eoneu nal seolgeojireul hago inneun eommaege eorin ttari meorireul gyauttunggeorimyeo jilmuneul haetda.

딸 : 엄마 머리 앞쪽에 하얀색 머리카락이 있어.
딸 : 엄마 머리 압쪼게 하얀색 머리카라기 이써.
ttal : eomma meori apjjoge hayansaek meorikaragi isseo.

엄마 : 이제 엄마도 흰머리가 점점 많이 생기네.
엄마 : 이제 엄마도 힌머리가 점점 마니 생기네.
eomma : ije eommado hinmeoriga jeomjeom mani saenggine.

딸 : 나는 흰머리가 없는데 엄마는 왜 흰머리가 있어?
딸 : 나는 힌머리가 엄는데 엄마는 왜 힌머리가 이써?
ttal : naneun hinmeoriga eomneunde eommaneun wae hinmeoriga isseo?

흰머리가 왜 생기는지 궁금해.
힌머리가 왜 생기는지 궁금해.
hinmeoriga wae saenggineunji gunggeumhae.

엄마 : 우리 딸이 엄마 말을 안 들어서 엄마가 속이 상하거나 슬퍼지면 흰머리가
엄마 : 우리 따리 엄마 마를 안 드러서 엄마가 소기 상하거나 슬퍼지면 힌머리가
eomma : uri ttari eomma mareul an deureoseo eommaga sogi sanghageona seulpeojimyeon hinmeoriga

한 개씩 생기더라고.
한 개씩 생기더라고.
han gaessik saenggideorago.

그러니까 앞으로 엄마가 하는 말 잘 들어야 돼.
그러니까 아프로 엄마가 하는 말 잘 드러야 돼.
geureonikka apeuro eommaga haneun mal jal deureoya dwae.

딸은 잠시 동안 생각을 하다가 엄마에게 다시 물었다.
따른 잠시 동안 생가글 하다가 엄마에게 다시 무럳따.
ttareun jamsi dongan saenggageul hadaga eommaege dasi mureotda.

딸 : 엄마, 외할머니 머리는 전부 하얀색인데?
딸 : 엄마, 외할머니 머리는 전부 하얀새긴데?
ttal : eomma, oehalmeoni meorineun jeonbu hayansaeginde?

● 어휘 (ごい【語彙】) / 문법 (ぶんぽう【文法】)

어느 날 설거지+를 하+고 있+는 엄마+에게 어리+ㄴ 딸+이 머리+를 갸우뚱거리+며 질문+을 하+였+다.

딸 : 엄마 머리 앞쪽+에 하얀색 머리카락+이 있+어.

엄마 : 이제 엄마+도 흰머리+가 점점 많이 생기+네.

딸 : 나+는 흰머리+가 없+는데 엄마+는 왜 흰머리+가 있+어?

흰머리+가 왜 생기+는지 궁금하+여.

엄마 : 우리 딸+이 엄마 말+을 안 들+어서 엄마+가 속+이 상하+거나 슬프(슬ㅍ)+어지+면

흰머리+가 한 개+씩 생기+더라고.

그러니까 앞+으로 엄마+가 하+는 말 잘 들+어야 되+어.

딸+은 잠시 동안 생각+을 하+다가 엄마+에게 다시 묻(물)+었+다.

딸 : 엄마, 외할머니 머리+는 전부 하얀색+이+ㄴ데?

어느 날 설거지+를 하+[고 있]+는 엄마+에게 어리+ㄴ 딸+이 머리+를 갸우뚱거리+며 질문+을 하+였+다.
어린 했다

• **어느 (冠形詞)** : 확실하지 않거나 분명하게 말할 필요가 없는 사물, 사람, 때, 곳 등을 가리키는 말.
ある
確実でないか、はっきり言う必要がない事物・人・時・場所などを指す語。

• **날 (名詞)** : 밤 열두 시에서 다음 밤 열두 시까지의 이십사 시간 동안.
ひ【日】。ひにち【日日】
夜12時から翌晩12時までの24時間。

• **설거지 (名詞)** : 음식을 먹고 난 뒤에 그릇을 씻어서 정리하는 일.
さらあらい【皿洗い】。あらいもの【洗い物】。しょっきあらい【食器洗い】
食事を終えた後、食器を洗って片付けること。

• 를 : 동작이 직접적으로 영향을 미치는 대상을 나타내는 조사.
を
動作が直接的に影響を及ぼす対象を表す助詞。

• **하다 (動詞)** : 어떤 행동이나 동작, 활동 등을 행하다.
する【為る】。やる【遣る】。なす【成す・為す】
ある行動や動作、活動などを行う。

• -고 있다 : 앞의 말이 나타내는 행동이 계속 진행됨을 나타내는 표현.
ている
前の言葉の表す行動が引き続き行われるという意を表す表現。

• -는 : 앞의 말이 관형어의 기능을 하게 만들고 사건이나 동작이 현재 일어남을 나타내는 어미.
する。ている
前の言葉に連体修飾語の機能を持たせ、出来事や動作が現在進行中であるという意を表す語尾。

• **엄마 (名詞)** : 격식을 갖추지 않아도 되는 상황에서 어머니를 이르거나 부르는 말.
ママ。おかあちゃん【お母ちゃん】
くだけた場面で母親を指したり呼ぶ語。

• 에게 : 어떤 행동이 미치는 대상임을 나타내는 조사.
に
行動が行われる対象を表す助詞。

• **어리다 (形容詞)** : 나이가 적다.
おさない【幼い】
年齢が低い。

• -ㄴ : 앞의 말이 관형어의 기능을 하게 만들고 현재의 상태를 나타내는 어미.
た
前の言葉に連体修飾語の機能を持たせ、現在の状態を表す「語尾」。

• **딸 (名詞)** : 부모가 낳은 아이 중 여자. 여자인 자식.
むすめ【娘】
親から生まれた子どもの中で女児。女の子。

• 이 : 어떤 상태나 상황의 대상이나 동작의 주체를 나타내는 조사.
が
ある状態・状況の対象や動作の主体を表す助詞。

• **머리 (名詞)** : 사람이나 동물의 몸에서 얼굴과 머리털이 있는 부분을 모두 포함한 목 위의 부분.
あたま【頭】。とうぶ【頭部】
人間や動物の体で、顔と髪の毛が生えている部分を全て含めた、首の上の部分。

• 를 : 동작이 직접적으로 영향을 미치는 대상을 나타내는 조사.
を
動作が直接的に影響を及ぼす対象を表す助詞。

• **갸우뚱거리다 (動詞)** : 물체가 자꾸 이쪽저쪽으로 기울어지며 흔들리다. 또는 그렇게 하다.
ぐらつく。ぐらぐらする
物体があちらこちらに傾いて揺れる。また、そうする。

• -며 : 두 가지 이상의 동작이나 상태가 함께 일어남을 나타내는 연결 어미.
ながら
二つ以上の動作や状態が共に起こるという意を表す「連結語尾」。

• **질문 (名詞)** : 모르는 것이나 알고 싶은 것을 물음.
しつもん【質問】
知らない点や知りたい点を尋ねること。

• 을 : 동작이 직접적으로 영향을 미치는 대상을 나타내는 조사.
を
動作が直接的に影響を及ぼす対象を表す助詞。

• **하다 (動詞)** : 어떤 행동이나 동작, 활동 등을 행하다.
する【為る】。やる【遣る】。なす【成す・為す】
ある行動や動作、活動などを行う。

• -였- : 사건이 과거에 일어났음을 나타내는 어미.
た
出来事が過去に発生したという意を表す語尾。

• -다 : 어떤 사건이나 사실, 상태를 서술함을 나타내는 종결 어미.
する。…い。…だ。である
現在の出来事や事実を叙述する意を表す「終結語尾」。

딸 : 엄마 머리 앞쪽+에 하얀색 머리카락+이 있+어.

• **엄마 (名詞)** : 격식을 갖추지 않아도 되는 상황에서 어머니를 이르거나 부르는 말.
ママ。おかあちゃん【お母ちゃん】
くだけた場面で母親を指したり呼ぶ語。

• **머리 (名詞)** : 사람이나 동물의 몸에서 얼굴과 머리털이 있는 부분을 모두 포함한 목 위의 부분.
あたま【頭】。とうぶ【頭部】
人間や動物の体で、顔と髪の毛が生えている部分を全て含めた、首の上の部分。

• **앞쪽 (名詞)** : 앞을 향한 방향.
まえのほう【前の方】。ぜんぽう【前方】
前に向かう方向。

• 에 : 앞말이 어떤 장소나 자리임을 나타내는 조사.
に
前の言葉が場所や席であることを表す助詞。

• **하얀색 (名詞)** : 눈이나 우유의 빛깔과 같이 밝고 선명한 흰색.
しろいろ・はくしょく【白色】
雪や牛乳のような明るくて鮮明な白い色。

• **머리카락 (名詞)** : 머리털 하나하나.
かみのけ【髪の毛】
髪の毛の１本１本。

• 이 : 어떤 상태나 상황의 대상이나 동작의 주체를 나타내는 조사.
が
ある状態・状況の対象や動作の主体を表す助詞。

• **있다 (形容詞)** : 무엇이 어떤 곳에 자리나 공간을 차지하고 존재하는 상태이다.
ある【有る・在る】
何かがある空間を占めて存在する状態だ。

• -어 : (두루낮춤으로) 어떤 사실을 서술하거나 물음, 명령, 권유를 나타내는 종결 어미.
のか。なさい。よう。ましょう
(略待下称) ある事実を叙述したり、質問・命令・勧誘の意を表す「終結語尾」。

엄마 : 이제 엄마+도 흰머리+가 점점 많이 생기+네.

- **이제 (副詞)** : 지금의 시기가 되어.
  いまや【今や】。もはや【最早】。もう
  今では。

- **엄마 (名詞)** : 격식을 갖추지 않아도 되는 상황에서 어머니를 이르거나 부르는 말.
  ママ。おかあちゃん【お母ちゃん】
  くだけた場面で母親を指したり呼ぶ語。

- 도 : 이미 있는 어떤 것에 다른 것을 더하거나 포함함을 나타내는 조사.
  も
  既存の物事に他の物事を加えたり含ませたりするという意を表す助詞。

- **흰머리 (名詞)** : 하얗게 된 머리카락.
  しらが・はくはつ【白髪】
  白くなった髪の毛。

- 가 : 어떤 상태나 상황에 놓인 대상이나 동작의 주체를 나타내는 조사.
  が
  ある状態・状況の対象や動作の主体を表す助詞。

- **점점 (副詞)** : 시간이 지남에 따라 정도가 조금씩 더.
  だんだん【段段】。しだいに【次第に】。じょじょに【徐徐に】。ますます【益益・益・増す増す】
  時間が経つにつれ、程度が少しずつはなはだしくなるさま。

- **많이 (副詞)** : 수나 양, 정도 등이 일정한 기준보다 넘게.
  おおく【多く】。たくさん【沢山】。かずおおく【数多く】。ゆたかに【豊かに】
  数や量、程度などが一定の基準を超えて。

- **생기다 (動詞)** : 없던 것이 새로 있게 되다.
  できる【出来る】。しょうずる【生ずる】
  今までなかった物事がつくられて存在する。

- -네 : (아주낮춤으로) 지금 깨달은 일에 대하여 말함을 나타내는 종결 어미.
  （だ）なあ。（だ）ね。（なの）か。（だ）よ
  (下称) その場で悟った事について述べるという意を表す「終結語尾」。

딸 : 나+는 흰머리+가 없+는데 엄마+는 왜 흰머리+가 있+어?

• **나 (代名詞)** : 말하는 사람이 친구나 아랫사람에게 자기를 가리키는 말.
わたし【私】。ぼく【僕】。おれ【俺】。じぶん【自分】
話し手が友人や目下の人に対し、自分をさす語。

• 는 : 어떤 대상이 다른 것과 대조됨을 나타내는 조사.
は
ある対象が他のものと対照されることを表す助詞。

• **흰머리 (名詞)** : 하얗게 된 머리카락.
しらが・はくはつ【白髪】
白くなった髪の毛。

• 가 : 어떤 상태나 상황에 놓인 대상이나 동작의 주체를 나타내는 조사.
が
ある状態・状況の対象や動作の主体を表す助詞。

• **없다 (形容詞)** : 사람, 사물, 현상 등이 어떤 곳에 자리나 공간을 차지하고 존재하지 않는 상태이다.
ない【無い】。いない。そんざいしない【存在しない】
人・事物・現象などがある所で場所や空間を占めていず、存在していない状態だ。

• -는데 : 뒤의 말을 하기 위하여 그 대상과 관련이 있는 상황을 미리 말함을 나타내는 연결 어미.
が。けど
何かを言うための前置きとして、それと関連した状況を前もって述べるという意を表す「連結語尾」。

• **엄마 (名詞)** : 격식을 갖추지 않아도 되는 상황에서 어머니를 이르거나 부르는 말.
ママ。おかあちゃん【お母ちゃん】
くだけた場面で母親を指したり呼ぶ語。

• 는 : 어떤 대상이 다른 것과 대조됨을 나타내는 조사.
は
ある対象が他のものと対照されることを表す助詞。

• **왜 (副詞)** : 무슨 이유로. 또는 어째서.
なぜ【何故】。どうして。なんで【何で】
どういう理由で。また、何ゆえ。

• **흰머리 (名詞)** : 하얗게 된 머리카락.
しらが・はくはつ【白髪】
白くなった髪の毛。

• 가 : 어떤 상태나 상황에 놓인 대상이나 동작의 주체를 나타내는 조사.
が
ある状態・状況の対象や動作の主体を表す助詞。

• **있다 (形容詞)** : 무엇이 어떤 곳에 자리나 공간을 차지하고 존재하는 상태이다.
ある【有る・在る】
何かがある空間を占めて存在する状態だ。

• -어 : (두루낮춤으로) 어떤 사실을 서술하거나 물음, 명령, 권유를 나타내는 종결 어미.
のか。なさい。よう。ましょう
(略待下称) ある事実を叙述したり、質問・命令・勧誘の意を表す「終結語尾」。

딸 : 흰머리+가 왜 생기+는지 궁금하+여. **궁금해**

• **흰머리 (名詞)** : 하얗게 된 머리카락.
しらが・はくはつ【白髪】
白くなった髪の毛。

• 가 : 어떤 상태나 상황에 놓인 대상이나 동작의 주체를 나타내는 조사.
が
ある状態・状況の対象や動作の主体を表す助詞。

• **왜 (副詞)** : 무슨 이유로. 또는 어째서.
なぜ【何故】。どうして。なんで【何で】
どういう理由で。また、何ゆえ。

• **생기다 (動詞)** : 없던 것이 새로 있게 되다.
できる【出来る】。しょうずる【生ずる】
今までなかった物事がつくられて存在する。

• -는지 : 뒤에 오는 말의 내용에 대한 막연한 이유나 판단을 나타내는 연결 어미.
か。かどうか。のか。ためか
次にくる事柄に関する漠然とした理由や判断の意を表す「連結語尾」。

• **궁금하다 (形容詞)** : 무엇이 무척 알고 싶다.
しりたい【知りたい】
何かがとても知りたい。

• -여 : (두루낮춤으로) 어떤 사실을 서술하거나 물음, 명령, 권유를 나타내는 종결 어미.
のか。なさい。よう。ましょう
(略待下称) ある事実を叙述したり、質問・命令・勧誘の意を表す「終結語尾」。

엄마 : 우리 딸+이 엄마 말+을 안 듣(들)+어서 엄마+가 속+이 상하+거나 들어서 슬프(슬ㅍ)+어지+면 흰머리+가 한 개+씩 생기+더라고. 슬퍼지면

• **우리 (代名詞)** : 말하는 사람이 자기보다 높지 않은 사람에게 자기와 관련된 것을 친근하게 나타낼 때 쓰는 말.
わたし【私】
話し手が自分より高くない人に自分に関することを親しんでいう語。

• **딸 (名詞)** : 부모가 낳은 아이 중 여자. 여자인 자식.
むすめ【娘】
親から生まれた子どもの中で女児。女の子。

• 이 : 어떤 상태나 상황의 대상이나 동작의 주체를 나타내는 조사.
が
ある状態・状況の対象や動作の主体を表す助詞。

• **엄마 (名詞)** : 격식을 갖추지 않아도 되는 상황에서 어머니를 이르거나 부르는 말.
ママ。おかあちゃん【お母ちゃん】
くだけた場面で母親を指したり呼ぶ語。

• **말 (名詞)** : 생각이나 느낌을 표현하고 전달하는 사람의 소리.
ことば【言葉】
考えや感情を表現して伝える人の音声。

• 을 : 동작이 직접적으로 영향을 미치는 대상을 나타내는 조사.
を
動作が直接的に影響を及ぼす対象を表す助詞。

• **안 (副詞)** : 부정이나 반대의 뜻을 나타내는 말.
対訳語無し
否定や反対の意を表す語。

• **듣다 (動詞)** : 다른 사람이 말하는 대로 따르다.
うけいれる【受け入れる】
人の言う事を受け入れて従う。

• -어서 : 이유나 근거를 나타내는 연결 어미.
て。から。ので。ため。ゆえ【故】
理由や根拠の意を表す「連結語尾」。

• **엄마 (名詞)** : 격식을 갖추지 않아도 되는 상황에서 어머니를 이르거나 부르는 말.
ママ。おかあちゃん【お母ちゃん】
くだけた場面で母親を指したり呼ぶ語。

• 가 : 어떤 상태나 상황에 놓인 대상이나 동작의 주체를 나타내는 조사.
が
ある状態・状況の対象や動作の主体を表す助詞。

• **속 (名詞)** : 품고 있는 마음이나 생각.
はら【腹】。きょうちゅう【胸中】。むね【胸】。しんちゅう【心中】
心の中や考え。

• 이 : 어떤 상태나 상황의 대상이나 동작의 주체를 나타내는 조사.
が
ある状態・状況の対象や動作の主体を表す助詞。

• **상하다 (動詞)** : 싫은 일을 당하여 기분이 안 좋아지거나 마음이 불편해지다.
いたむ【痛む】。きずつく【傷付く】
嫌な目にあって、感情が損なわれる。

• -거나 : 앞에 오는 말과 뒤에 오는 말 중에서 하나가 선택될 수 있음을 나타내는 연결 어미.
か。とか
前の言葉と後の言葉のうち、どちらかが選択されうるという意を表す「連結語尾」。

• **슬프다 (形容詞)** : 눈물이 날 만큼 마음이 아프고 괴롭다.
かなしい【悲しい・哀しい】
涙が出るほど心が痛んでつらい。

• -어지다 : 앞에 오는 말이 나타내는 대로 행동하게 되거나 그 상태로 됨을 나타내는 표현.
(ら)れる。てくる
前の言葉通りに行動するようになるかその状態になるという意を表す表現。

• -면 : 뒤에 오는 말에 대한 근거나 조건이 됨을 나타내는 연결 어미.
たら。なら。というなら
後にくる事柄に対する根拠や条件になるという意を表す「連結語尾」。

• **흰머리 (名詞)** : 하얗게 된 머리카락.
しらが・はくはつ【白髪】
白くなった髪の毛。

• 가 : 어떤 상태나 상황에 놓인 대상이나 동작의 주체를 나타내는 조사.
が
ある状態・状況の対象や動作の主体を表す助詞。

・**한 (冠形詞)** : 하나의.
いち【一】
1の。

・**개 (名詞)** : 낱으로 떨어진 물건을 세는 단위.
こ【個】
個々になっているものを数える単位。

・씩 : '그 수량이나 크기로 나뉨'의 뜻을 더하는 접미사.
ずつ
「その数量や大きさに分けられる」という意を付加する接尾辞。

・**생기다 (動詞)** : 없던 것이 새로 있게 되다.
できる【出来る】。しょうずる【生ずる】
今までなかった物事がつくられて存在する。

・-더라고 : (두루낮춤으로) 과거에 경험하여 새로 알게 된 사실에 대해 지금 상대방에게 옮겨 전할 때 쓰는 표현.
たんだよ。ていたんだよ
(略待下称) 過去に直接経験して新しく知った事実について今相手に伝言として述べるのに用いる表現。

엄마 : 그러니까 앞+으로 엄마+가 하+는 말 잘 듣(들)+[어야 되]+어. 들어야 돼

・**그러니까 (副詞)** : 그런 이유로. 또는 그런 까닭에.
それゆえ【それ故】
そのような理由で。または、そんなわけで。

・**앞 (名詞)** : 다가올 시간.
さき【先】。こんご【今後】。みらい【未来】。しょうらい【将来】
近づいてくる時間。

・으로 : 시간을 나타내는 조사.
に
時間を表す助詞。

・**엄마 (名詞)** : 격식을 갖추지 않아도 되는 상황에서 어머니를 이르거나 부르는 말.
ママ。おかあちゃん【お母ちゃん】
くだけた場面で母親を指したり呼ぶ語。

・가 : 어떤 상태나 상황에 놓인 대상이나 동작의 주체를 나타내는 조사.
が
ある状態・状況の対象や動作の主体を表す助詞。

• **하다 (動詞)** : 어떤 행동이나 동작, 활동 등을 행하다.
する【為る】。やる【遣る】。なす【成す・為す】
ある行動や動作、活動などを行う。

• -는 : 앞의 말이 관형어의 기능을 하게 만들고 사건이나 동작이 현재 일어남을 나타내는 어미.
する。ている
前の言葉に連体修飾語の機能を持たせ、出来事や動作が現在進行中であるという意を表す語尾。

• **말 (名詞)** : 생각이나 느낌을 표현하고 전달하는 사람의 소리.
ことば【言葉】
考えや感情を表現して伝える人の音声。

• **잘 (副詞)** : 관심을 집중해서 주의 깊게.
ちゅういぶかく【注意深く】
関心を集中して注意深く。

• **듣다 (動詞)** : 다른 사람이 말하는 대로 따르다.
うけいれる【受け入れる】
人の言う事を受け入れて従う。

• -어야 되다 : 반드시 그럴 필요나 의무가 있음을 나타내는 표현.
ないといけない。ないとならない。なければいけない。なければならない。ねばならない。べきだ
必ずそうすべき必然性や義務があるという意を表す表現。

• -어 : (두루낮춤으로) 어떤 사실을 서술하거나 물음, 명령, 권유를 나타내는 종결 어미.
のか。なさい。よう。ましょう
(略待下称) ある事実を叙述したり、質問・命令・勧誘の意を表す「終結語尾」。

딸+은 잠시 동안 생각+을 하+다가 엄마+에게 다시 묻(물)+었+다. **물었다**

• **딸 (名詞)** : 부모가 낳은 아이 중 여자. 여자인 자식.
むすめ【娘】
親から生まれた子どもの中で女児。女の子。

• 은 : 문장 속에서 어떤 대상이 화제임을 나타내는 조사.
は
文章の中である対象が話題であることを表す助詞。

• **잠시 (名詞)** : 잠깐 동안.
ざんじ【暫時】。しばらく【暫く・姑く・須臾】。しばし【暫し】
少しの間。

・**동안 (名詞)** : 한때에서 다른 때까지의 시간의 길이.
あいだ・ま【間】
ある時から他の時までの時間の長さ。

・**생각 (名詞)** : 사람이 머리를 써서 판단하거나 인식하는 것.
かんがえ【考え】。しこう【思考】
人間が頭を使って判断し、認識する物事。

・을 : 동작이 직접적으로 영향을 미치는 대상을 나타내는 조사.
を
動作が直接的に影響を及ぼす対象を表す助詞。

・**하다 (動詞)** : 어떤 행동이나 동작, 활동 등을 행하다.
する【為る】。やる【遣る】。なす【成す・為す】
ある行動や動作、活動などを行う。

・-다가 : 어떤 행동이나 상태 등이 중단되고 다른 행동이나 상태로 바뀜을 나타내는 연결 어미.
ていて。…かけて。とちゅうで【途中で】
ある行動や状態などが中断され、別の行動や状態に変わる意を表す「連結語尾」。

・**엄마 (名詞)** : 격식을 갖추지 않아도 되는 상황에서 어머니를 이르거나 부르는 말.
ママ。おかあちゃん【お母ちゃん】
くだけた場面で母親を指したり呼ぶ語。

・에게 : 어떤 행동이 미치는 대상임을 나타내는 조사.
に
行動が行われる対象を表す助詞。

・**다시 (副詞)** : 같은 말이나 행동을 반복해서 또.
また【又】。ふたたび【再び】。もういちど【もう一度】。さらに
同じ言葉や行動を繰り返してまた。

・**묻다 (動詞)** : 대답이나 설명을 요구하며 말하다.
とう【問う】。きく【聞く・訊く】。たずねる【尋ねる】
答えや説明を求めて言う。

・-었- : 사건이 과거에 일어났음을 나타내는 어미.
た
出来事が過去に発生したという意を表す語尾。

・-다 : 어떤 사건이나 사실, 상태를 서술함을 나타내는 종결 어미.
する。…い。…だ。である
現在の出来事や事実を叙述する意を表す「終結語尾」。

딸 : 엄마, 외할머니 머리+는 전부 하얀색+이+ㄴ데? 하얀색인데

• **엄마 (名詞)** : 격식을 갖추지 않아도 되는 상황에서 어머니를 이르거나 부르는 말.
ママ。おかあちゃん【お母ちゃん】
くだけた場面で母親を指したり呼ぶ語。

• **외할머니 (名詞)** : 어머니의 친어머니를 이르거나 부르는 말.
ははかたのそぼ【母方の祖母】
母の実母を指したり呼ぶ語。

• **머리 (名詞)** : 머리에 난 털.
かみ【髪】。かみのけ【髪の毛】。とうはつ【頭髪】
頭に生えている毛。

• 는 : 문장 속에서 어떤 대상이 화제임을 나타내는 조사.
は
文章の中である対象が話題であることを表す助詞。

• **전부 (副詞)** : 빠짐없이 다.
ぜんぶ【全部】。すべて【全て・凡て・総て】。みな【皆】
残らず。

• **하얀색 (名詞)** : 눈이나 우유의 빛깔과 같이 밝고 선명한 흰색.
しろいろ・はくしょく【白色】
雪や牛乳のような明るくて鮮明な白い色。

• 이다 : 주어가 지시하는 대상의 속성이나 부류를 지정하는 뜻을 나타내는 서술격 조사.
だ。である
主語が指す対象の属性や部類を指定する意を表す叙述格助詞。

• -ㄴ데 : (두루낮춤으로) 듣는 사람의 반응을 기대하며 어떤 일에 대해 감탄함을 나타내는 종결 어미.
(だ)ね。(だ)な
(略待下称) 聞き手の反応を期待しながら何かについて感嘆するという意を表す「終結語尾」。

< 14 단원(たんげん【単元】) >

제목 : 혹시 그 여자가 이 아이였습니까?

● 본문 (ほんぶん【本文】)

한 택시 기사가 젊은 여자 손님을 태우게 되었다.

그 여자는 집으로 가는 내내 창백한 얼굴로 멍하니 창밖을 바라보고 있었다.

이윽고 택시는 여자의 집에 도착했다.

여자 : 기사님, 잠시만 기다려 주세요.

집에 들어가서 택시비 금방 가지고 나올게요.

하지만 한참을 기다려도 여자가 돌아오지 않자 화가 난 택시 기사는 그 집 문을 두드렸고, 잠시 후 안에서 중년의 남자가 나왔다.

택시 기사가 자초지종을 얘기하자 남자는 깜짝 놀라며 안으로 들어갔다가 사진 한 장을 들고 나와 택시 기사한테 물었다.

남자 : 혹시 그 여자가 이 아이였습니까?

택시 기사 : 네, 맞아요.

남자 : 아이고, 오늘이 네 제삿날인 줄 알고 왔구나.

흐느끼는 남자의 모습을 본 택시 기사는 순간 무서웠는지 그냥 도망가 버렸다.

그때 여자가 나오며 하는 말.

여자 : 아빠, 나 잘했지?

남자 : 오냐, 다음부터는 모범택시를 타도록 해라.

● 발음 (はつおん【発音】)

한 택시 기사가 젊은 여자 손님을 태우게 되었다.
한 택씨 기사가 절믄 여자 손니믈 태우게 되얻따.
han taeksi gisaga jeolmeun yeoja sonnimeul taeuge doeeotda.

그 여자는 집으로 가는 내내 창백한 얼굴로 멍하니 창밖을 바라보고 있었다.
그 여자는 지브로 가는 내내 창배칸 얼굴로 멍하니 창바끌 바라보고 이썯따.
geu yeojaneun jibeuro ganeun naenae changbaekan eolgullo meonghani changbakkeul barabogo isseotda.

이윽고 택시는 여자의 집에 도착했다.
이윽꼬 택씨는 여자에 지베 도차캗따.
ieukgo taeksineun yeojaui(yeojae) jibe dochakaetda.

여자 : 기사님, 잠시만 기다려 주세요.
여자 : 기사님, 잠시만 기다려 주세요.
yeoja : gisanim, jamsiman gidaryeo juseyo.

집에 들어가서 택시비 금방 가지고 나올게요.
지베 드러가서 택씨비 금방 가지고 나올께요.
jibe deureogaseo taeksibi geumbang gajigo naolgeyo.

하지만 한참을 기다려도 여자가 돌아오지 않자 화가 난 택시 기사는 그 집 문을 두드렸고, 잠시 후
하지만 한차믈 기다려도 여자가 도라오지 안차 화가 난 택씨 기사는 그 집 무늘 두드렫꼬, 잠시 후
hajiman hanchameul gidaryeodo yeojaga doraoji ancha hwaga nan taeksi gisaneun geu jip muneul dudeuryeotgo, jamsi hu

안에서 중년의 남자가 나왔다.
아네서 중녀네 남자가 나왇따.
aneseo jungnyeonui(jungnyeone) namjaga nawatda.

택시 기사가 자초지종을 얘기하자 남자는 깜짝 놀라며 안으로 들어갔다가 사진 한 장을 들고 나와
택씨 기사가 자초지종을 얘기하자 남자는 깜짝 놀라며 아느로 드러갇따가 사진 한 장을 들고 나와
taeksi gisaga jachojijongeul yaegihaja namjaneun kkamjjak nollamyeo aneuro deureogatdaga sajin han jangeul deulgo nawa

택시 기사한테 물었다.
택씨 기사한테 무럳따.
taeksi gisahante mureotda.

남자 : 혹시 그 여자가 이 아이였습니까?
남자 : 혹씨 그 여자가 이 아이엳씀니까?
namja : hoksi geu yeojaga i aiyeotseumnikka?

택시 기사 : 네, 맞아요.
택씨 기사 : 네, 마자요.
taeksi gisa : ne, majayo.

남자 : 아이고, 오늘이 네 제삿날인 줄 알고 왔구나.
남자 : 아이고, 오느리 네 제산나린 줄 알고 왇꾸나.
namja : aigo, oneuri ne jesannarin jul algo watguna.

흐느끼는 남자의 모습을 본 택시 기사는 순간 무서웠는지 그냥 도망가 버렸다.
흐느끼는 남자에 모스블 본 택씨 기사는 순간 무서원는지 그냥 도망가 버렫따.
heuneukkineun namjaui(namjae) moseubeul bon taeksi gisaneun sungan museowonneunji geunyang domangga beoryeotda.

그때 여자가 나오며 하는 말.
그때 여자가 나오며 하는 말.
geuttae yeojaga naomyeo haneun mal.

여자 : 아빠, 나 잘했지?
여자 : 아빠, 나 잘핻찌?
yeoja : appa, na jalhaetji?

남자 : 오냐, 다음부터는 모범택시를 타도록 해라.
남자 : 오냐, 다음부터는 모범택씨를 타도록 해라.
namja : onya, daeumbuteoneun mobeomtaeksireul tadorok haera.

● 어휘 (ごい【語彙】) / 문법 (ぶんぽう【文法】)

한 택시 기사+가 젊+은 여자 손님+을 태우+게 되+었+다.

그 여자+는 집+으로 가+는 내내 창백하+ㄴ 얼굴+로 멍하니 창밖+을 바라보+고 있+었+다.

이윽고 택시+는 여자+의 집+에 도착하+였+다.

여자 : 기사+님, 잠시+만 기다리+어 주+세요.

집+에 들어가+(아)서 택시+비 금방 가지+고 나오+ㄹ게요.

하지만 한참+을 기다리+어도 여자+가 돌아오+지 않+자 화+가 나+ㄴ 택시 기사+는 그 집 문+을

두드리+었+고, 잠시 후 안+에서 중년+의 남자+가 나오+았+다.

택시 기사+가 자초지종+을 얘기하+자 남자+는 깜짝 놀라+며 안+으로 들어가+았+다가 사진 한 장+을

들+고 나오+아 택시 기사+한테 묻(물)+었+다.

남자 : 혹시 그 여자+가 이 아이+이+었+습니까?

택시 기사 : 네, 맞+아요.

남자 : 아이고, 오늘+이 너+의 제삿날+이+ㄴ 줄 알+고 오+았+구나.

흐느끼+는 남자+의 모습+을 보+ㄴ 택시 기사+는 순간 무섭(무서우)+었+는지 그냥 도망가+(아) 버리+었+다.

그때 여자+가 나오+며 하+는 말.

여자 : 아빠, 나 잘하+였+지?

남자 : 오냐, 다음+부터+는 모범택시+를 타+도록 하+여라.

한 택시 기사+가 젊+은 여자 손님+을 태우+[게 되]+었+다.

• **한** (冠形詞) : 여럿 중 하나인 어떤.
ある【或る】
多くの中で一つ。

• **택시** (名詞) : 돈을 받고 손님이 원하는 곳까지 태워 주는 일을 하는 승용차.
タクシー
料金を受け取って客の希望に応じて目的地まで客を乗せて運送する営業用乗用車。

• **기사** (名詞) : 직업적으로 자동차나 기계 등을 운전하는 사람.
うんてんしゅ【運転手】
職業として自動車や機械などを運転する人。

• 가 : 어떤 상태나 상황에 놓인 대상이나 동작의 주체를 나타내는 조사.
が
ある状態や状況に置かれた対象、または動作の主体を表す助詞。

• **젊다** (形容詞) : 나이가 한창때에 있다.
わかい【若い】
年齢が少なくて生気に満ちている。

• -은 : 앞의 말이 관형어의 기능을 하게 만들고 현재의 상태를 나타내는 어미.
た。ている
前の言葉に連体修飾語の機能を持たせ、現在の状態の意を表す語尾。

• **여자** (名詞) : 여성으로 태어난 사람.
おんな【女】。じょし【女子】。じょせい【女性】
女として生まれた人。

• **손님** (名詞) : 버스나 택시 등과 같은 교통수단을 이용하는 사람.
きゃく【客】。じょうきゃく【乗客】
バスやタクシーなどのような交通手段を利用する人。

• 을 : 동작이 직접적으로 영향을 미치는 대상을 나타내는 조사.
を
動作が直接的に影響を及ぼす対象を表す助詞。

• **태우다** (動詞) : 차나 배와 같은 탈것이나 짐승의 등에 타게 하다.
のせる【乗せる】
車や船のような乗り物や、動物の上に上がらせる。

• -게 되다 : 앞의 말이 나타내는 상태나 상황이 됨을 나타내는 표현.
ようになる。ことになる
前の言葉の表す状態や状況になるという意を表す表現。

• -었- : 어떤 사건이 과거에 완료되었거나 그 사건의 결과가 현재까지 지속되는 상황을 나타내는 어미.
た。ている
ある出来事が過去に完了したことや、その出来事の結果が現在まで持続している状況を表す語尾。

• -다 : 어떤 사건이나 사실, 상태를 서술함을 나타내는 종결 어미.
する。…い。…だ。である
現在の出来事や事実を叙述する意を表す「終結語尾」。

그 여자+는 집+으로 가+는 내내 창백하+ㄴ 얼굴+로 멍하니 창밖+을 바라보+[고 있]+었+다. **창백한**

• **그 (冠形詞)** : 앞에서 이미 이야기한 대상을 가리킬 때 쓰는 말.
その。あの。れいの【例の】
すでに話した対象をさすときに使う語。

• **여자 (名詞)** : 여성으로 태어난 사람.
おんな【女】。じょし【女子】。じょせい【女性】
女として生まれた人。

• 는 : 문장 속에서 어떤 대상이 화제임을 나타내는 조사.
は
文の中で、ある対象が話題であることを表す助詞。

• **집 (名詞)** : 사람이나 동물이 추위나 더위 등을 막고 그 속에 들어 살기 위해 지은 건물.
いえ【家】。す【巣】
人や動物が寒さや暑さなどを避けて、その中で住むために作った物。

• 으로 : 움직임의 방향을 나타내는 조사.
に。へ
動きの方向を表す助詞。

• **가다 (動詞)** : 한 곳에서 다른 곳으로 장소를 이동하다.
ゆく・いく【行く】。うつる【移る】
ある場所から他の場所へ移動する。

• -는 : 앞의 말이 관형어의 기능을 하게 만들고 사건이나 동작이 현재 일어남을 나타내는 어미.
する。ている
前の言葉に連体修飾語の機能を持たせ、出来事や動作が現在進行中であるという意を表す語尾。

• **내내 (副詞)** : 처음부터 끝까지 계속해서.
しじゅう【始終】
最初から最後まで続けて。

• **창백하다 (形容詞)** : 얼굴이나 피부가 푸른빛이 돌 만큼 핏기 없이 하얗다.
そうはくだ【蒼白だ】。あおじろい【青白い】
顔や肌に青みがかってみえるほど、血の気がなくて白い。

• -ㄴ : 앞의 말이 관형어의 기능을 하게 만들고 현재의 상태를 나타내는 어미.
た。ている
前の言葉に連体修飾語の機能を持たせ、現在の状態の意を表す語尾。

• **얼굴 (名詞)** : 어떠한 심리 상태가 겉으로 드러난 표정.
かおつき【顔つき】。ひょうじょう【表情】
ある心理状態が表に現れた表情。

• 로 : 어떤 일의 방법이나 방식을 나타내는 조사.
で
ある動作を行うための方法や方式を表す助詞。

• **멍하니 (副詞)** : 정신이 나간 것처럼 가만히.
ぼんやり。ぽかん。ぼやっと
間抜けたようにぼやぼやと。

• **창밖 (名詞)** : 창문의 밖.
そうがい【窓外】
窓の外。

• 을 : 동작이 직접적으로 영향을 미치는 대상을 나타내는 조사.
を
動作が直接的に影響を及ぼす対象を表す助詞。

• **바라보다 (動詞)** : 바로 향해 보다.
ながめる【眺める】。みつめる【見詰める】。のぞむ【望む】
正面から見る。

• -고 있다 : 앞의 말이 나타내는 행동이 계속 진행됨을 나타내는 표현.
ている
前の言葉の表す行動が引き続き行われるという意を表す表現。

• -었- : 어떤 사건이 과거에 완료되었거나 그 사건의 결과가 현재까지 지속되는 상황을 나타내는 어미.
た。ている
ある出来事が過去に完了したことや、その出来事の結果が現在まで持続している状況を表す語尾。

• -다 : 어떤 사건이나 사실, 상태를 서술함을 나타내는 종결 어미.
する。…い。…だ。である
現在の出来事や事実を叙述する意を表す「終結語尾」。

이윽고 택시+는 여자+의 집+에 <u>도착하+였+다</u>. **도착했다**

• **이윽고 (副詞)** : 시간이 얼마쯤 흐른 뒤에 드디어.
やがて【軈て・頓て】
時間がある程度過ぎた後にようやく。

• **택시 (名詞)** : 돈을 받고 손님이 원하는 곳까지 태워 주는 일을 하는 승용차.
タクシー
料金を受け取って客の希望に応じて目的地まで客を乗せて運送する営業用乗用車。

• 는 : 문장 속에서 어떤 대상이 화제임을 나타내는 조사.
は
文の中で、ある対象が話題であることを表す助詞。

• **여자 (名詞)** : 여성으로 태어난 사람.
おんな【女】。じょし【女子】。じょせい【女性】
女として生まれた人。

• 의 : 앞의 말이 뒤의 말에 대하여 소유, 소속, 소재, 관계, 기원, 주체의 관계를 가짐을 나타내는 조사.
の
前の言葉が後ろの言葉に対し、所有、所在、関係、起源、主体の関係を持つことを表す助詞。

• **집 (名詞)** : 사람이나 동물이 추위나 더위 등을 막고 그 속에 들어 살기 위해 지은 건물.
いえ【家】。す【巣】
人や動物が寒さや暑さなどを避けて、その中で住むために作った物。

• 에 : 앞말이 목적지이거나 어떤 행위의 진행 방향임을 나타내는 조사.
に。へ
前の言葉が目的地であったり、ある行為の進行方向であったりすることを表す助詞。

• **도착하다 (動詞)** : 목적지에 다다르다.
とうちゃくする【到着する】。つく【着く】
目的地に行きつく。

• -였- : 어떤 사건이 과거에 완료되었거나 그 사건의 결과가 현재까지 지속되는 상황을 나타내는 어미.
た。ている
ある出来事が過去に完了したことや、その出来事の結果が現在まで持続している状況を表す語尾。

• -다 : 어떤 사건이나 사실, 상태를 서술함을 나타내는 종결 어미.
する。…い。…だ。である
現在の出来事や事実を叙述する意を表す「終結語尾」。

여자 : 기사+님, 잠시+만 기다리+[어 주]+세요.
기다려 주세요

• **기사 (名詞)** : 직업적으로 자동차나 기계 등을 운전하는 사람.
うんてんしゅ【運転手】
職業として自動車や機械などを運転する人。

• 님 : '높임'의 뜻을 더하는 접미사.
さま【様】
「敬う」意を付加する接尾辞。

• **잠시 (副詞)** : 잠깐 동안에.
ざんじ【暫時】。しばらく【暫く・姑く・須臾】。しばし【暫し】
少しの間に。

• 만 : 무엇을 강조하는 뜻을 나타내는 조사.
ばかり。だけ。のみ。さえ
何かを強調するという意を表す助詞。

• **기다리다 (動詞)** : 사람, 때가 오거나 어떤 일이 이루어질 때까지 시간을 보내다.
まつ【待つ】
人や時期が来たり、あることが行われたりするまで時間を過ごす。

• -어 주다 : 남을 위해 앞의 말이 나타내는 행동을 함을 나타내는 표현.
てやる。てあげる。てくれる
他人のために前の言葉の表す行動をするという意を表す表現。

• -세요 : (두루높임으로) 설명, 의문, 명령, 요청의 뜻을 나타내는 종결 어미.
ます。です。ますか。ですか。てください
(略待上称) 説明・疑問・命令・要請の意を表す「終結語尾」。

여자 : 집+에 들어가+(아)서 택시+비 금방 가지+고 나오+ㄹ게요.
들어가서 나올게요

• **집 (名詞)** : 사람이나 동물이 추위나 더위 등을 막고 그 속에 들어 살기 위해 지은 건물.
いえ【家】。す【巣】
人や動物が寒さや暑さなどを避けて、その中で住むために作った物。

• 에 : 앞말이 목적지이거나 어떤 행위의 진행 방향임을 나타내는 조사.
に。へ
前の言葉が目的地であったり、ある行為の進行方向であったりすることを表す助詞。

• **들어가다 (動詞)** : 밖에서 안으로 향하여 가다.
はいる【入る】
外から中に移動する。

• -아서 : 앞의 말과 뒤의 말이 순차적으로 일어남을 나타내는 연결 어미.
て。てから
前の事柄と後の事柄が順次に起こるという意を表す「連結語尾」。

• **택시 (名詞)** : 돈을 받고 손님이 원하는 곳까지 태워 주는 일을 하는 승용차.
タクシー
料金を受け取って客の希望に応じて目的地まで客を乗せて運送する営業用乗用車。

• 비 : '비용', '돈'의 뜻을 더하는 접미사.
ひ【費】
「費用」または「金銭」の意を付加する接尾辞。

• **금방 (副詞)** : 시간이 얼마 지나지 않아 곧바로.
ただちに【直ちに】。すぐ
時間があまり経っていないのにすぐ。

• **가지다 (動詞)** : 무엇을 손에 쥐거나 몸에 지니다.
もつ【持つ】。たずさえる【携える】
何かを手に握ったり、身に付けたりする。

• -고 : 앞의 말과 뒤의 말이 차례대로 일어남을 나타내는 연결 어미.
て
前の事柄と後の事柄が順次に起こるという意を表す「連結語尾」。

• **나오다 (動詞)** : 안에서 밖으로 오다.
でる【出る】
中から外へ移動する。

• -ㄹ게요 : (두루높임으로) 말하는 사람이 어떤 행동을 할 것을 듣는 사람에게 약속하거나 의지를 나타내는 표현.
ます
(略待上称) 話し手が聞き手に対してある行動をすると約束したり知らせたりする意を表す表現。

하지만 한참+을 기다리+어도 여자+가 돌아오+[지 않]+자 화+가 나+ㄴ 택시 기사+는 그 집 문+을
기다려도 난

두드리+었+고, 잠시 후 안+에서 중년+의 남자+가 나오+았+다.
두드렸고 나왔다

• **하지만 (副詞)** : 내용이 서로 반대인 두 개의 문장을 이어 줄 때 쓰는 말.
しかし。だけれども。だけれど。だけど
相反する内容の二つの文をつなげるときに用いる語。

• **한참 (名詞)** : 시간이 꽤 지나는 동안.
しばらく【暫く・姑く】。とうぶん【当分】。ながいあいだ【長い間】
長い時間を隔てているさま。

• 을 : 동작 대상의 수량이나 동작의 순서를 나타내는 조사.
を
動作の対象の数量や動作の順番を表す助詞。

• **기다리다 (動詞)** : 사람, 때가 오거나 어떤 일이 이루어질 때까지 시간을 보내다.
まつ【待つ】
人や時期が来たり、あることが行われたりするまで時間を過ごす。

• -어도 : 앞에 오는 말을 가정하거나 인정하지만 뒤에 오는 말에는 관계가 없거나 영향을 끼치지 않음을 나타내는 연결 어미.
ても。たって
前の事柄を仮定したり認めたりするものの、後の事柄とは関係がないかそれに影響を及ぼさないという意を表す「連結語尾」。

• **여자 (名詞)** : 여성으로 태어난 사람.
おんな【女】。じょし【女子】。じょせい【女性】
女として生まれた人。

• 가 : 어떤 상태나 상황에 놓인 대상이나 동작의 주체를 나타내는 조사.
が
ある状態や状況に置かれた対象、または動作の主体を表す助詞。

• **돌아오다 (動詞)** : 원래 있던 곳으로 다시 오거나 다시 그 상태가 되다.
かえる【帰る】。もどる【戻る】
元の場所に行ったり、再びその状態になったりする。

• -지 않다 : 앞의 말이 나타내는 행위나 상태를 부정하는 뜻을 나타내는 표현.
ない。くない。ではない
前の言葉の表す行為や状態を否定する意を表す表現。

• -자 : 앞에 오는 말이 뒤에 오는 말의 원인이나 동기가 됨을 나타내는 연결 어미.
と。たら
前に述べる事柄が後に述べる事柄の原因や動機になるという意を表す「連結語尾」。

• **화 (名詞)** : 몹시 못마땅하거나 노여워하는 감정.
いかり【怒り】。いきどおり【憤り】。はらだち【腹立ち】
不機嫌になったり怒ったりする感情。

• 가 : 어떤 상태나 상황에 놓인 대상이나 동작의 주체를 나타내는 조사.
が
ある状態や状況に置かれた対象、または動作の主体を表す助詞。

• **나다 (動詞)** : 어떤 감정이나 느낌이 생기다.
うまれる【生まれる】。おこる【起こる】
ある感情や感じが生じる。

• -ㄴ : 앞의 말이 관형어의 기능을 하게 만들고 사건이나 동작이 완료되어 그 상태가 유지되고 있음을 나타내는 어미.
た。ている
前の言葉に連体修飾語の機能を持たせ、出来事や動作が完了してその状態が続いているという意を表す語尾。

• **택시 (名詞)** : 돈을 받고 손님이 원하는 곳까지 태워 주는 일을 하는 승용차.
タクシー
料金を受け取って客の希望に応じて目的地まで客を乗せて運送する営業用乗用車。

• **기사 (名詞)** : 직업적으로 자동차나 기계 등을 운전하는 사람.
うんてんしゅ【運転手】
職業として自動車や機械などを運転する人。

• 는 : 문장 속에서 어떤 대상이 화제임을 나타내는 조사.
は
文の中で、ある対象が話題であることを表す助詞。

• **그 (冠形詞)** : 앞에서 이미 이야기한 대상을 가리킬 때 쓰는 말.
その。あの。れいの【例の】
すでに話した対象をさすときに使う語。

• **집 (名詞)** : 사람이나 동물이 추위나 더위 등을 막고 그 속에 들어 살기 위해 지은 건물.
いえ【家】。す【巣】
人や動物が寒さや暑さなどを避けて、その中で住むために作った物。

• **문 (名詞)** : 사람이 안과 밖을 드나들거나 물건을 넣고 꺼낼 수 있게 하기 위해 열고 닫을 수 있도록 만든 시설.
と【戸・門】。とびら【扉】。もん・かど【門】。ドア
人が出入りしたり、物を収めたりするために、開閉できるようにした建具。

• 을 : 동작이 직접적으로 영향을 미치는 대상을 나타내는 조사.
を
動作が直接的に影響を及ぼす対象を表す助詞。

• **두드리다 (動詞)** : 소리가 나도록 잇따라 치거나 때리다.
たたく【叩く】。うつ【打つ】
音がするように連続して打ったり殴ったりする。

• -었- : 어떤 사건이 과거에 완료되었거나 그 사건의 결과가 현재까지 지속되는 상황을 나타내는 어미.
た。ている
ある出来事が過去に完了したことや、その出来事の結果が現在まで持続している状況を表す語尾。

• -고 : 앞의 말과 뒤의 말이 차례대로 일어남을 나타내는 연결 어미.
て
前の事柄と後の事柄が順次に起こるという意を表す「連結語尾」。

• **잠시 (名詞)** : 잠깐 동안.
ざんじ【暫時】。しばらく【暫く・姑く・須臾】。しばし【暫し】
少しの間。

• **후 (名詞)** : 얼마만큼 시간이 지나간 다음.
あと【後】
ある程度の時間が過ぎた後。

• **안 (名詞)** : 어떤 물체나 공간의 둘레에서 가운데로 향한 쪽. 또는 그러한 부분.
なか【中】。ないぶ【内部】。うち【内】。おく【奥】
ある物体や空間の内側。また、その部分。

• 에서 : 앞말이 출발점의 뜻을 나타내는 조사.
から
前の言葉が出発点の意を表す助詞。

• **중년 (名詞)** : 마흔 살 전후의 나이. 또는 그 나이의 사람.
ちゅうねん【中年】
40歳前後の年ごろ。また、その年代の人。

• 의 : 앞의 말이 뒤의 말에 대하여 속성이나 수량을 한정하거나 같은 자격임을 나타내는 조사.
の
前の言葉が後ろの言葉に対し、属性や数量を限定したり同格であることを表したりする助詞。

• **남자 (名詞)** : 남성으로 태어난 사람.
おとこ【男】。だんし【男子】。だんせい【男性】
男性として生まれた人。

• 가 : 어떤 상태나 상황에 놓인 대상이나 동작의 주체를 나타내는 조사.
が
ある状態や状況に置かれた対象、または動作の主体を表す助詞。

• **나오다 (動詞)** : 안에서 밖으로 오다.
でる【出る】
中から外へ移動する。

• -았- : 어떤 사건이 과거에 완료되었거나 그 사건의 결과가 현재까지 지속되는 상황을 나타내는 어미.
た。ている
ある出来事が過去に完了したことや、その出来事の結果が現在まで持続している状況を表す語尾。

• -다 : 어떤 사건이나 사실, 상태를 서술함을 나타내는 종결 어미.
する。…い。…だ。である
現在の出来事や事実を叙述する意を表す「終結語尾」。

택시 기사+가 자초지종+을 얘기하+자 남자+는 깜짝 놀라+며 안+으로 들어가+았+다가 사진 한 장+을
들어갔다가

들+고 나오+아 택시 기사+한테 묻(물)+었+다.
나와 **물었다**

• **택시 (名詞)** : 돈을 받고 손님이 원하는 곳까지 태워 주는 일을 하는 승용차.
タクシー
料金を受け取って客の希望に応じて目的地まで客を乗せて運送する営業用乗用車。

• **기사 (名詞)** : 직업적으로 자동차나 기계 등을 운전하는 사람.
うんてんしゅ【運転手】
職業として自動車や機械などを運転する人。

• 가 : 어떤 상태나 상황에 놓인 대상이나 동작의 주체를 나타내는 조사.
が
ある状態や状況に置かれた対象、または動作の主体を表す助詞。

• **자초지종 (名詞)** : 처음부터 끝까지의 모든 과정.
てんまつ【顛末・顚末】。いちぶしじゅう【一部始終】
事の初めから終わりまでの経過。

• 을 : 동작이 직접적으로 영향을 미치는 대상을 나타내는 조사.
を
動作が直接的に影響を及ぼす対象を表す助詞。

• **얘기하다 (動詞)** : 어떠한 사실이나 상태, 현상, 경험, 생각 등에 관해 누군가에게 말을 하다.
はなす【話す】。かたる【語る】。のべる【述べる】
ある事実・状態・現象・経験・考えなどについて誰かに言う。

• -자 : 앞에 오는 말이 뒤에 오는 말의 원인이나 동기가 됨을 나타내는 연결 어미.
と。たら
前に述べる事柄が後に述べる事柄の原因や動機になるという意を表す「連結語尾」。

• **남자 (名詞)** : 남성으로 태어난 사람.
おとこ【男】。だんし【男子】。だんせい【男性】
男性として生まれた人。

• 는 : 문장 속에서 어떤 대상이 화제임을 나타내는 조사.
は
文の中で、ある対象が話題であることを表す助詞。

• **깜짝 (副詞)** : 갑자기 놀라는 모양.
びっくり
急に驚くさま。

• **놀라다 (動詞)** : 뜻밖의 일을 당하거나 무서워서 순간적으로 긴장하거나 가슴이 뛰다.
おどろく【驚く】。びっくりする
意外なことに出くわしたり怖かったりして、瞬間的に緊張したり胸がどきどきしたりする。

• -며 : 두 가지 이상의 동작이나 상태가 함께 일어남을 나타내는 연결 어미.
ながら
二つ以上の動作や状態が共に起こるという意を表す「連結語尾」。

• **안 (名詞)** : 어떤 물체나 공간의 둘레에서 가운데로 향한 쪽. 또는 그러한 부분.
なか【中】。ないぶ【内部】。うち【内】。おく【奥】
ある物体や空間の内側。また、その部分。

• 으로 : 움직임의 방향을 나타내는 조사.
に。へ
動きの方向を表す助詞。

• **들어가다 (動詞)** : 밖에서 안으로 향하여 가다.
はいる【入る】
外から中に移動する。

• -았- : 어떤 사건이 과거에 완료되었거나 그 사건의 결과가 현재까지 지속되는 상황을 나타내는 어미.
た。ている
ある出来事が過去に完了したことや、その出来事の結果が現在まで持続している状況を表す語尾。

• -다가 : 어떤 행동이나 상태 등이 중단되고 다른 행동이나 상태로 바뀜을 나타내는 연결 어미.
ていて。…かけて。とちゅうで【途中で】
ある行動や状態などが中断され、別の行動や状態に変わる意を表す「連結語尾」。

• **사진 (名詞)** : 사물의 모습을 오래 보존할 수 있도록 사진기로 찍어 종이나 컴퓨터 등에 나타낸 영상.
しゃしん【写真】
事物の姿を長く保存できるようにカメラで撮って、紙やコンピューターなどに写した映像。

• **한 (冠形詞)** : 하나의.
いち【一】
1の。

• **장 (名詞)** : 종이나 유리와 같이 얇고 넓적한 물건을 세는 단위.
まい【枚】。ちょう【張】
紙やガラスなど、薄く平たいものを数える単位。

• 을 : 동작이 직접적으로 영향을 미치는 대상을 나타내는 조사.
を
動作が直接的に影響を及ぼす対象を表す助詞。

• **들다 (動詞)** : 손에 가지다.
もつ【持つ】。とる【取る】
手に持つ。

• -고 : 앞의 말이 나타내는 행동이나 그 결과가 뒤에 오는 행동이 일어나는 동안에 그대로 지속됨을 나타내는 연결 어미.
て
前の言葉の表す動作やその結果が、次にくる動作が行われる間にもそのまま持続されるという意を表す「連結語尾」。

• **나오다 (動詞)** : 안에서 밖으로 오다.
でる【出る】
中から外へ移動する。

• -아 : 앞의 말이 뒤의 말보다 먼저 일어났거나 뒤의 말에 대한 방법이나 수단이 됨을 나타내는 연결 어미.
て
前の事柄が後の事柄より先に行われたか、後の事柄の方法や手段になるという意を表す「連結語尾」。

• **택시 (名詞)** : 돈을 받고 손님이 원하는 곳까지 태워 주는 일을 하는 승용차.
タクシー
料金を受け取って客の希望に応じて目的地まで客を乗せて運送する営業用乗用車。

• **기사 (名詞)** : 직업적으로 자동차나 기계 등을 운전하는 사람.
うんてんしゅ【運転手】
職業として自動車や機械などを運転する人。

• 한테 : 어떤 행동이 미치는 대상임을 나타내는 조사.
に
ある行動が影響を及ぼす対象であることを表す助詞。

• **묻다 (動詞)** : 대답이나 설명을 요구하며 말하다.
とう【問う】。きく【聞く・訊く】。たずねる【尋ねる】
答えや説明を求めて言う。

• -었- : 어떤 사건이 과거에 완료되었거나 그 사건의 결과가 현재까지 지속되는 상황을 나타내는 어미.
た。ている
ある出来事が過去に完了したことや、その出来事の結果が現在まで持続している状況を表す語尾。

• -다 : 어떤 사건이나 사실, 상태를 서술함을 나타내는 종결 어미.
する。…い。…だ。である
現在の出来事や事実を叙述する意を表す「終結語尾」。

남자 : 혹시 그 여자+가 이 아이+이+었+습니까?
아이였습니까

• **혹시 (副詞)** : 그러리라 생각하지만 분명하지 않아 말하기를 망설일 때 쓰는 말.
もしかして【若しかして】。もしかしたら【若しかしたら】。もしかすると【若しかすると】。ひょっとして
そうであろうと思うものの、はっきりしていなくて言い渋る時に用いる語。

• **그 (冠形詞)** : 앞에서 이미 이야기한 대상을 가리킬 때 쓰는 말.
その。あの。れいの【例の】
すでに話した対象をさすときに使う語。

• **여자 (名詞)** : 여성으로 태어난 사람.
おんな【女】。じょし【女子】。じょせい【女性】
女として生まれた人。

• 가 : 어떤 상태나 상황에 놓인 대상이나 동작의 주체를 나타내는 조사.
が
ある状態や状況に置かれた対象、または動作の主体を表す助詞。

• **이 (冠形詞)** : 말하는 사람에게 가까이 있거나 말하는 사람이 생각하고 있는 대상을 가리킬 때 쓰는 말.
この
話し手の近くにあるか、話し手が考えている対象を指す語。

• **아이 (名詞)** : (낮추는 말로) 자기의 자식.
こ【子】。こども【子供】
自分の産んだ子をへりくだっていう語。

• 이다 : 주어가 지시하는 대상의 속성이나 부류를 지정하는 뜻을 나타내는 서술격 조사.
だ。である
主語が指す対象の属性や部類を指定する意を表す叙述格助詞。

• -었- : 어떤 사건이 과거에 완료되었거나 그 사건의 결과가 현재까지 지속되는 상황을 나타내는 어미.
た。ている
ある出来事が過去に完了したことや、その出来事の結果が現在まで持続している状況を表す語尾。

• -습니까 : (아주높임으로) 말하는 사람이 듣는 사람에게 정중하게 물음을 나타내는 종결 어미.
ますか。ですか
(上称) 話し手が聞き手に丁寧に質問する意を表す「終結語尾」。

택시 기사 : 네, 맞+아요.

• **네 (感動詞)** : 윗사람의 물음이나 명령 등에 긍정하여 대답할 때 쓰는 말.
はい。ええ
目上の人からの質問や命令などに肯定の返事をする時にいう語。

• **맞다 (動詞)** : 그렇거나 옳다.
あう【合う】
そうである。また、正しい。

• -아요 : (두루높임으로) 어떤 사실을 서술하거나 질문, 명령, 권유함을 나타내는 종결 어미.
ます。です。ますか。ですか。てください。
(略待上称) ある事実を叙述したり質問、命令、勧誘する意を表す「終結語尾」。

남자 : 아이고, 오늘+이 너+의 제삿날+이+[ㄴ 줄] 알+고 오+았+구나!
네 제삿날인 줄 왔구나

• **아이고 (感動詞)** : 절망하거나 매우 속상하여 한숨을 쉬면서 내는 소리.
やれやれ
絶望したり胸が痛んだりして、ため息をしながら発する語。

• **오늘** (名詞) : 지금 지나가고 있는 이날.
きょう【今日】。ほんじつ【本日】
今過ごしているこの日。

• 이 : 어떤 상태나 상황에 놓인 대상이나 동작의 주체를 나타내는 조사.
が
ある状態や状況に置かれた対象、または動作の主体を表す助詞。

• **너** (代名詞) : 듣는 사람이 친구나 아랫사람일 때, 그 사람을 가리키는 말.
おまえ【お前】。きみ【君】
聞き手が友人か目下の人である場合、その聞き手をさす語。

• 의 : 앞의 말이 뒤의 말에 대하여 소유, 소속, 소재, 관계, 기원, 주체의 관계를 가짐을 나타내는 조사.
の
前の言葉が後ろの言葉に対し、所有、所在、関係、起源、主体の関係を持つことを表す助詞。

• **제삿날** (名詞) : 제사를 지내는 날.
さいじつ【祭日】。きにち・きじつ【忌日】。めいにち【命日】
祭祀を行う日。

• 이다 : 주어가 지시하는 대상의 속성이나 부류를 지정하는 뜻을 나타내는 서술격 조사.
だ。である
主語が指す対象の属性や部類を指定する意を表す叙述格助詞。

• -ㄴ 줄 : 어떤 사실이나 상태에 대해 알고 있거나 모르고 있음을 나타내는 표현.
対訳語無し
ある事実や状態について知っているか、知らないという意を表す表現。

• **알다** (動詞) : 교육이나 경험, 생각 등을 통해 사물이나 상황에 대한 정보 또는 지식을 갖추다.
しる【知る】。わかる【分かる】。りかいする【理解する】
教育・経験・思考などを通じ、事物や状況への情報または知識を備える。

• -고 : 앞의 말이 나타내는 행동이나 그 결과가 뒤에 오는 행동이 일어나는 동안에 그대로 지속됨을 나타내는 연결 어미.
て
前の言葉の表す動作やその結果が、次にくる動作が行われる間にもそのまま持続されるという意を表す「連結語尾」。

• **오다** (動詞) : 무엇이 다른 곳에서 이곳으로 움직이다.
くる【来る】。ちかづく【近づく】。やってくる
何かが他の場所からこちらの方へ動く。

• -았- : 어떤 사건이 과거에 완료되었거나 그 사건의 결과가 현재까지 지속되는 상황을 나타내는 어미.
た。ている
ある出来事が過去に完了したことや、その出来事の結果が現在まで持続している状況を表す語尾。

• -구나 : (아주낮춤으로) 새롭게 알게 된 사실에 어떤 느낌을 실어 말함을 나타내는 종결 어미.
(だ)な。(だ)ね
(下称) 新しく知った事実に何らかの感情をこめて述べるという意を表す「終結語尾」。

흐느끼+는 남자+의 모습+을 보+ㄴ 택시 기사+는 순간 무섭(무서우)+었+는지 그냥
본 **무서웠는지**
도망가+[(아) 버리]+었+다.
도망가 버렸다

• **흐느끼다 (動詞)** : 몹시 슬프거나 감격에 겨워 흑흑 소리를 내며 울다.
すすりなく【すすり泣く】
非常に悲しかったり感激したりして、しくしくと声を出して泣く。

• -는 : 앞의 말이 관형어의 기능을 하게 만들고 사건이나 동작이 현재 일어남을 나타내는 어미.
する。ている
前の言葉に連体修飾語の機能を持たせ、出来事や動作が現在進行中であるという意を表す語尾。

• **남자 (名詞)** : 남성으로 태어난 사람.
おとこ【男】。だんし【男子】。だんせい【男性】
男性として生まれた人。

• 의 : 앞의 말이 뒤의 말에 대하여 소유, 소속, 소재, 관계, 기원, 주체의 관계를 가짐을 나타내는 조사.
の
前の言葉が後ろの言葉に対し、所有、所在、関係、起源、主体の関係を持つことを表す助詞。

• **모습 (名詞)** : 겉으로 드러난 상태나 모양.
ようす【様子】。ありさま。じょうきょう【状況】。じょうたい【状態】
表に現れた状態や様子。

• 을 : 동작이 직접적으로 영향을 미치는 대상을 나타내는 조사.
を
動作が直接的に影響を及ぼす対象を表す助詞。

• **보다 (動詞)** : 눈으로 대상의 존재나 겉모습을 알다.
みる【見る】。ながめる【眺める】
目で対象の存在や外見を知る。

• -ㄴ : 앞의 말이 관형어의 기능을 하게 만들고 사건이나 동작이 완료되어 그 상태가 유지되고 있음을 나타내는 어미.
た。ている
前の言葉に連体修飾語の機能を持たせ、出来事や動作が完了してその状態が続いているという意を表す語尾。

• **택시 (名詞)** : 돈을 받고 손님이 원하는 곳까지 태워 주는 일을 하는 승용차.
タクシー
料金を受け取って客の希望に応じて目的地まで客を乗せて運送する営業用乗用車。

• **기사 (名詞)** : 직업적으로 자동차나 기계 등을 운전하는 사람.
うんてんしゅ【運転手】
職業として自動車や機械などを運転する人。

• 는 : 문장 속에서 어떤 대상이 화제임을 나타내는 조사.
は
文の中で、ある対象が話題であることを表す助詞。

• **순간 (名詞)** : 어떤 일이 일어나거나 어떤 행동이 이루어지는 바로 그때.
しゅんかん【瞬間】。とたん
ある事が起きたり、ある行動が行われるちょうどその時。

• **무섭다 (形容詞)** : 어떤 사람이나 상황이 대하기 어렵거나 피하고 싶다.
こわい【恐い・怖い】
人や状況に直面しづらく避けたい。

• -었- : 어떤 사건이 과거에 완료되었거나 그 사건의 결과가 현재까지 지속되는 상황을 나타내는 어미.
た。ている
ある出来事が過去に完了したことや、その出来事の結果が現在まで持続している状況を表す語尾。

• -는지 : 뒤에 오는 말의 내용에 대한 막연한 이유나 판단을 나타내는 연결 어미.
か。かどうか。のか。ためか
次にくる事柄に関する漠然とした理由や判断の意を表す「連結語尾」。

• **그냥 (副詞)** : 아무 것도 하지 않고 있는 그대로.
そのまま
何もせず、そのまま。

• **도망가다 (動詞)** : 피하거나 쫓기어 달아나다.
とうぼうする【逃亡する】。にげていく【逃げて行く】
避けたり、追われて逃げたりする。

• -아 버리다 : 앞의 말이 나타내는 행동이 완전히 끝났음을 나타내는 표현.
てしまう
前の言葉の表す行動が完全に終わったという意を表す表現。

• -었- : 어떤 사건이 과거에 완료되었거나 그 사건의 결과가 현재까지 지속되는 상황을 나타내는 어미.
た。ている
ある出来事が過去に完了したことや、その出来事の結果が現在まで持続している状況を表す語尾。

• -다 : 어떤 사건이나 사실, 상태를 서술함을 나타내는 종결 어미.
する。…い。…だ。である
現在の出来事や事実を叙述する意を表す「終結語尾」。

그때 여자+가 나오+며 하+는 말.

• **그때 (名詞)** : 앞에서 이야기한 어떤 때.
そのとき【その時】。そのじき【その時期】
前述のある時。

• **여자 (名詞)** : 여성으로 태어난 사람.
おんな【女】。じょし【女子】。じょせい【女性】
女として生まれた人。

• 가 : 어떤 상태나 상황에 놓인 대상이나 동작의 주체를 나타내는 조사.
が
ある状態や状況に置かれた対象、または動作の主体を表す助詞。

• **나오다 (動詞)** : 안에서 밖으로 오다.
でる【出る】
中から外へ移動する。

• -며 : 두 가지 이상의 동작이나 상태가 함께 일어남을 나타내는 연결 어미.
ながら
二つ以上の動作や状態が共に起こるという意を表す「連結語尾」。

• **하다 (動詞)** : 다른 사람의 말이나 생각 등을 나타내는 문장을 받아 뒤에 오는 단어를 꾸미는 말.
いう【言う】
他人の言葉や考えなどを表す文章を引用して、次に来る単語を修飾する語。

• -는 : 앞의 말이 관형어의 기능을 하게 만들고 사건이나 동작이 현재 일어남을 나타내는 어미.
する。ている
前の言葉に連体修飾語の機能を持たせ、出来事や動作が現在進行中であるという意を表す語尾。

• **말 (名詞)** : 생각이나 느낌을 표현하고 전달하는 사람의 소리.
ことば【言葉】
考えや感情を表現して伝える人の音声。

여자 : 아빠, 나 잘하+였+지? 잘했지

• **아빠 (名詞)** : 격식을 갖추지 않아도 되는 상황에서 아버지를 이르거나 부르는 말.
パパ。おとうちゃん【お父ちゃん】
くだけた場面で父親を指したり呼ぶ語。

• **나 (代名詞)** : 말하는 사람이 친구나 아랫사람에게 자기를 가리키는 말.
わたし【私】。ぼく【僕】。おれ【俺】。じぶん【自分】
話し手が友人や目下の人に対し、自分をさす語。

• **잘하다 (動詞)** : 좋고 훌륭하게 하다.
できる【出来る】。うまい【上手い・巧い】
立派にする。

• -였- : 어떤 사건이 과거에 완료되었거나 그 사건의 결과가 현재까지 지속되는 상황을 나타내는 어미.
た。ている
ある出来事が過去に完了したことや、その出来事の結果が現在まで持続している状況を表す語尾。

• -지 : (두루낮춤으로) 말하는 사람이 듣는 사람에게 친근함을 나타내며 물을 때 쓰는 종결 어미.
だろう。よね。かな
(略待下称) 話し手が聞き手に親しみを表明しながら尋ねるのに用いる「終結語尾」。

남자 : 오냐, 다음+부터+는 모범택시+를 타+[도록 하]+여라.
타도록 해라

• **오냐 (感動詞)** : 아랫사람의 물음이나 부탁에 긍정하여 대답할 때 하는 말.
うん
目下の人の質問や要請に肯定の意を示す時に発する語

• **다음 (名詞)** : 이번 차례의 바로 뒤.
つぎ【次】
今回のすぐ後。

• 부터 : 어떤 일의 시작이나 처음을 나타내는 조사.
から。より
ある出来事の始まりや起点という意を表す助詞。

• 는 : 문장 속에서 어떤 대상이 화제임을 나타내는 조사.
は
文の中で、ある対象が話題であることを表す助詞。

• **모범택시 (名詞)** : 일반 택시보다 시설이 좋고 더 나은 서비스를 제공하며 요금이 비싼 택시.
もはんタクシー【模範タクシー】
一般のタクシーより良い施設と高級なサービスを提供し、料金が高いタクシー。

• 를 : 동작이 직접적으로 영향을 미치는 대상을 나타내는 조사.
を
動作が直接的に影響を及ぼす対象を表す助詞。

• **타다 (動詞)** : 탈것이나 탈것으로 이용하는 짐승의 몸 위에 오르다
のる【乗る】
乗り物の中に入ったり、移動のために動物の上に上がる。

• -도록 하다 : 듣는 사람에게 어떤 행동을 명령하거나 권유할 때 쓰는 표현.
ようにする。させる
聞き手にある行動を命令したり勧めたりするのに用いる表現。

• -여라 : (아주낮춤으로) 명령을 나타내는 종결 어미.
しろ。せよ。なさい
(下称) 命令の意を表す「終結語尾」。

< 15 단원(たんげん【単元】) >

제목 : 왜 아무런 응답이 없으신가요?

● 본문 (ほんぶん【本文】)

한 남자가 퇴근한 후에 매일 교회에 가서 눈물을 흘리며 기도를 했다.

남자 : 하나님, 복권에 당첨되게 해 주세요.

하나님, 제발 복권에 한 번만 당첨되게 해 주세요.

그렇게 기도한 지 육 개월이 되었지만 남자의 소원은 이뤄지지 않았다.

남자는 너무나 지쳐서 하나님이 원망스러워지기 시작했다.

남자 : 이렇게까지 기도하는데 못 들은 척하시는 무심한 하나님, 정말 너무하세요.

제가 매일 밤 애원하며 기도했는데 왜 아무런 응답이 없으신가요?

그러자 보다 못해 답답한 하나님께서 남자에게 이렇게 말씀하셨다.

하나님 : 일단 복권을 사란 말이야.

● 발음 (はつおん【発音】)

한 남자가 퇴근한 후에 매일 교회에 가서 눈물을 흘리며 기도를 했다.
한 남자가 퇴근한 후에 매일 교회에 가서 눈무를 흘리며 기도를 핻따.
han namjaga toegeunhan hue maeil gyohoee gaseo nunmureul heullimyeo gidoreul haetda.

남자 : 하나님, 복권에 당첨되게 해 주세요.
남자 : 하나님, 복꿔네 당첨되게 해 주세요.
namja : hananim, bokgwone dangcheomdoege hae juseyo.

하나님, 제발 복권에 한 번만 당첨되게 해 주세요.
하나님, 제발 복꿔네 한 번만 당첨되게 해 주세요.
hananim, jebal bokgwone han beonman dangcheomdoege hae juseyo.

그렇게 기도한 지 육 개월이 되었지만 남자의 소원은 이뤄지지 않았다.
그러케 기도한 지 육 개워리 되얻찌만 남자에 소워는 이뤄지지 아낟따.
geureoke gidohan ji yuk gaewori doeeotjiman namjaui(namjauie) sowoneun irwojiji anatda.

남자는 너무나 지쳐서 하나님이 원망스러워지기 시작했다.
남자는 너무나 지처서 하나니미 원망스러워지기 시자캗따.
namjaneun neomuna jicheoseo hananimi wonmangseureowojigi sijakaetda.

남자 : 이렇게까지 기도하는데 못 들은 척하시는 무심한 하나님, 정말 너무하세요.
남자 : 이러케까지 기도하는데 몯 드른 처카시는 무심한 하나님, 정말 너무하세요.
namja : ireokekkaji gidohaneunde mot deureun cheokasineun musimhan hananim, jeongmal neomuhaseyo.

제가 매일 밤 애원하며 기도했는데 왜 아무런 응답이 없으신가요?
제가 매일 밤 애원하며 기도핸는데 왜 아무런 응다비 업쓰신가요?
jega maeil bam aewonhamyeo gidohaenneunde wae amureon eungdabi eopseusingayo?

그러자 보다 못해 답답한 하나님께서 남자에게 이렇게 말씀하셨다.
그러자 보다 모태 답따판 하나님께서 남자에게 이러케 말씀하셛따.
geureoja boda motae dapdapan hananimkkeseo namjaege ireoke malsseumhasyeotda.

하나님 : 일단 복권을 사란 말이야.

하나님 : 일딴 복꿔늘 사란 마리야.

hananim : ildan bokgwoneul saran mariya.

● 어휘 (ごい【語彙】) / 문법 (ぶんぽう【文法】)

한 남자+가 퇴근하+ㄴ 후에 매일 교회+에 가+(아)서 눈물+을 흘리+며 기도+를 하+였+다.

남자 : 하나님, 복권+에 당첨되+게 하+여 주+세요.

하나님, 제발 복권+에 한 번+만 당첨되+게 하+여 주+세요.

그렇+게 기도하+ㄴ 지 육 개월+이 되+었+지만 남자+의 소원+은 이루어지+지 않+았+다.

남자+는 너무나 지치+어서 하나님+이 원망스럽(원망스러우)+어지+기 시작하+였+다.

남자 : 이렇+게+까지 기도하+는데 못 듣(들)+은 척하+시+는 무심하+ㄴ 하나님,

정말 너무하+세요.

제+가 매일 밤 애원하+며 기도하+였+는데 왜 아무런 응답+이 없+으시+ㄴ가요?

그리하+자 보+다 못하+여 답답하+ㄴ 하나님+께서 남자+에게 이렇+게 말씀하+시+었+다.

하나님 : 일단 복권+을 사+라는 말+이+야.

한 남자+가 퇴근하+[ㄴ 후에] 매일 교회+에 가+(아)서 눈물+을 흘리+며 기도+를 하+였+다.
퇴근한 후에 **가서** **했다**

• **한 (冠形詞)** : 여럿 중 하나인 어떤.
ある【或る】
多くの中で一つ。

• **남자 (名詞)** : 남성으로 태어난 사람.
おとこ【男】。だんし【男子】。だんせい【男性】
男性として生まれた人。

• 가 : 어떤 상태나 상황에 놓인 대상이나 동작의 주체를 나타내는 조사.
が
ある状態や状況に置かれた対象、または動作の主体を表す助詞。

• **퇴근하다 (動詞)** : 일터에서 일을 끝내고 집으로 돌아가거나 돌아오다.
たいきんする【退勤する】
職場で勤務が終わって、勤め先から退出する。

• -ㄴ 후에 : 앞에 오는 말이 나타내는 행동을 하고 시간적으로 뒤에 다른 행동을 함을 나타내는 표현.
てから。たあとに【た後に】
前にくる言葉の表す行為をした後で、次の異なる行為をするという意を表す表現。

• **매일 (副詞)** : 하루하루마다 빠짐없이.
まいにち【毎日】
一日も欠かさず。

• **교회 (名詞)** : 예수 그리스도를 구세주로 믿고 따르는 사람들의 공동체. 또는 그런 사람들이 모여 종교 활동을 하는 장소.
きょうかい【教会】
イエスキリストを救世主として信奉する人々の共同体。また、その人々が集まって活動する場所。

• 에 : 앞말이 목적지이거나 어떤 행위의 진행 방향임을 나타내는 조사.
に。へ
前の言葉が目的地であったり、ある行為の進行方向であったりすることを表す助詞。

• **가다 (動詞)** : 한 곳에서 다른 곳으로 장소를 이동하다.
ゆく・いく【行く】。うつる【移る】
ある場所から他の場所へ移動する。

• -아서 : 앞의 말과 뒤의 말이 순차적으로 일어남을 나타내는 연결 어미.
て。てから
前の事柄と後の事柄が順次に起こるという意を表す「連結語尾」。

• **눈물 (名詞)** : 사람이나 동물의 눈에서 흘러나오는 맑은 액체.
なみだ【涙】
人や動物の目から流れて出る透明な液体。

• 을 : 동작이 직접적으로 영향을 미치는 대상을 나타내는 조사.
を
動作が直接的に影響を及ぼす対象を表す助詞。

• **흘리다 (動詞)** : 몸에서 땀, 눈물, 콧물, 피, 침 등의 액체를 밖으로 내다.
たらす【垂らす】
体から汗、涙、鼻水、血、唾液などの液体を外に分泌する。

• -며 : 두 가지 이상의 동작이나 상태가 함께 일어남을 나타내는 연결 어미.
ながら
二つ以上の動作や状態が共に起こるという意を表す「連結語尾」。

• **기도 (名詞)** : 바라는 바가 이루어지도록 절대적 존재 혹은 신앙의 대상에게 비는 것.
いのり【祈り】。きとう【祈祷】
願うことが叶うように絶対的な存在・信仰の対象に祈ること。

• 를 : 동작이 직접적으로 영향을 미치는 대상을 나타내는 조사.
を
動作が直接的に影響を及ぼす対象を表す助詞。

• **하다 (動詞)** : 어떤 행동이나 동작, 활동 등을 행하다.
する【為る】。やる【遣る】。なす【成す・為す】
ある行動や動作、活動などを行う。

• -였- : 어떤 사건이 과거에 완료되었거나 그 사건의 결과가 현재까지 지속되는 상황을 나타내는 어미.
た。ている
ある出来事が過去に完了したことや、その出来事の結果が現在まで持続している状況を表す語尾。

• -다 : 어떤 사건이나 사실, 상태를 서술함을 나타내는 종결 어미.
する。…い。…だ。である
現在の出来事や事実を叙述する意を表す「終結語尾」。

남자 : 하나님, 복권+에 <u>당첨되+[게 하]+[여 주]+세요</u>. **당첨되게 해 주세요**

• **하나님 (名詞)** : 기독교에서 믿는 신을 개신교에서 부르는 이름.
ハナニム
キリスト教の神で、プロテスタントで呼ぶ名前。

• **복권 (名詞)** : 적혀 있는 숫자나 기호가 추첨한 것과 일치하면 상금이나 상품을 받을 수 있게 만든 표.
たからくじ【宝くじ】
書かれている数字や記号が抽選したものと一致すると、賞金や賞品がもらえる証票。

• 에 : 앞말이 어떤 행위나 작용이 미치는 대상임을 나타내는 조사.
に
前の言葉が行為や作用が影響を及ぼす対象であることを表す助詞。

• **당첨되다 (動詞)** : 여럿 가운데 어느 하나를 골라잡는 추첨에서 뽑히다.
とうせんする【当籤する】。あたる【当たる】
多くの中でくじを引く抽籤で選ばれる。

• -게 하다 : 다른 사람의 어떤 행동을 허용하거나 허락함을 나타내는 표현.
させる。ようにする
人にある行動を許容したり許可したりするという意を表す表現。

• -여 주다 : 남을 위해 앞의 말이 나타내는 행동을 함을 나타내는 표현.
てやる。てあげる。てくれる
他人のために前の言葉の表す行動をするという意を表す表現。

• -세요 : (두루높임으로) 설명, 의문, 명령, 요청의 뜻을 나타내는 종결 어미.
ます。です。ますか。ですか。てください
(略待上称) 説明・疑問・命令・要請の意を表す「終結語尾」。

남자 : 하나님, 제발 복권+에 한 번+만 당첨되+[게 하]+[여 주]+세요.
당첨되게 해 주세요

• **하나님 (名詞)** : 기독교에서 믿는 신을 개신교에서 부르는 이름.
ハナニム
キリスト教の神で、プロテスタントで呼ぶ名前。

• **제발 (副詞)** : 간절히 부탁하는데.
どうぞ。どうか。なにとぞ【何卒】。ぜひ【是非】
強く願い望む気持ちを表す語。

• **복권 (名詞)** : 적혀 있는 숫자나 기호가 추첨한 것과 일치하면 상금이나 상품을 받을 수 있게 만든 표.
たからくじ【宝くじ】
書かれている数字や記号が抽選したものと一致すると、賞金や賞品がもらえる証票。

• 에 : 앞말이 어떤 행위나 작용이 미치는 대상임을 나타내는 조사.
に
前の言葉が行為や作用が影響を及ぼす対象であることを表す助詞。

• **한 (冠形詞)** : 하나의.
いち【一】
1の。

• **번 (名詞)** : 일의 횟수를 세는 단위.
かい【回】。ど【度】
物事の回数を数える単位。

• 만 : 다른 것은 제외하고 어느 것을 한정함을 나타내는 조사.
だけ。のみ
他の物事は除き、特定の物事に限定するという意を表す助詞。

• **당첨되다 (動詞)** : 여럿 가운데 어느 하나를 골라잡는 추첨에서 뽑히다.
とうせんする【当籤する】。あたる【当たる】
多くの中でくじを引く抽籤で選ばれる。

• -게 하다 : 다른 사람의 어떤 행동을 허용하거나 허락함을 나타내는 표현.
させる。ようにする
人にある行動を許容したり許可したりするという意を表す表現。

• -여 주다 : 남을 위해 앞의 말이 나타내는 행동을 함을 나타내는 표현.
てやる。てあげる。てくれる
他人のために前の言葉の表す行動をするという意を表す表現。

• -세요 : (두루높임으로) 설명, 의문, 명령, 요청의 뜻을 나타내는 종결 어미.
ます。です。ますか。ですか。てください
(略待上称) 説明・疑問・命令・要請の意を表す「終結語尾」。

그렇+게 기도하+[ㄴ 지] 육 개월+이 되+었+지만 남자+의 소원+은 이루어지+[지 않]+았+다.
기도한 지 이뤄지지 않았다

• **그렇다 (形容詞)** : 상태, 모양, 성질 등이 그와 같다.
そのとおりだ
状態、形、性質などがそれと同じである。

• -게 : 앞의 말이 뒤에서 가리키는 일의 목적이나 결과, 방식, 정도 등이 됨을 나타내는 연결 어미.
…く。…に。ように。ほど
前の事柄が後の事柄の目的・結果・方法・程度などになるという意を表す「連結語尾」。

• **기도하다 (動詞)** : 바라는 바가 이루어지도록 절대적 존재 혹은 신앙의 대상에게 빌다.
いのる【祈る】。きとうする【祈祷する】
願うことが叶うように絶対的な存在・信仰の対象に祈る。

• -ㄴ 지 : 앞의 말이 나타내는 행동을 한 후 시간이 얼마나 지났는지를 나타내는 표현.
てから。ていらい【て以来】。たあとから【た後から】
前の言葉の表す行動をしてからどれくらい時間が経過したのかを表す表現。

• **육 (冠形詞)** : 여섯의.
ろく【六】
六つの。

• **개월 (名詞)** : 달을 세는 단위.
かげつ【ヶ月】
月数を数える単位。

• 이 : 바뀌게 되는 대상이나 부정하는 대상임을 나타내는 조사.
では。に
変わる対象や否定する対象であることを表す助詞。

• **되다 (動詞)** : 어떤 때나 시기, 상태에 이르다.
なる
ある時や時期、状態に達する。

• -었- : 어떤 사건이 과거에 완료되었거나 그 사건의 결과가 현재까지 지속되는 상황을 나타내는 어미.
た。ている
ある出来事が過去に完了したことや、その出来事の結果が現在まで持続している状況を表す語尾。

• -지만 : 앞에 오는 말을 인정하면서 그와 반대되거나 다른 사실을 덧붙일 때 쓰는 연결 어미.
が。けれども。けれど。けど
前の内容を認めながらもそれとは反対か異なる事実を付け加えて述べるのに用いる「連結語尾」。

• **남자 (名詞)** : 남성으로 태어난 사람.
おとこ【男】。だんし【男子】。だんせい【男性】
男性として生まれた人。

• 의 : 앞의 말이 뒤의 말에 대하여 소유, 소속, 소재, 관계, 기원, 주체의 관계를 가짐을 나타내는 조사.
の
前の言葉が後ろの言葉に対し、所有、所在、関係、起源、主体の関係を持つことを表す助詞。

• **소원 (名詞)** : 어떤 일이 이루어지기를 바람. 또는 바라는 그 일.
ねがい【願い】。のぞみ【望み】。きぼう【希望】。がんぼう・がんもう【願望】
物事の成就を願い望むこと。また、願い望むその物事。

• 은 : 문장 속에서 어떤 대상이 화제임을 나타내는 조사.
は
文章の中である対象が話題であることを表す助詞。

• **이루어지다 (動詞)** : 원하거나 뜻하는 대로 되다.
なる【成る】。かなう【叶う】
願いごとが実現する。

• -지 않다 : 앞의 말이 나타내는 행위나 상태를 부정하는 뜻을 나타내는 표현.
ない。くない。ではない
前の言葉の表す行為や状態を否定する意を表す表現。

• -았- : 어떤 사건이 과거에 완료되었거나 그 사건의 결과가 현재까지 지속되는 상황을 나타내는 어미.
た。ている
ある出来事が過去に完了したことや、その出来事の結果が現在まで持続している状況を表す語尾。

• -다 : 어떤 사건이나 사실, 상태를 서술함을 나타내는 종결 어미.
する。…い。…だ。である
現在の出来事や事実を叙述する意を表す「終結語尾」。

남자+는 너무나 지치+어서 하나님+이 원망스럽(원망스러우)+어지+기 시작하+였+다.
지쳐서 **원망스러워지기** **시작했다**

• **남자 (名詞)** : 남성으로 태어난 사람.
おとこ【男】。だんし【男子】。だんせい【男性】
男性として生まれた人。

• 는 : 문장 속에서 어떤 대상이 화제임을 나타내는 조사.
は
文章の中である対象が話題であることを表す助詞。

• **너무나 (副詞)** : (강조하는 말로) 너무.
あまりにも
「過度に」を強調していう語。

• **지치다 (動詞)** : 힘든 일을 하거나 어떤 일에 시달려서 힘이 없다.
つかれる【疲れる】。ひろうする【疲労する】。くたびれる【草臥れる】。へたばる
きつい仕事をしたり苦しみ悩んで元気がない。

• -어서 : 이유나 근거를 나타내는 연결 어미.
て。から。ので。ため。ゆえ【故】
理由や根拠の意を表す「連結語尾」。

• **하나님 (名詞)** : 기독교에서 믿는 신을 개신교에서 부르는 이름.
ハナニム
キリスト教の神で、プロテスタントで呼ぶ名前。

• 이 : 어떤 상태나 상황의 대상이나 동작의 주체를 나타내는 조사.
が
ある状態や状況に置かれた対象、または動作の主体を表す助詞。

• **원망스럽다 (形容詞)** : 마음에 들지 않아서 탓하거나 미워하는 마음이 있다.
うらめしい【恨めしい・怨めしい】
気に入らなくて責めたり憎む気持ちがある。

• -어지다 : 앞에 오는 말이 나타내는 상태로 점점 되어 감을 나타내는 표현.
ていく。てくる
次第に前の言葉の表す状態になっていくという意を表す表現。

• -기 : 앞의 말이 명사의 기능을 하게 하는 어미.
こと
前の言葉を名詞化する語尾。

• **시작하다 (動詞)** : 어떤 일이나 행동의 처음 단계를 이루거나 이루게 하다.
はじめる【始める】。てがける【手掛ける】。おこす【起す】
ある事や行動の初めの段階になったり、すること。また、そのような段階。

• -였- : 어떤 사건이 과거에 완료되었거나 그 사건의 결과가 현재까지 지속되는 상황을 나타내는 어미.
た。ている
ある出来事が過去に完了したことや、その出来事の結果が現在まで持続している状況を表す語尾。

• -다 : 어떤 사건이나 사실, 상태를 서술함을 나타내는 종결 어미.
する。…い。…だ。である
現在の出来事や事実を叙述する意を表す「終結語尾」。

남자 : 이렇+게+까지 기도하+는데 못 듣(들)+[은 척하]+시+는 무심하+ㄴ
들은 척하시는 무심한

하나님, 정말 너무하+세요.

• **이렇다 (形容詞)** : 상태, 모양, 성질 등이 이와 같다.
こうである。このようだ【此の様だ】
状態、形、性質などがこの通りである。

• -게 : 앞의 말이 뒤에서 가리키는 일의 목적이나 결과, 방식, 정도 등이 됨을 나타내는 연결 어미.
…く。…に。ように。ほど
前の事柄が後の事柄の目的・結果・方法・程度などになるという意を表す「連結語尾」。

• 까지 : 정상적인 정도를 지나침을 나타내는 조사.
まで
正常の範囲を超えることを表す助詞。

• **기도하다 (動詞)** : 바라는 바가 이루어지도록 절대적 존재 혹은 신앙의 대상에게 빌다.
いのる【祈る】。きとうする【祈祷する】
願うことが叶うように絶対的な存在・信仰の対象に祈る。

• -는데 : 뒤의 말을 하기 위하여 그 대상과 관련이 있는 상황을 미리 말함을 나타내는 연결 어미.
が。けど
何かを言うための前置きとして、それと関連した状況を前もって述べるという意を表す「連結語尾」。

• **못 (副詞)** : 동사가 나타내는 동작을 할 수 없게.
対訳語無し
動詞が表す動作が不可能であるさま。

• **듣다 (動詞)** : 다른 사람의 말이나 소리 등에 귀를 기울이다.
みみにとめる【耳に留める】。みみをかたむける【耳を傾ける】
人の言葉や音などに耳を傾ける。

• -은 척하다 : 실제로 그렇지 않은데도 어떤 행동이나 상태를 거짓으로 꾸밈을 나타내는 표현.
ふりをする
実際はそうでないのに、ある行動や状態を偽るという意を表す表現。

• -시- : 어떤 동작이나 상태의 주체를 높이는 뜻을 나타내는 어미.
お…になる。ご…になる
ある動作や状態の主体を敬う意を表す語尾。

• -는 : 앞의 말이 관형어의 기능을 하게 만들고 사건이나 동작이 현재 일어남을 나타내는 어미.
する。ている
前の言葉に連体修飾語の機能を持たせ、出来事や動作が現在進行中であるという意を表す語尾。

• **무심하다 (形容詞)** : 어떤 일이나 사람에 대하여 걱정하는 마음이나 관심이 없다.
むしんだ【無心だ】。むとんちゃくだ【無頓着だ】。なにげない【何気ない】
物事や人に対して心配する気持ちや関心がない。

• -ㄴ : 앞의 말이 관형어의 기능을 하게 만들고 현재의 상태를 나타내는 어미.
た
前の言葉に連体修飾語の機能を持たせ、現在の状態を表す「語尾」。

• **하나님 (名詞)** : 기독교에서 믿는 신을 개신교에서 부르는 이름.
ハナニム
キリスト教の神で、プロテスタントで呼ぶ名前。

• **정말 (副詞)** : 거짓이 없이 진짜로.
ほんとうに・ほんとに【本当】。じつに【実に】。しんに【真に】
うそでないさま。

• **너무하다 (形容詞)** : 일정한 정도나 한계를 넘어서 지나치다.
ひどい【酷い】。あんまりだ
一定の程度や限界を超え、度を過ぎている。

• -세요 : (두루높임으로) 설명, 의문, 명령, 요청의 뜻을 나타내는 종결 어미.
ます。です。ますか。ですか。てください
(略待上称) 説明・疑問・命令・要請の意を表す「終結語尾」。

남자 : 제+가 매일 밤 애원하+며 기도하+였+는데 왜 아무런 응답+이 기도했는데 없+으시+ㄴ가요? 없으신가요

• **제 (代名詞)** : 말하는 사람이 자신을 낮추어 가리키는 말인 '저'에 조사 '가'가 붙을 때의 형태.
わたくし【私】
話し手が自分をへりくだっていう語である「저」に助詞「가」がつく時の形。

• 가 : 어떤 상태나 상황에 놓인 대상이나 동작의 주체를 나타내는 조사.
が
ある状態や状況に置かれた対象、または動作の主体を表す助詞。

• **매일 (副詞)** : 하루하루마다 빠짐없이.
まいにち【毎日】
一日も欠かさず。

• **밤 (名詞)** : 해가 진 후부터 다음 날 해가 뜨기 전까지의 어두운 동안.
よる【夜】
日が暮れた後から翌日日が昇る前までの暗い間。

• **애원하다 (動詞)** : 요청이나 소원을 들어 달라고 애처롭게 사정하여 간절히 부탁하다.
あいがんする【哀願する】
要請や願い事を聞いてくれることを相手の同情心に訴え、切に頼む。

• **-며** : 두 가지 이상의 동작이나 상태가 함께 일어남을 나타내는 연결 어미.
ながら
二つ以上の動作や状態が共に起こるという意を表す「連結語尾」。

• **기도하다 (動詞)** : 바라는 바가 이루어지도록 절대적 존재 혹은 신앙의 대상에게 빌다.
いのる【祈る】。きとうする【祈祷する】
願うことが叶うように絶対的な存在・信仰の対象に祈る。

• -였- : 어떤 사건이 과거에 완료되었거나 그 사건의 결과가 현재까지 지속되는 상황을 나타내는 어미.
た。ている
ある出来事が過去に完了したことや、その出来事の結果が現在まで持続している状況を表す語尾。

• -는데 : 뒤의 말을 하기 위하여 그 대상과 관련이 있는 상황을 미리 말함을 나타내는 연결 어미.
が。けど
何かを言うための前置きとして、それと関連した状況を前もって述べるという意を表す「連結語尾」。

• **왜 (副詞)** : 무슨 이유로. 또는 어째서.
なぜ【何故】。どうして。なんで【何で】
どういう理由で。また、何ゆえ。

• **아무런 (冠形詞)** : 전혀 어떠한.
なんらの【何等の】。なんの【何の】
全く、どういう。

• **응답 (名詞)** : 부름이나 물음에 답함.
おうとう【応答】。かいとう【回答】
呼びかけや問いかけに答えること。

• 이 : 어떤 상태나 상황의 대상이나 동작의 주체를 나타내는 조사.
が
ある状態や状況に置かれた対象、または動作の主体を表す助詞。

• **없다 (形容詞)** : 어떤 사실이나 현상이 현실로 존재하지 않는 상태이다.
ない【無い】
事実・現象が現実として存在しない状態だ。

• -으시- : 높이고자 하는 인물과 관계된 소유물이나 신체의 일부가 문장의 주어일 때 그 인물을 높이는 뜻을 나타내는 어미.
お…になる。ご…になる
敬おうとする人と関連した所有物や身体の一部が文の主語である場合、その人を敬う意を表す語尾。

• -ㄴ가요 : (두루높임으로) 현재의 사실에 대한 물음을 나타내는 종결 어미.
のか。なのか
(略待上称) 現在の事柄に対する質問の意を表す「終結語尾」。

그리하+자	보+[다 못하]+여	답답하+ㄴ	하나님+께서 남자+에게 이렇+게	말씀하+시+었+다.
그러자	**보다 못해**	**답답한**		**말씀하셨다**

• **그리하다 (動詞)** : 앞에서 일어난 일이나 말한 것과 같이 그렇게 하다.
対訳語無し
先に起こったことや言ったことのように、そうする。

• -자 : 앞의 말이 나타내는 동작이 끝난 뒤 곧 뒤의 말이 나타내는 동작이 잇따라 일어남을 나타내는 연결 어미.
やいなや【や否や】。とすぐに。たとたん【た途端】
前に述べる動作が終わってからすぐ後に述べる動作が相次いで起こるという意を表す「連結語尾」。

• **보다 (動詞)** : 눈으로 대상의 존재나 겉모습을 알다.
みる【見る】。ながめる【眺める】
目で対象の存在や外見を知る。

• -다 못하다 : 앞의 말이 나타내는 행동을 더 이상 계속할 수 없음을 나타내는 표현.
きれない。かねる
前の言葉の表す行動をもうこれ以上続けられないという意を表す表現。

• -여 : 앞에 오는 말이 뒤에 오는 말에 대한 원인이나 이유임을 나타내는 연결 어미.
て。たから。たので
前の事柄が後の事柄の原因や理由であるという意を表す「連結語尾」。

• **답답하다 (形容詞)** : 다른 사람의 태도나 상황이 마음에 차지 않아 안타깝다.
もどかしい
他人の態度や状況が気に入らず、もどかしい。

• -ㄴ : 앞의 말이 관형어의 기능을 하게 만들고 현재의 상태를 나타내는 어미.
た
前の言葉に連体修飾語の機能を持たせ、現在の状態を表す「語尾」。

• **하나님 (名詞)** : 기독교에서 믿는 신을 개신교에서 부르는 이름.
ハナニム
キリスト教の神で、プロテスタントで呼ぶ名前。

• 께서 : (높임말로) 가. 이. 어떤 동작의 주체가 높여야 할 대상임을 나타내는 조사.
は
「가」または「이」の尊敬語。ある行動の主体が敬う対象であることを表す助詞。

• **남자 (名詞)** : 남성으로 태어난 사람.
おとこ【男】。だんし【男子】。だんせい【男性】
男性として生まれた人。

• 에게 : 어떤 행동이 미치는 대상임을 나타내는 조사.
に
行動が行われる対象を表す助詞。

• **이렇다 (形容詞)** : 상태, 모양, 성질 등이 이와 같다.
こうである。このようだ【此の様だ】
状態、形、性質などがこの通りである。

• -게 : 앞의 말이 뒤에서 가리키는 일의 목적이나 결과, 방식, 정도 등이 됨을 나타내는 연결 어미.
…く。…に。ように。ほど
前の事柄が後の事柄の目的・結果・方法・程度などになるという意を表す「連結語尾」。

• **말씀하다 (動詞)** : (높임말로) 말하다.
おっしゃる【仰る】
「言う」の尊敬語。

• -시- : 어떤 동작이나 상태의 주체를 높이는 뜻을 나타내는 어미.
お…になる。ご…になる
ある動作や状態の主体を敬う意を表す語尾。

• -었- : 어떤 사건이 과거에 완료되었거나 그 사건의 결과가 현재까지 지속되는 상황을 나타내는 어미.
た。ている
ある出来事が過去に完了したことや、その出来事の結果が現在まで持続している状況を表す語尾。

• -다 : 어떤 사건이나 사실, 상태를 서술함을 나타내는 종결 어미.
する。…い。…だ。である
現在の出来事や事実を叙述する意を表す「終結語尾」。

하나님 : 일단 복권+을 사+라는 말+이+야.
사란

• **일단 (副詞)** : 우선 먼저.
いったん【一旦】。ひとまず【一先ず】
まず、先に。

• **복권 (名詞)** : 적혀 있는 숫자나 기호가 추첨한 것과 일치하면 상금이나 상품을 받을 수 있게 만든 표.
たからくじ【宝くじ】
書かれている数字や記号が抽選したものと一致すると、賞金や賞品がもらえる証票。

• 을 : 동작이 직접적으로 영향을 미치는 대상을 나타내는 조사.
を
動作が直接的に影響を及ぼす対象を表す助詞。

• **사다 (動詞)** : 돈을 주고 어떤 물건이나 권리 등을 자기 것으로 만들다.
かう【買う】。こうにゅうする【購入する】
金を払って品物や権利などを自分のものにする。

• -라는 : 명령이나 요청 등의 말을 인용하여 전달하면서 그 뒤에 오는 명사를 꾸며 줄 때 쓰는 표현.
しろという【と言う】。しろとの
命令や要請などの言葉を引用して伝えながらその後にくる名詞を修飾するのに用いる表現。

• **말 (名詞)** : 다시 강조하거나 확인하는 뜻을 나타내는 말.
わけ【訳】
もう一度強調したり確認したりする意を表す語。

• 이다 : 주어가 지시하는 대상의 속성이나 부류를 지정하는 뜻을 나타내는 서술격 조사.
だ。である
主語が指す対象の属性や部類を指定する意を表す叙述格助詞。

• -야 : (두루낮춤으로) 어떤 사실에 대하여 서술하거나 물음을 나타내는 종결 어미.
だよ。なのよ
(略待下称) ある事実について叙述したり質問する意を表す「終結語尾」。

< 16 단원(たんげん【単元】) >

제목 : 왜 먹지 못하지요?

● 본문 (ほんぶん【本文】)

요즘 국내에 반려동물을 키우는 사람들이 많아지면서 건강에 좋은 사료를 개발하는 회사들도 점점 늘어나고 있다.

올해 한 사료 회사에서 유기농 원료를 사용한 신제품 개발에 성공하여 투자자를 위한 모임을 개최하게 되었다.

직원 : 이것으로 신제품 사료에 대한 설명을 마치도록 하겠습니다.

지금부터는 투자자분들의 질문을 받도록 하겠습니다.

투자자 : 자세한 설명 잘 들었습니다.

그런데 혹시 그거 사람도 먹을 수 있습니까?

직원 : 사람은 못 먹습니다.

투자자 : 아니, 유기농 원료에 영양가 높고 위생적으로 만든 개 사료라면서

왜 먹지 못하지요?

직원 : 비싸서 절대 못 먹습니다.

● 발음 (はつおん【発音】)

요즘 국내에 반려동물을 키우는 사람들이 많아지면서 건강에 좋은 사료를 개발하는 회사들도 점점
요즘 궁내에 발려동무를 키우는 사람드리 마나지면서 건강에 조은 사료를 개발하는 회사들도 점점
yojeum gungnaee ballyeodongmureul kiuneun saramdeuri manajimyeonseo geongange joeun saryoreul gaebalhaneun hoesadeuldo jeomjeom

늘어나고 있다.
느러나고 읻따.
neureonago itda.

올해 한 사료 회사에서 유기농 원료를 사용한 신제품 개발에 성공하여 투자자를 위한 모임을 개최하게
올해 한 사료 회사에서 유기농 월료를 사용한 신제품 개바레 성공하여 투자자를 위한 모이믈 개최하게
olhae han saryo hoesaeseo yuginong wollyoreul sayonghan sinjepum gaebare seonggonghayeo tujajareul wihan moimeul gaechoehage

되었다.
되얻따.
doeeotda.

직원 : 이것으로 신제품 사료에 대한 설명을 마치도록 하겠습니다.
지권 : 이거스로 신제품 사료에 대한 설명을 마치도록 하겓씀니다.
jigwon : igeoseuro sinjepum saryoe daehan seolmyeongeul machidorok hagetseumnida.

지금부터는 투자자분들의 질문을 받도록 하겠습니다.
지금부터는 투자자분드릐 질무늘 받또록 하겓씀니다.
jigeumbuteoneun tujajabundeurui(bundeure) jilmuneul batdorok hagetseumnida.

투자자 : 자세한 설명 잘 들었습니다.
투자자 : 자세한 설명 잘 드럳씀니다.
tujaja : jasehan seolmyeong jal deureotseumnida.

그런데 혹시 그거 사람도 먹을 수 있습니까?
그런데 혹씨 그거 사람도 머글 쑤 읻씀니까?
geureonde hoksi geugeo saramdo meogeul su itseumnikka?

직원 : 사람은 못 먹습니다.
지권 : 사라믄 몯 먹씀니다.
jigwon : sarameun mot meokseumnida.

투자자 : 아니, 유기농 원료에 영양가 높고 위생적으로 만든 개 사료라면서
투자자 : 아니, 유기농 월료에 영양까 놉꼬 위생저그로 만든 개 사료라면서
tujaja : ani, yuginong wollyoe yeongyangga nopgo wisaengjeogeuro mandeun gae saryoramyeonseo

왜 먹지 못하지요?
왜 먹찌 모타지요?
wae meokji motajiyo?

직원 : 비싸서 절대 못 먹습니다.
지권 : 비싸서 절때 몯 먹씀니다.
jigwon : bissaseo jeoldae mot meokseumnida.

● 어휘 (ごい【語彙】) / 문법 (ぶんぽう【文法】)

요즘 국내+에 반려동물+을 키우+는 사람+들+이 많아지+면서 건강+에 좋+은 사료+를 개발하+는 회사+들+도 점점 늘어나+고 있+다.

올해 한 사료 회사+에서 유기농 원료+를 사용하+ㄴ 신제품 개발+에 성공하+여 투자자+를 위하+ㄴ 모임+을 개최하+게 되+었+다.

직원 : 이것+으로 신제품 사료+에 대한 설명+을 마치+도록 하+겠+습니다.

지금+부터+는 투자자+분+들+의 질문+을 받+도록 하+겠+습니다.

투자자 : 자세하+ㄴ 설명 잘 듣(들)+었+습니다.

그런데 혹시 그거 사람+도 먹+을 수 있+습니까?

직원 : 사람+은 못 먹+습니다.

투자자 : 아니, 유기농 원료+에 영양가 높+고 위생적+으로 만들(만드)+ㄴ

개 사료+(이)+라면서 왜 먹+지 못하+지요?

직원 : 비싸+(아)서 절대 못 먹+습니다.

요즘 국내+에 반려동물+을 키우+는 사람+들+이 많아지+면서 건강+에 좋+은 사료+를 개발하+는 회사+들+도 점점 늘어나+[고 있]+다.

• **요즘 (名詞)** : 아주 가까운 과거부터 지금까지의 사이.
さいきん【最近】。ちかごろ【近頃】。このごろ【この頃】
少し前から現在までの間。

• **국내 (名詞)** : 나라의 안.
こくない【国内】
国の内。

• 에 : 앞말이 어떤 장소나 자리임을 나타내는 조사.
に
前の言葉が場所や席であることを表す助詞。

• **반려동물 (名詞)**
반려 (名詞) : 짝이 되는 사람이나 동물.
はんりょ【伴侶】
一緒に連れ立つ人や動物。
동물 (名詞) : 사람을 제외한 길짐승, 날짐승, 물짐승 등의 움직이는 생물.
どうぶつ【動物】。いきもの【生き物】。じゅうるい【獣類】
人類以外の爬虫類・鳥類・水に住む獣など、動く生物。

• 을 : 동작이 직접적으로 영향을 미치는 대상을 나타내는 조사.
を
動作が直接的に影響を及ぼす対象を表す助詞。

• **키우다 (動詞)** : 동식물을 보살펴 자라게 하다.
そだてる【育てる】。かう【飼う】。しいくする【飼育する】。つちかう【培う】。やしなう【養う】
動物・植物に手をかけて育つようにする。

• -는 : 앞의 말이 관형어의 기능을 하게 만들고 사건이나 동작이 현재 일어남을 나타내는 어미.
する。ている
前の言葉に連体修飾語の機能を持たせ、出来事や動作が現在進行中であるという意を表す語尾。

• **사람 (名詞)** : 생각할 수 있으며 언어와 도구를 만들어 사용하고 사회를 이루어 사는 존재.
ひと【人】。にんげん【人間】。じんるい【人類】
考える力があり、言語と道具を使い、社会を作って生きる存在。

• 들 : '복수'의 뜻을 더하는 접미사.
たち・ら【達】
「複数」の意を付加する接尾辞。

• 이 : 어떤 상태나 상황의 대상이나 동작의 주체를 나타내는 조사.
が
ある状態・状況の対象や動作の主体を表す助詞。

• **많아지다 (動詞)** : 수나 양 등이 적지 아니하고 일정한 기준을 넘게 되다.
おおくなる【多くなる】。ふえる【増える】。ゆたかになる【豊かになる】
数や量、程度などが少なくなく、一定の基準を超えるようになる。

• -면서 : 두 가지 이상의 동작이나 상태가 함께 일어남을 나타내는 연결 어미.
ながら
二つ以上の動作や状態が共に起こるという意を表す「連結語尾」。

• **건강 (名詞)** : 몸이나 정신이 이상이 없이 튼튼한 상태.
けんこう【健康】
心身に異常のない丈夫な状態。

• 에 : 앞말이 무엇의 목적이나 목표임을 나타내는 조사.
に
前の言葉が何かの目的や目標であることを表す助詞。

• **좋다 (形容詞)** : 어떤 것이 몸이나 건강을 더 나아지게 하는 성질이 있다.
よい【良い・善い】。こうかてきだ【効果的だ】
体や健康をよくさせる性質がある。

• -은 : 앞의 말이 관형어의 기능을 하게 만들고 현재의 상태를 나타내는 어미.
た。ている
前の言葉に連体修飾語の機能を持たせ、現在の状態の意を表す語尾。

• **사료 (名詞)** : 집이나 농장 등에서 기르는 동물에게 주는 먹이.
しりょう【飼料】
家や農場などで飼っている動物に与えるえさ。

• 를 : 동작이 직접적으로 영향을 미치는 대상을 나타내는 조사.
を
動作が直接的に影響を及ぼす対象を表す助詞。

• **개발하다 (動詞)** : 새로운 물건을 만들거나 새로운 생각을 내놓다.
かいはつする【開発する】
新しい物を作ったり、新しい考えを示したりする。

• -는 : 앞의 말이 관형어의 기능을 하게 만들고 사건이나 동작이 현재 일어남을 나타내는 어미.
する。ている
前の言葉に連体修飾語の機能を持たせ、出来事や動作が現在進行中であるという意を表す語尾。

• **회사 (名詞)** : 사업을 통해 이익을 얻기 위해 여러 사람이 모여 만든 법인 단체.
かいしゃ【会社】
商行為などを通した営利を目的に多数の人が集まって設立した社団法人。

• 들 : '복수'의 뜻을 더하는 접미사.
たち・ら【達】
「複数」の意を付加する接尾辞。

• 도 : 이미 있는 어떤 것에 다른 것을 더하거나 포함함을 나타내는 조사.
も
既存の物事に他の物事を加えたり含ませたりするという意を表す助詞。

• **점점 (副詞)** : 시간이 지남에 따라 정도가 조금씩 더.
だんだん【段段】。しだいに【次第に】。じょじょに【徐徐に】。ますます【益益・益・増す増す】
時間が経つにつれ、程度が少しずつはなはだしくなるさま。

• **늘어나다 (動詞)** : 부피나 수량이나 정도가 원래보다 점점 커지거나 많아지다.
ふえる【増える】。ます【増す】
体積や数量、程度がますます大きくなったり多くなったりする。

• -고 있다 : 앞의 말이 나타내는 행동이 계속 진행됨을 나타내는 표현.
ている
前の言葉の表す行動が引き続き行われるという意を表す表現。

• -다 : 어떤 사건이나 사실, 상태를 서술함을 나타내는 종결 어미.
する。…い。…だ。である
現在の出来事や事実を叙述する意を表す「終結語尾」。

올해 한 사료 회사+에서 유기농 원료+를 사용하+ㄴ (**사용한**) 신제품 개발+에 성공하+여 투자자+를 위하+ㄴ (**위한**) 모임+을 개최하+[게 되]+었+다.

• **올해 (名詞)** : 지금 지나가고 있는 이 해.
ことし・こんねん【今年】。このとし【この年】。ほんねん【本年】
現在を含んでいる年。

• **한 (冠形詞)** : 여럿 중 하나인 어떤.
ある【或る】
多くの中で一つ。

- **사료 (名詞)** : 집이나 농장 등에서 기르는 동물에게 주는 먹이.
  しりょう【飼料】
  家や農場などで飼っている動物に与えるえさ。

- **회사 (名詞)** : 사업을 통해 이익을 얻기 위해 여러 사람이 모여 만든 법인 단체.
  かいしゃ【会社】
  商行為などを通した営利を目的に多数の人が集まって設立した社団法人。

- 에서 : 앞말이 주어임을 나타내는 조사.
  で
  前の言葉が主語であることを表す助詞。

- **유기농 (名詞)** : 화학 비료나 농약을 쓰지 않고 생물의 작용으로 만들어진 것만을 사용하는 방식의 농업.
  ゆうきのう【有機農】。オーガニックのうほう【オーガニック農法】
  化学肥料や農薬などを使用せず、生物の作用で作られたものだけを用いる方式の農業。

- **원료 (名詞)** : 어떤 것을 만드는 데 들어가는 재료.
  げんりょう【原料】。ざいりょう【材料】
  ある物品を作るもとになる材料。

- 를 : 동작이 직접적으로 영향을 미치는 대상을 나타내는 조사.
  を
  動作が直接的に影響を及ぼす対象を表す助詞。

- **사용하다 (動詞)** : 무엇을 필요한 일이나 기능에 맞게 쓰다.
  しようする【使用する】。つかう【使う】。もちいる【用いる】
  何かを必要なことや機能に合わせて使う。

- -ㄴ : 앞의 말이 관형어의 기능을 하게 만들고 사건이나 동작이 완료되어 그 상태가 유지되고 있음을 나타내는 어미.
  た。ている
  前の言葉に連体修飾語の機能を持たせ、
  出来事や動作が完了してその状態が続いているという意を表す語尾。

- **신제품 (名詞)** : 새로 만든 제품.
  しんせいひん【新製品】
  新しく作った製品。

- **개발 (名詞)** : 새로운 물건을 만들거나 새로운 생각을 내놓음.
  かいはつ【開発】
  新しい物を作ったり、新しい考えを示すこと。

- 에 : 앞말이 어떤 행위나 감정 등의 대상임을 나타내는 조사.
  に
  前の言葉がある行為や感情などの対象であることを表す助詞。

• **성공하다 (動詞)** : 원하거나 목적하는 것을 이루다.
せいこうする【成功する】。じょうじゅする【成就する】
願って目的にしていたことを成し遂げる。

• -여 : 앞에 오는 말이 뒤에 오는 말에 대한 원인이나 이유임을 나타내는 연결 어미.
て。たから。たので
前の事柄が後の事柄の原因や理由であるという意を表す「連結語尾」。

• **투자자 (名詞)** : 이익을 얻기 위해 어떤 일이나 사업에 돈을 대거나 시간이나 정성을 쏟는 사람.
とうしか【投資家】。インベスター
利益を得る目的で、ある仕事や事業などに金銭を注ぎ込んだり、
時間を掛けたり誠意を尽くしたりする人。

• 를 : 동작이 직접적으로 영향을 미치는 대상을 나타내는 조사.
を
動作が直接的に影響を及ぼす対象を表す助詞。

• **위하다 (動詞)** : 무엇을 이롭게 하거나 도우려 하다.
ためだ【為だ】
利益になったり役に立ったりしようとする。

• -ㄴ : 앞의 말이 관형어의 기능을 하게 만들고 사건이나 동작이 완료되어 그 상태가 유지되고 있음을 나타내는 어미.
た。ている
前の言葉に連体修飾語の機能を持たせ、
出来事や動作が完了してその状態が続いているという意を表す語尾。

• **모임 (名詞)** : 어떤 일을 하기 위하여 여러 사람이 모이는 일.
かい【会】。かいごう【会合】。あつまり【集り】。つどい【集い】。よりあい【寄り合い】
ある事を行うため、多くの人が寄り集まること。

• 을 : 동작이 직접적으로 영향을 미치는 대상을 나타내는 조사.
を
動作が直接的に影響を及ぼす対象を表す助詞。

• **개최하다 (動詞)** : 모임, 행사, 경기 등을 조직적으로 계획하여 열다.
かいさいする【開催する】
集会や行事、試合などを組織的に計画して開く。

• -게 되다 : 앞의 말이 나타내는 상태나 상황이 됨을 나타내는 표현.
ようになる。ことになる
前の言葉の表す状態や状況になるという意を表す表現。

• -었- : 어떤 사건이 과거에 완료되었거나 그 사건의 결과가 현재까지 지속되는 상황을 나타내는 어미.
た。ている
ある出来事が過去に完了したことや、その出来事の結果が現在まで持続している状況を表す語尾。

• -다 : 어떤 사건이나 사실, 상태를 서술함을 나타내는 종결 어미.
する。…い。…だ。である
現在の出来事や事実を叙述する意を表す「終結語尾」。

직원 : 이것+으로 신제품 사료+[에 대한] 설명+을 마치+[도록 하]+겠+습니다.

• **이것 (代名詞)** : 바로 앞에서 이야기한 대상을 가리키는 말.
これ
すぐ前で話した対象を指す語。

• 으로 : 어떤 일의 방법이나 방식을 나타내는 조사.
に。で
方法や方式を表す助詞。

• **신제품 (名詞)** : 새로 만든 제품.
しんせいひん【新製品】
新しく作った製品。

• **사료 (名詞)** : 집이나 농장 등에서 기르는 동물에게 주는 먹이.
しりょう【飼料】
家や農場などで飼っている動物に与えるえさ。

• 에 대한 : 뒤에 오는 명사를 수식하며 앞에 오는 명사를 뒤에 오는 명사의 대상으로 함을 나타내는 표현.
にたいする【に対する】。についての
後ろの名詞を修飾し、前の名詞が後ろの名詞の対象になることを表す表現。

• **설명 (名詞)** : 어떤 것을 남에게 알기 쉽게 풀어 말함. 또는 그런 말.
せつめい【説明】
ある事柄について、他人が分かりやすい言葉で述べること。また、その言葉。

• 을 : 동작이 직접적으로 영향을 미치는 대상을 나타내는 조사.
を
動作が直接的に影響を及ぼす対象を表す助詞。

• **마치다 (動詞)** : 하던 일이나 과정이 끝나다. 또는 그렇게 하다.
おえる【終える】。すます【済ます】
続けてきた仕事や課程が終わる。また、そうさせる。

• -도록 하다 : 말하는 사람이 어떤 행위를 할 것이라는 의지나 다짐을 나타내는 표현.
ようにする
ある行為をしようと思う話し手自身の意志や決心を表す表現。

• -겠- : 완곡하게 말하는 태도를 나타내는 어미.
対訳語無し
婉曲に述べる態度を表す語尾。

• -습니다 : (아주높임으로) 현재의 동작이나 상태, 사실을 정중하게 설명함을 나타내는 종결 어미.
ます。です
(上称) 現在の動作や状態、事実を丁寧に説明する意を表す「終結語尾」。

직원 : 지금+부터+는 투자자+분+들+의 질문+을 받+[도록 하]+겠+습니다.

• **지금 (名詞)** : 말을 하고 있는 바로 이때.
いま【今】。ただいま【ただ今】
話をしているこの瞬間。または即時に。

• 부터 : 어떤 일의 시작이나 처음을 나타내는 조사.
から。より
ある出来事の始まりや起点という意を表す助詞。

• 는 : 문장 속에서 어떤 대상이 화제임을 나타내는 조사.
は
文の中で、ある対象が話題であることを表す助詞。

• **투자자 (名詞)** : 이익을 얻기 위해 어떤 일이나 사업에 돈을 대거나 시간이나 정성을 쏟는 사람.
とうしか【投資家】。インベスター
利益を得る目的で、ある仕事や事業などに金銭を注ぎ込んだり、
時間を掛けたり誠意を尽くしたりする人。

• 분 : '높임'의 뜻을 더하는 접미사.
かた【方】
「敬う」意を付加する接尾辞。

• 들 : '복수'의 뜻을 더하는 접미사.
たち・ら【達】
「複数」の意を付加する接尾辞。

• 의 : 앞의 말이 뒤의 말에 대하여 소유, 소속, 소재, 관계, 기원, 주체의 관계를 가짐을 나타내는 조사.
の
前の言葉が後ろの言葉に対し、所有、所在、関係、起源、主体の関係を持つことを表す助詞。

• **질문 (名詞)** : 모르는 것이나 알고 싶은 것을 물음.
しつもん【質問】
知らない点や知りたい点を尋ねること。

• 을 : 동작이 직접적으로 영향을 미치는 대상을 나타내는 조사.
を
動作が直接的に影響を及ぼす対象を表す助詞。

• **받다 (動詞)** : 요구나 신청, 질문, 공격, 신호 등과 같은 작용을 당하거나 그에 응하다.
うける【受ける】。うけとる【受け取る】。うけいれる【受け入れる】。うけつける【受け付ける】
要求・申請・質問・攻撃・信号などのような働きを受けたり、それに応じたりする。

• -도록 하다 : 말하는 사람이 어떤 행위를 할 것이라는 의지나 다짐을 나타내는 표현.
ようにする
ある行為をしようと思う話し手自身の意志や決心を表す表現。

• -겠- : 완곡하게 말하는 태도를 나타내는 어미.
対訳語無し
婉曲に述べる態度を表す語尾。

• -습니다 : (아주높임으로) 현재의 동작이나 상태, 사실을 정중하게 설명함을 나타내는 종결 어미.
ます。です
(上称) 現在の動作や状態、事実を丁寧に説明する意を表す「終結語尾」。

투자자 : 자세하+ㄴ 설명 잘 듣(들)+었+습니다. **자세한　　　　　들었습니다**

• **자세하다 (形容詞)** : 아주 사소한 부분까지 구체적이고 분명하다.
くわしい【詳しい・委しい・精しい】。しょうさいだ【詳細だ】
細かいところまで具体的で分明だ。

• -ㄴ : 앞의 말이 관형어의 기능을 하게 만들고 현재의 상태를 나타내는 어미.
た。ている
前の言葉に連体修飾語の機能を持たせ、現在の状態の意を表す語尾。

• **설명 (名詞)** : 어떤 것을 남에게 알기 쉽게 풀어 말함. 또는 그런 말.
せつめい【説明】
ある事柄について、他人が分かりやすい言葉で述べること。また、その言葉。

• **잘 (副詞)** : 관심을 집중해서 주의 깊게.
ちゅういぶかく【注意深く】
関心を集中して注意深く。

• **듣다 (動詞)** : 다른 사람의 말이나 소리 등에 귀를 기울이다.
みみにとめる【耳に留める】。みみをかたむける【耳を傾ける】
人の言葉や音などに耳を傾ける。

• -었- : 어떤 사건이 과거에 완료되었거나 그 사건의 결과가 현재까지 지속되는 상황을 나타내는 어미.
た。ている
ある出来事が過去に完了したことや、その出来事の結果が現在まで持続している状況を表す語尾。

• -습니다 : (아주높임으로) 현재의 동작이나 상태, 사실을 정중하게 설명함을 나타내는 종결 어미.
ます。です
(上称) 現在の動作や状態、事実を丁寧に説明する意を表す「終結語尾」。

투자자 : 그런데 혹시 그거 사람+도 먹+[을 수 있]+습니까?

• **그런데 (副詞)** : 이야기를 앞의 내용과 관련시키면서 다른 방향으로 바꿀 때 쓰는 말.
しかし
話題を前の内容と関連づけて他の方向に変える時に用いる語。

• **혹시 (副詞)** : 그러리라 생각하지만 분명하지 않아 말하기를 망설일 때 쓰는 말.
もしかして【若しかして】。もしかしたら【若しかしたら】。もしかすると【若しかすると】。ひょっとして
そうであろうと思うものの、はっきりしていなくて言い渋る時に用いる語。

• **그거 (代名詞)** : 앞에서 이미 이야기한 대상을 가리키는 말.
それ。あれ
前に話で話題になった対象をさす語。

• **사람 (名詞)** : 생각할 수 있으며 언어와 도구를 만들어 사용하고 사회를 이루어 사는 존재.
ひと【人】。にんげん【人間】。じんるい【人類】
考える力があり、言語と道具を使い、社会を作って生きる存在。

• 도 : 이미 있는 어떤 것에 다른 것을 더하거나 포함함을 나타내는 조사.
も
既存の物事に他の物事を加えたり含ませたりするという意を表す助詞。

• **먹다 (動詞)** : 음식 등을 입을 통하여 배 속에 들여보내다.
たべる【食べる】。くう【食う・喰う】。くらう【食らう】
食べ物を口の中に入れて飲み込む。

• -을 수 있다 : 어떤 행동이나 상태가 가능함을 나타내는 표현.
(ら)れる。ことができる
ある行動や状態が可能であることを表す表現。

• -습니까 : (아주높임으로) 말하는 사람이 듣는 사람에게 정중하게 물음을 나타내는 종결 어미.
ますか。ですか
(上称) 話し手が聞き手に丁寧に質問する意を表す「終結語尾」。

직원 : 사람+은 못 먹+습니다.

• **사람 (名詞)** : 생각할 수 있으며 언어와 도구를 만들어 사용하고 사회를 이루어 사는 존재.
ひと【人】。にんげん【人間】。じんるい【人類】
考える力があり、言語と道具を使い、社会を作って生きる存在。

• 은 : 문장 속에서 어떤 대상이 화제임을 나타내는 조사.
は
文章の中である対象が話題であることを表す助詞。

• **못 (副詞)** : 동사가 나타내는 동작을 할 수 없게.
対訳語無し
動詞が表す動作が不可能であるさま。

• **먹다 (動詞)** : 음식 등을 입을 통하여 배 속에 들여보내다.
たべる【食べる】。くう【食う・喰う】。くらう【食らう】
食べ物を口の中に入れて飲み込む。

• -습니다 : (아주높임으로) 현재의 동작이나 상태, 사실을 정중하게 설명함을 나타내는 종결 어미.
ます。です
(上称) 現在の動作や状態、事実を丁寧に説明する意を表す「終結語尾」。

투자자 : 아니, 유기농 원료+에 영양가 높+고 위생적+으로 만들(만드)+ㄴ
만든

개 사료+(이)+라면서 왜 먹+[지 못하]+지요?
개 사료라면서

• **아니 (感動詞)** : 놀라거나 감탄스러울 때, 또는 의심스럽고 이상할 때 하는 말.
えー。えっ
驚きや感嘆、または疑いや不審の気持ちを表す時にいう語。

• **유기농 (名詞)** : 화학 비료나 농약을 쓰지 않고 생물의 작용으로 만들어진 것만을 사용하는 방식의 농업.
ゆうきのう【有機農】。オーガニックのうほう【オーガニック農法】
化学肥料や農薬などを使用せず、生物の作用で作られたものだけを用いる方式の農業。

• **원료 (名詞)** : 어떤 것을 만드는 데 들어가는 재료.
げんりょう【原料】。ざいりょう【材料】
ある物品を作るもとになる材料。

• 에 : 앞말에 무엇이 더해짐을 나타내는 조사.
に
前の言葉に何かが加えられることを表す助詞。

• **영양가 (名詞)** : 식품이 가진 영양의 가치.
えいようか【栄養価】
食品の栄養としての価値。

• **높다 (形容詞)** : 품질이나 수준 또는 능력이나 가치가 보통보다 위에 있다.
たかい【高い】
品質や水準、または能力や価値が普通より上にある。

• -고 : 두 가지 이상의 대등한 사실을 나열할 때 쓰는 연결 어미.
て
二つ以上の対等な事柄を並べ立てるのに用いる「連結語尾」。

• **위생적 (名詞)** : 건강에 이롭거나 도움이 되도록 조건을 갖춘 것.
えいせいてき【衛生的】
健康の維持に役立つよう、条件を揃えること。

• 으로 : 어떤 일의 방법이나 방식을 나타내는 조사.
に。で
方法や方式を表す助詞。

• **만들다 (動詞)** : 힘과 기술을 써서 없던 것을 생기게 하다.
つくる【作る】。したてる【仕立てる】。こしらえる【拵える】。せいぞうする【製造する】。
せいさくする【製作する】
力や技術を使って、存在しなかったものを生じさせる。

• -ㄴ : 앞의 말이 관형어의 기능을 하게 만들고 사건이나 동작이 완료되어 그 상태가 유지되고 있음을 나타내는 어미.
た。ている
前の言葉に連体修飾語の機能を持たせ、
出来事や動作が完了してその状態が続いているという意を表す語尾。

• **개 (名詞)** : 냄새를 잘 맡고 귀가 매우 밝으며 영리하고 사람을 잘 따라 사냥이나 애완 등의 목적으로 기르는 동물.
いぬ【犬】
臭覚や聴覚が鋭く、利口で人に良くなつくため、狩りやペットの目的で飼う動物。

• **사료 (名詞)** : 집이나 농장 등에서 기르는 동물에게 주는 먹이.
しりょう【飼料】
家や農場などで飼っている動物に与えるえさ。

• 이다 : 주어가 지시하는 대상의 속성이나 부류를 지정하는 뜻을 나타내는 서술격 조사.
だ。である
主語が指す対象の属性や部類を指定する意を表す叙述格助詞。

• -라면서 : 듣는 사람이나 다른 사람이 이전에 했던 말이 예상이나 지금의 상황과 다름을 따져 물을 때 쓰는 표현.
といって【と言って】。といいながら【と言いながら】。といったのに【と言ったのに】
聞き手や他人が以前述べた事柄が予想や今の状況と違うことを問いただすのに用いる表現。

• **왜 (副詞)** : 무슨 이유로. 또는 어째서.
なぜ【何故】。どうして。なんで【何で】
どういう理由で。また、何ゆえ。

• **먹다 (動詞)** : 음식 등을 입을 통하여 배 속에 들여보내다.
たべる【食べる】。くう【食う・喰う】。くらう【食らう】
食べ物を口の中に入れて飲み込む。

• -지 못하다 : 앞의 말이 나타내는 행동을 할 능력이 없거나 주어의 의지대로 되지 않음을 나타내는 표현.
(ら)れない。えない【得ない】。ことができない
前の言葉の表す行動をする能力に欠けていたり主語の意志通りにはならないという意を表す表現。

• -지요 : (두루높임으로) 말하는 사람이 듣는 사람에게 친근함을 나타내며 물을 때 쓰는 종결 어미.
ますか。ですか。でしょうか
(略待上称) 話し手が聞き手に親しみを表明しながら尋ねるのに用いる「終結語尾」。

직원 : 비싸+(아)서 절대 못 먹+습니다.
비싸서

• **비싸다 (形容詞)** : 물건값이나 어떤 일을 하는 데 드는 비용이 보통보다 높다.
たかい【高い】。こうかだ【高価だ】
商品の値段や何かをするのにかかる費用が普通より高い。

• -아서 : 이유나 근거를 나타내는 연결 어미.
て。から。ので。ため。ゆえ【故】
理由や根拠の意を表す「連結語尾」。

• **절대 (副詞)** : 어떤 경우라도 반드시.
ぜったい【絶対】
どんなことがあっても必ず。

• **못 (副詞)** : 동사가 나타내는 동작을 할 수 없게.
対訳語無し
動詞が表す動作が不可能であるさま。

• **먹다 (動詞)** : 음식 등을 입을 통하여 배 속에 들여보내다.
たべる【食べる】。くう【食う・喰う】。くらう【食らう】
食べ物を口の中に入れて飲み込む。

• -습니다 : (아주높임으로) 현재의 동작이나 상태, 사실을 정중하게 설명함을 나타내는 종결 어미.
ます。です
(上称) 現在の動作や状態、事実を丁寧に説明する意を表す「終結語尾」。

● 숫자 (すうじ【数字】)

- 0 (영, 공) : れい【零】
- 1 (일, 하나) : いち【一】
- 2 (이, 둘) : に【二】
- 3 (삼, 셋) : さん【三】
- 4 (사, 넷) : し・よん【四】
- 5 (오, 다섯) : ご【五】
- 6 (육, 여섯) : ろく【六】
- 7 (칠, 일곱) : しち・なな【七】
- 8 (팔, 여덟) : はち【八】
- 9 (구, 아홉) : きゅう・く【九】
- 10 (십, 열) : じゅう【十】
- 20 (이십, 스물) : にじゅう【二十】
- 30 (삼십, 서른) : さんじゅう【三十】
- 40 (사십, 마흔) : よんじゅう・しじゅう【四十】
- 50 (오십, 쉰) : ごじゅう【五十】
- 60 (육십, 예순) : ろくじゅう【六十】
- 70 (칠십, 일흔) : しちじゅう・ななじゅう【七十】
- 80 (팔십, 여든) : はちじゅう【八十】
- 90 (구십, 아흔) : きゅうじゅう・くじゅう【九十】
- 100 (백) : ひゃく【百】
- 1,000 (천) : せん【千】
- 10,000 (만) : まん【万】。いちまん【一万】
- 100,000 (십만) : じゅうまん【十万】
- 1,000,000 (백만) : ひゃくまん【百万】
- 10,000,000 (천만) : せんまん【千万】
- 100,000,000 (억) : おく【億】
- 1,000,000,000,000 (조) : ちょう【兆】

● 시간 (じかん【時間】)

• **시** (名詞) : 하루를 스물넷으로 나누었을 때 그 하나를 나타내는 시간의 단위.
じ【時】
一日を24に分けた時、そのうち一つを表す時間の単位。

• **분** (名詞) : 한 시간의 60분의 1을 나타내는 시간의 단위.
ふん【分】
1時間の60分の1を表す時間の単位。

• **초** (名詞) : 일 분의 60분의 1을 나타내는 시간의 단위.
びょう【秒】
時間で、1分の60分の1を表す単位。

• **새벽** (名詞)
1) 해가 뜰 즈음.
よあけ【夜明け】。あけがた【明け方】。あかつき【暁】
日が昇るころ。
2) 아주 이른 오전 시간을 가리키는 말.
そうちょう【早朝】
とても早い午前の時間を指す語。

• **아침** (名詞) : 날이 밝아올 때부터 해가 떠올라 하루의 일이 시작될 때쯤까지의 시간.
あさ【朝】
夜が明けて日が昇り一日が始まる頃までの時間。

• **점심** (名詞) : 하루 중에 해가 가장 높이 떠 있는, 아침과 저녁의 중간이 되는 시간.
ひる【昼】
太陽が一番高く位置する、朝と夕方の中間。

• **저녁** (名詞) : 해가 지기 시작할 때부터 밤이 될 때까지의 동안.
ゆうがた【夕方】。ひぐれ【日暮れ】。ゆうぐれ【夕暮れ】
日が暮れ始めて夜になるまでの間。

• **낮** (名詞)
1) 해가 뜰 때부터 질 때까지의 동안.
ひる【昼】。ひるま・ちゅうかん【昼間】。にっちゅう【日中】
日の出から日の入りまでの間。
2) 오후 열두 시가 지나고 저녁이 되기 전까지의 동안.
ひる【昼】。ひるま・ちゅうかん【昼間】。にっちゅう【日中】
正午12時過ぎて、夜になる前までの間。

• **밤 (名詞)** : 해가 진 후부터 다음 날 해가 뜨기 전까지의 어두운 동안.
よる【夜】
日が暮れた後から翌日日が昇る前までの暗い間。

• **오전 (名詞)**
1) 아침부터 낮 열두 시까지의 동안.
ごぜん【午前】
夜明けから正午までの時間。
2) 밤 열두 시부터 낮 열두 시까지의 동안.
ごぜん【午前】
夜中12時から正午までの間。

• **오후 (名詞)**
1) 정오부터 해가 질 때까지의 동안.
ごご【午後】
正午から日没までの時間。
2) 정오부터 밤 열두 시까지의 시간.
ごご【午後】
正午から夜の12時までの時間。

• **정오 (名詞)** : 낮 열두 시.
しょうご【正午】
昼の12時。

• **자정 (名詞)** : 밤 열두 시.
しょうし【正子】。ごぜんれいじ【午前零時】
真夜中の12時。

• **그저께 (名詞)** : 어제의 전날. 즉 오늘로부터 이틀 전.
おととい・いっさくじつ【一昨日】
昨日の前日。つまり、今日から二日前。

• **어제 (名詞)** : 오늘의 하루 전날.
きのう・さくじつ【昨日】
今日より1日前の日。

• **오늘 (名詞)** : 지금 지나가고 있는 이날.
きょう【今日】。ほんじつ【本日】
今過ごしているこの日。

• **내일 (名詞)** : 오늘의 다음 날.
あした・あす・みょうにち【明日】
今日の次の日。

・**모레 (名詞)** : 내일의 다음 날.
あさって【明後日】
明日の次の日。

・**하루 (名詞)** : 밤 열두 시부터 다음 날 밤 열두 시까지의 스물네 시간.
いちにち【一日】
午前零時から午後12時までの24時間。

・**이틀 (名詞)** : 두 날.
ふつか【二日】
日の数二つ。

・**사흘 (名詞)** : 세 날.
みっか・みか【三日】。みっかかん【三日間】
三つの日数。

・**나흘 (名詞)** : 네 날.
よっか【四日】。よっかかん【四日間】
日数が四つ。

・**닷새 (名詞)** : 다섯 날.
いつか【五日】。いつかかん【五日間】
五日間。

・**엿새 (名詞)** : 여섯 날.
対訳語無し
六日間。

・**이레 (名詞)** : 일곱 날.
なのか【七日】
7日間。

・**여드레 (名詞)** : 여덟 날.
ようか【八日】
8日間。

・**아흐레 (名詞)** : 아홉 날.
ここのか【九日】
日の数が九つ。

・**열흘 (名詞)** : 열 날.
とおか【十日】
十日間。

・**월요일** (名詞)：한 주가 시작되는 첫 날.
げつようび【月曜日】
新しい週が始まる初日。

・**화요일** (名詞)：월요일을 기준으로 한 주의 둘째 날.
かようび【火曜日】
月曜日を基準にした一週間の2日目。

・**수요일** (名詞)：월요일을 기준으로 한 주의 셋째 날.
すいようび【水曜日】
月曜日を基準にした一週の第3日。

・**목요일** (名詞)：월요일을 기준으로 한 주의 넷째 날.
もくようび【木曜日】
月曜日を基準にした一週の第4日。

・**금요일** (名詞)：월요일을 기준으로 한 주의 다섯째 날.
きんようび【金曜日】
月曜日を基準にした一週の第5日。

・**토요일** (名詞)：월요일을 기준으로 한 주의 여섯째 날.
どようび【土曜日】。どよう【土曜】
月曜日を基準とした１週間の6日目。

・**일요일** (名詞)：월요일을 기준으로 한 주의 마지막 날.
にちようび【日曜日】
月曜日を基準にした一週の最終の日。

・**일주일** (名詞)：월요일부터 일요일까지 칠 일. 또는 한 주일.
いっしゅう【一週】。いっしゅうかん【一週間】
月曜日から日曜日までの7日間。また、一週の間。

・**일월** (名詞)：일 년 열두 달 가운데 첫째 달.
いちがつ【一月】
1年12ヶ月の中で最初の月。

・**이월** (名詞)：일 년 열두 달 가운데 둘째 달.
にがつ【二月】
1年12ヶ月の中で2番目の月。

・**삼월** (名詞)：일 년 열두 달 가운데 셋째 달.
さんがつ【三月】
1年12ヶ月の中で3番目の月。やよい。

• **사월 (名詞)** : 일 년 열두 달 가운데 넷째 달.
しがつ【四月】
1年12ケ月の中で4番目の月。卯月（うづき）。

• **오월 (名詞)** : 일 년 열두 달 가운데 다섯째 달.
ごがつ【五月】
1年12ケ月の中で5番目の月。

• **유월 (名詞)** : 일 년 열두 달 가운데 여섯째 달.
ろくがつ【六月】
1年12ケ月の中で6番目の月。

• **칠월 (名詞)** : 일 년 열두 달 가운데 일곱째 달.
しちがつ【七月】
一年の7番目の月。

• **팔월 (名詞)** : 일 년 열두 달 가운데 여덟째 달.
はちがつ【八月】
一年の8番目の月。

• **구월 (名詞)** : 일 년 열두 달 가운데 아홉째 달.
くがつ【九月】
1年12ケ月の中で9番目の月。

• **시월 (名詞)** : 일 년 열두 달 중 열 번째 달.
じゅうがつ【十月】
1年12ケ月の中で10番目の月。

• **십일월 (名詞)** : 일 년 열두 달 가운데 열한째 달.
じゅういちがつ【十一月】
1年12ケ月の中で11番目の月。

• **십이월 (名詞)** : 일 년 열두 달 가운데 마지막 달.
じゅうにがつ【十二月】
1年12ケ月の中で最終の月。

• **봄 (名詞)** : 네 계절 중의 하나로 겨울과 여름 사이의 계절.
はる【春】
四季の一つで、冬と夏の間の季節。

• **여름 (名詞)** : 네 계절 중의 하나로 봄과 가을 사이의 더운 계절.
なつ【夏】
四季の一つで、春と秋の間の暑い季節。

• **가을** (名詞) : 네 계절 중의 하나로 여름과 겨울 사이의 계절.
あき【秋】
四季の一つで、夏と冬の間の季節。

• **겨울** (名詞) : 네 계절 중의 하나로 가을과 봄 사이의 추운 계절.
ふゆ【冬】。とうき【冬季】
四季の中で最も寒く、秋と春の間の季節。

• **작년** (名詞) : 지금 지나가고 있는 해의 바로 전 해.
さくねん【昨年】。きょねん【去年】
今年の直前の年。

• **올해** (名詞) : 지금 지나가고 있는 이 해.
ことし・こんねん【今年】。このとし【この年】。ほんねん【本年】
現在を含んでいる年。

• **내년** (名詞) : 올해의 바로 다음 해.
らいねん【来年】。よくねん【翌年】。みょうねん【明年】。つぎとし【次年】
今年のすぐ次の年。

• **과거** (名詞) : 지나간 때.
かこ【過去】。むかし【昔】
過ぎ去った時。

• **현재** (名詞) : 지금 이때.
げんざい【現在】
今、この時。

• **미래** (名詞) : 앞으로 올 때.
みらい【未来】。しょうらい【将来】
これから来る時。

< 참고(さんこう【参考】) 문헌(ぶんけん【文献】) >

고려대학교 한국어대사전, 고려대학교 민족문화연구원, 2009
우리말샘, 국립국어원, 2016
표준국어대사전, 국립국어원, 1999
한국어교육 문법 자료편, 한글파크, 2016
한국어 교육학 사전, 하우, 2014
한국어기초사전, 국립국어원, 2016
한국어 문법 총론 Ⅰ, 집문당, 2015

유머로 배우는 한국어 にほんご にほんご【日本語】(일본어) ほんやく【翻訳】(번역)

발 행 | 2024년 7월 16일
저 자 | 주식회사 한글2119연구소
펴낸이 | 한건희
펴낸곳 | 주식회사 부크크
출판사등록 | 2014.07.15.(제2014-16호)
주 소 | 서울특별시 금천구 가산디지털1로 119 SK트윈타워 A동 305호
전 화 | 1670-8316
이메일 | info@bookk.co.kr

ISBN | 979-11-410-9539-0

www.bookk.co.kr